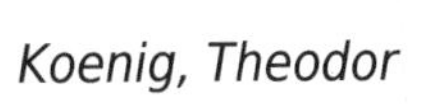
Koenig, Theodor

Der moderne Fa

Koenig, Theodor

Der moderne Falstaff

Inktank publishing, 2018

www.inktank-publishing.com

ISBN/EAN: 9783750101272

Der
moderne Falstaff.

Von

Th. König,

Verfasser von „Anton Gregor" ꝛc.

Leipzig,
Hermann Schultze.
1854.

Erstes Capitel

Vor einem gläsernen, cylinderförmigen, mit Wasser gefüllten Gefäße, in welchem zwei großmächtige Blutegel gleich zwei Kobolden umherschwammen, stand eine alte Matrone in blütenweißer Haube mit enormen Spitzen und betrachtete mit der höchsten Theilnahme die Schlangenbewegungen der beiden fetten Schlingel mit den olivengrünen Rücken und den gelbgefleckten Bäuchen.

Viele Minuten stand die alte Dame so vor dem gläsernen Gefäße, indem sie bald vor Bewunderung den Kopf schüttelte, bald mit einer großen Stecknadel in das Papier, mit welchem das Gefäß bedeckt war, Luftlöcher stach. Endlich schaute sie rings im Zimmer umher, schüttelte wieder den Kopf, aber diesmal vor Aerger, weil ihr niemand gleich zur Hand war; und darnach rief sie mit starker, etwas rauher und grollen-

1*

der Stimme: „Olga! Olga! Wo steckst du nur wieder?“

Alsobald trat ein junges Mädchen mit klugen, schwarzblauen Sammetaugen ins Zimmer, begleitet von einem kleinen weiß- und schwarzgefleckten Wachtelhündchen, stellte sich neben die Matrone und fragte mit recht schalkhafter Miene: „Ist etwa einer krank, liebe Tante?“

„Sie sinds zwar noch nicht, aber sie müssens wahrhaftig werden, wenn sie gar niemals ein bischen Blut bekommen,“ — entgegnete die Tante im Tone aufrichtiger Trauer. — „Weißt du, Olga, du könntest dir die armen Thierchen an deine Arme setzen, an jeden Arm eines, damit sie doch wieder einmal Blut zu saugen bekämen. Wenn ich so gesund und jung wäre, wie du, thät ichs gleich; oben an den Armen, wo das Kleid immer drauf kommt, möchts niemand sehen.“

„Die Blutegel dürfen aber nur krankes Blut trinken; von gesundem sterben sie,“ — versetzte die Nichte mit wohl verstelltem Ernste.

„So?“ — Also nur krankes Blut? — Hm! — die komischen Dingerchen!“ — sagte die Tante und verlor sich in tiefes, naturgeschichtliches Nachdenken. — Aber die Tante Hübler war eine sehr lebhafte, thatenlustige, rührsame Frau. Sie konnte bei nichts lange verweilen; am allerwenigsten bei ernstem, strengem Nachdenken. Auch jetzt vergaß sie die Blutegel und deren sonderbaren Blutdurst schnell, setzte sich aufs Sopha, rief Bibi, das Wachtelhündchen, streichelte es, neckte es und fragte dabei Olga, ob auch Bibis Bettchen frisch überzogen und Bibi selber gekämmt und gewaschen wäre und dergleichen mehr.

Darauf rief sie plötzlich in recht angstvollem Tone:

„Ach Gott, Olga, bei dem schrecklichen Regenwetter kann ich ja heut nicht mit Bibi ins Freie gehn! Du bist jung. Dir schadet der Regen nichts. Nimm dir nur die alte Hülle um und gehe ein bischen mit Bibi aus. Das arme Thierchen muß ja zu Grunde gehn, wenn es keine Bewegung hat und frische Luft schöpfen kann. Es wird mir noch gemüthskrank werden!" — Und sie liebkoste das Thier mit solcher Inbrunst, daß Olga bei sich sagte: „Wenn sie doch nur den zehnten Theil der Liebe, welche sie gegen die Thiere hegt, den Menschen zuwendete, wie viel trübe Stunden und Kränkungen würde sie ihrer Umgebung und sich selbst ersparen!"

Darnach versetzte sie laut: „Aber bei solchem Wetter kann auch Bibi nicht ausgehn, liebe Tante. Er würde sich ja das Reißen holen."

„Ja, ja, du hast recht, Olga; er möchte sich das

Reißen holen, das zarte Thier" — sagte die Tante. — „Man muß sich in der Stube mit ihm herumjagen, damit er nur wenigstens Bewegung hat."

Eben fuhr unten vor dem Hause ein Wagen vor, ein Ereigniß, das in der kleinen Stadt D. nicht füglich ohne Aufsehen vor sich gehen konnte. Auch die würdige Räthin Hübler — sie war eigentlich eine Rechnungsräthin oder ganz eigentlich die Frau eines pensionirten Rechnungsrathes, ließ sich aber der Kürze wegen am liebsten blos „Räthin" tituliren — trat bei dem Wagengerassel sogleich neugierig an ein Fenster und schaute hinab.

Sie schaute hinab und prallte sogleich vor dem Anblick unten wie vor einem, zu ihren Füßen sich schlängelnden und drohend aufbäumenden, recht giftigen Gewürme zurück. Ihre großen stahlblauen Augen glühten plötzlich vor Zorn, ihre farblosen Wangen wurden scharlachroth; sie bebte am ganzen Körper und rief: „Nein, das ist doch nicht mehr auszuhalten! Wo soll das hinaus, wenn jetzt schon die Bäckersfrauen sich in Seide kleiden und in Droschken fahren? Wenn jeder Standesunterschied verschwindet und der Vornehme, der Gebildete, gar nichts Apartes mehr für sich behält? — Nein! sage mir einer, was er will, wir leben in einer bösen, schauderhaften Zeit! Der Plebs staffirt sich mit Seide aus und fährt spaziren in Droschken! s ist keine Sitte, keine Ordnung mehr in der Welt!“

Es ist zu bedauern, daß die Rede der Räthin nebst den betreffenden Hand-, Körper- und Gesichtsmuskelbewegungen hier unterbrochen wurde. Sie war grade im Zuge, unsre Zeit mit ganz eigenthümlichen, neuen Schlaglichtern zu beleuchten. Sie befand sich grade in jenem Zustande tugendhafter und nobler Entrüstung, in welchem man heller sieht und besser und wahrer spricht denn andre Menschen.

Julie, die Köchin, trat nämlich blaß und zitternd ins Zimmer und berichtete unter Thränen und jammervollem Schluchzen, daß, während sie auf der Post nach Briefen gefragt, der Kater zwei Pfunde von dem Pökelfleisch aus der Küche entwendet und verzehrt habe.

Ob dieser Nachricht schaute die alte Dame eine geraume Weile sehr nachdenklich vor sich nieder; darnach schüttelte sie höchst bekümmert den Kopf und sagte: „Ach, das arme, arme Thier! Was für einen erschrecklichen Durst mag es jetzt auszustehen haben! Laufe nur gleich, Julie, und gib ihm Milch zu trinken. Geschwinde, geschwinde!“

Und sie lief selbst mit Julien in die Küche, streichelte liebevoll den dicken, vollgefressenen Kater, der sich dehnte und streckte und putzte und knurrte, und war recht innig vergnügt, als das „unglückliche Thier" eine volle Schüssel Milch „ausgeschlappert" hatte.

Nichtsdestoweniger nahm sie gegen die Köchin eine strenge, strafende Miene an und sagte: „Wenn er etwa krank wird, so kannst du dir nur gleich augenblicklich einen andern Dienst suchen und brauchst nicht erst bis zum Vierteljahrestage zu warten!" — Darauf kehrte sie mit dem Kater ins Wohnzimmer zurück.

Nachdem sie sich hier noch einmal gehörig von dem Wohlergehen desselben überzeugt hatte, legte sie ihn sorglich neben den Ofen auf ein weiches, reines Bettchen, seufzte über die so mannigfachen und drückenden Beschwerden des Lebens im allgemeinen und des ihrigen insbesondere, rückte einige Stühle, welche übrigens schon ganz am rechten Orte standen, zupfte an den Gardinen, welche von Olgas Hand bereits aufs schönste geordnet und gefaltet waren, und setzte sich endlich mit der Bemerkung an den Schreibtisch, daß doch kein Tag vergehe, wo sie sich nicht bis zur Erschöpfung „abmüden" müsse.

Hierauf probirte sie mehre Federn, fragte Olga, ob sie denn wieder die halbe Nacht hindurch geschrieben hätte — denn alle Federn wären stumpf — stieß verschiedentliche, gedehnte Seufzer hervor und schrieb alsdann, wie folgt:

„Lieber Robert!

Ach, was hast Du denn wieder gethan, Du unglücklicher, irregeleiteter Mensch! — Du hattest doch das Candidatenexamen so brav bestanden; und da Du ein so großes Talent zum Sprechen besitzest, und da es gegenwärtig — wie mir der Diakonus versichert — gar sehr an Theologen fehlt, und da Du in einem so vornehmen Hause Erzieher warst und geachtet und geschätzt wurdest, so konnte es Dir gar nicht mißlingen. Und ich sah Dich schon im Geiste auf der Kanzel und hörte Dich sprechen und die Leute zu Thränen rühren — was in unsrer schauderhaften Zeit gar sehr vonnöthen ist — und da kommt Dir plötzlich, wie von einem bösen Geiste eingegeben, der Gedanke, Dich dem Kaufmannsstande zu widmen. Aber das kommt daher, daß Du von jeher tolle, überspannte Ideen in Dir trägst, gar niemals in die Kirche gehst und immer gegen den Strom schwimmen willst. Weiß Gott, wies mit Dir noch enden wird! Aber das muß ich Dir sagen, daß ich mich schäme und die Augen niederschlage — ja, Deine Tante Hübler schlägt die Augen nieder — wenn jetzt einmal von Dir in Gesellschaft die Rede geht. Du hast Dir ohnedies niemals Freunde zu gewinnen verstanden, hast durch Dein stolzes, rechthaberisches Wesen — was sich für einen jungen Menschen, wie Du, durchaus nicht schickt — jedermann abgestoßen. Und jetzt gedenken Dir es alle und sagen: „Es ist doch recht schade um ihn!“ — oder: „Es wird kein gutes Ende mit ihm nehmen!“ — oder: „Er macht doch seinen Angehörigen recht viel Kummer und Betrübniß!“

Wahrlich! ich möchte aus der Haut fahren, wenn ich solch boshaftes Gerede von diesen Giftmäulern mit anhören muß. Denn Du bist doch einmal mein Neffe, und ich habe so viel, ach! so viel an Deine Erziehung gewandt!

Aber es hilft mir zu nichts, das aus der Haut fahren wollen; und ich bitte Dich, lieber Robert, komme nur nicht eher wieder in mein Haus, bis Du eine neue Anstellung hast, und Deine Zukunft gesichert ist. Dann aber komme und stopfe die ungewaschenen, giftigen Mäuler!

Besonders der Diakonus tadelt Dich sehr. „Robert“ — sagt er — „wird an derselben Klippe scheitern, an welcher die Hälfte der talentvollen, jungen Leute scheitert — an der Selbstüberschätzung. Er hält sich für ein Genie und besitzt doch nur Talent. Er wird noch tausenderlei ergreifen, aber stets seinen Zweck verfehlen. Er glaubt sich zum Höchsten berufen. Da er dies aber wegen Unzulänglichkeit der Kräfte nicht erreichen kann, und da ihn die Selbstüberschätzung hindert, einen richtigen, klaren Ueberblick über diese Kräfte zu gewinnen, so lebt er ewig in dem Wahne, er habe nur eine falsche Richtung eingeschlagen, und sein Ziel liege wo anders. Und so wechselt er hastig und unstet, bald niedergedrückt und verzweifelnd, bald wieder voll kühner Hoffnungen und flammender Wünsche, unaufhörlich seine Laufbahn, zersplittert seine Kraft, vergeudet sie, nützt sie ab und wird am Ende, entnervt und entkräftet, sein verfehltes Leben beweinen." —

Ich habe mir diese Worte von Olga dictiren lassen, weil sie dieselben besser behalten hat, als ich. Uebrigens hat sich Olga Deiner wacker angenommen, hat dem Diakonus tüchtig zugesetzt und ihn am Ende zum Schweigen gebracht.

Und nun lebe wohl! Möge Dich Gott, der Allmächtige, erleuchten und leiten! —

Bibi ist ja gesund; aber wegen des Katers hab ich eben eine große Angst ausgestanden, woran die dumme, einfältige Julie wieder schuld ist. — Ach! die Dienstboten, die Dienstboten! Denke Dir, Julie hat mir schon wieder gekündigt; der Nickel spricht von schlechter Behandlung. Man möchte aus der Haut fahren!

Deine kummervolle Tante
Hübler."

Nach Beendigung dieses Briefes setzte sich die kummervolle Tante aufs Sopha, machte sichs ein wenig bequem, liebkoste Bibi und befahl der Nichte, ihr den eben vollendeten Brief vorzulesen.

Während des Vorlesens nickte sie mehrmals, sich selbst beipflichtend, mit dem Kopfe, seufzte tief auf, als wollte sie sagen: So schön die Worte auch sind und so weise die Lehren, wird er sie denn beherzigen?" — und am Ende trug sie Olga auf, den Brief sogleich zu versiegeln und zur Post zu schicken. —

Olga aber ging mit dem Briefe in ihr Schlafcabinet, zog dort aus dem Busen einen andern hervor, und, während sie denselben flüchtig überliest, wollen auch wir einen Blick darauf werfen. —

In Olgas Briefe stand geschrieben:

„Lieber Robert!

Vor einem Jahre ungefähr, als wir eines Abends miteinander über Deine Zukunft sprachen, habe ich Dir etwa folgendes gesagt: — „Du besitzest vier Eigenschaften, deren Vereinigung sehr selten ist, Selbstsucht, scharfen Verstand, Ehrlichkeit und Ehrgeiz. Mit diesen Eigenschaften kannst Du eines Tages recht leicht meinetwegen ein großer Handelsmann oder ein berühmter Schriftsteller, oder ein angesehener Rechtsgelehrter, oder sonst dergleichen werden, aber niemals ein — Geistlicher! denn ein solcher kann wol jede dieser Eigenschaften einzeln besitzen, auch wol zwei, unter Umständen sogar drei von ihnen, Selbstsucht, scharfen Verstand, Ehrgeiz; aber auf keine Weise alle vier."

Demgemäß wirst Du es leicht erkärlich finden, daß ich über die plötzliche Veränderung Deiner Laufbahn weder erstaunt noch betrübt bin, sondern sie vielmehr mit Freude und, um offen zu sein, mit einer gewissen Genugthuung begrüße. Ich habe volles Vertrauen zu Deinen Bestrebungen, Deinem dunklen Drange, Deinem Charakter. Ich glaube mit Zuversicht, daß Du einst in irgend einer Art Tüchtiges und, sowol für Dich als für das Gesammtwohl Ersprießliches leisten wirst.

Das Gerede mancher Leute behelligt mich weiter nicht, ebensowenig wie Dich. Jene unausstehlich systematische Lebensweisheit, wie sie unter andern der Diakonus gern zum Besten gibt, welche vor jeder Besonderheit zurückschreckt und sich dann für den Schreck durch Herabsetzung rächt, durch Abfertigung mit schematischen Phrasen — habe ich durch Dich geringschätzen gelernt, so sehr geringschätzen, daß ich ihr sogar jene harmlose Beschränktheit, welche alles Unbegreifliche oder nur Ungewöhnliche schlechtweg verabscheut, ohne Raisonnement verabscheut, noch vorziehe.

Dies meine Erwiderung auf den ersten Theil Deines letzten Schreibens an mich.

Was aber den zweiten Theil desselben betrifft, so kann ich Dir da nicht so beipflichtend antworten; und zwar aus folgenden Gründen:

Erstlich bist Du 27 Jahr alt, ich 24. Bevor Du noch Deinem Ziele so weit nahe gerückt sein wirst, daß Du ans Heirathen denken kannst, werde ich sicher in Deinem jetzigen Alter, also ein „altes Jüngferchen" sein.

Zweitens mißtraue doch Deiner Beständigkeit! Menschen Deiner Art, das heißt, geistvolle, hochstrebende, selbstsüchtige und dabei ehrliche Menschen, leben schnell und viel, verändern ihre Weltanschauung leicht. Nach wenigen Jahren schon wird Dein ganzer innerer Gesichtskreis ein andrer, also auch Dein Ideal vom Weibe ein andres geworden sein. Nachher ist es Zeit, daß Du wählest.

Drittens muß ich Dir nur sagen, mein Herz pocht nicht stärker, meine Brust athmet nicht schwerer, meine

Hand zittert nicht, während ich dieses schreibe! Daraus geht hervor, daß meine Gefühle gegen Dich sehr ruhiger Natur sind. Nun weiß ich aber, daß Du bei allem ein bischen den Sturm liebst, daß Du von der Liebe ein wenig Leidenschaft verlangst; also, mein lieber Robert, also — — — —

Viertens und endlich verträgt sich Deine jetzige Lage durchaus nicht mit Heirathsgedanken. Die würden Dich hemmen, fesseln. Du bedarfst voller Freiheit und Ungebundenheit nach allen Seiten hin. Es handelt sich bei Dir um die baldige Erreichung einer festen, sichern Existenz. Vergiß das nicht!

Schließlich bitte ich Dich, dies Thema in Deinen zukünftigen Briefen nicht weiter zu berühren. Wenigstens bin ich fest entschlossen, im entgegengesetzten Falle Deine Briefe unbeantwortet zu lassen.

Später wirst Du das Passende und Vernünftige meiner Bitte und meines Entschlusses schon anerkennen. Darum will ich Dir für den Augenblick wol ein bischen Unwillen, Groll und verletzte Eigenliebe gestatten.

Lebe wohl! Immerdar

Deine getreue Muhme

Olga."

Olga war eben im Begriffe, die beiden Briefe zu umhüllen und zu versiegeln, als sie in dem Zimmer ihres Oheims, des Rechnungsrathes, husten hörte. Sogleich gab sie ihr Vorhaben auf, schlüpfte, die beiden Briefe in der Hand, leise und vorsichtig in das Nebenzimmer (welches der Onkel bewohnte) näherte sich dem alten Manne, welcher vor einem Schreibpulte saß, und die Zeitung studirte, und legte die Briefe mit den Worten vor ihn hin: „Vielleicht wünschen Sie einige Zeilen an Robert hinzuzufügen, lieber Onkel."

Der alte Mann drehte seinen graulockigen Kopf herum, so daß ihm Olga in das gutmüthige, sanfte Gesicht blicken konnte und fragte mit einem fast scheuen Blicke nach dem Wohnzimmer der Räthin: „Ist Henriette daheim?" —

„O, die Tante wird Sie jetzt wol nicht stören!" — versetzte Olga mit einem Lächeln; und darauf ging sie ebenso leise und vorsichtig aus dem Zimmer, als sie eingetreten war.

Als Onkel Hübler allein war, packte er vorerst fünf kleine Papierstreifen, auf welche er besonders inhalts- und geistreiche Stellen aus der Zeitung abgeschrieben hatte, sorgfältig zusammen und legte sie in ein besondres Fach des Schreibpultes.

Das war so seine Gewohnheit seit 10 Jahren, seitdem er sich im Ruhestande befand. Täglich, mit Ausnahme der Montage, wo keine Zeitung wegen der vorhergehenden Sonntage erscheinen durfte, schrieb er einige in der Regel breitsperrig gedruckte Sätze auf kleine Zettelchen ab und legte die Zettelchen, tageweise zusammengepackt, in das eigens dazu bestimmte Fach. Nach Verlauf eines halben Jahres räumte er für die neuen Zettelchen ein zweites Fach ein. Aus dem ersteren dagegen zog er nun täglich (wieder mit Ausnahme der zeitungslosen Montage) eins von den Päckchen hervor, und zwar in derselben Reihenfolge, in welcher er sie hineingelegt hatte, studirte mit unermüdlichem Fleiße dessen Inhalt, memorirte gewisse eigenthümliche Wendungen und Fremdwörter und dann ging er auf den nahe bei der Stadt gelegnen Bahnhof.

Daselbst versammelten sich täglich einige pensionirte Offiziere und Beamtete und Gutsbesitzer (ohne Güter), welche um des wohlfeilen Lebens, vielleicht auch des nahegelegnen Bahnhofs willen sich in D. eingebürgert hatten. Man kann sich denken, daß in einer also zusammengesetzten Versammlung die „brennenden Tagesfragen" jeder Gattung vielseitig und gründlich erörtert wurden.

Rechnungsrath Hübler hörte diesen Erörterungen stets stillschweigend und aufmerksam zu, bis von ungefähr das Gespräch einen Gegenstand, ein Thema berührte, auf welches einer von seinen kurz vorher memorirten Sätzen Bezug hatte. Dann aber erhob er sich langsam und feierlich, recitirte mit sanfter, aber sehr vernehmlicher Stimme den betreffenden locus memorialis und ging darnach eine Weile im Zimmer auf und ab, gleichsam als müßte er sich von seiner eben stattgehabten „geistigen Niederkunft“ durch sanfte Bewegung erholen.

Nach recht inhaltsreichen, imponirenden Phrasen nahm er wol auch einen mäßigen Schluck Bieres, entweder um „die entkräftete Wöchnerin“ zu stärken, oder um „die schwere aber glückliche Geburt“ zu feiern.

Nachdem er so im Verlauf des Nachmittags drei oder vier Mal „geboren“ hatte, ging er still und glücklich wieder heim und warf vor dem Schlafengehen noch einen lachenden Blick auf die vollen, schätzereichen Fächer.

Sobald also Olga aus dem Zimmer gegangen war, legte der Onkel die fünf vollgeschriebenen Papierstreifen in das bewußte Fach des Schreibpultes. Hierauf wählte er von den beiden vor ihm liegenden Briefen den von der „Räthin“ aus, las ihn mit ernster, beinahe achtungsvoller Miene bis zu Ende durch und flüsterte dann wieder mit einem scheuen Blicke nach der Richtung, wo seiner Gemahlin Zimmer lag: „Am

Ende werden wir keinen Dienstboten mehr bekommen, und der Kater wird kochen und bedienen müssen!" — Auffallend dabei ist, daß das Komische, welches namentlich in den letzten Zeilen des durchlesenen Briefes lag, und welches der Rechnungsrath recht wohl herausfühlte, ihm selbst jetzt, wo er ganz allein und unbeobachtet war, kein Lächeln abzuzwingen vermochte. So sehr hatte er sich daran gewöhnt, alles, was seine Gemahlin that oder sagte oder schrieb, ernst und ehrerbietig aufzunehmen.

Erst nachdem er den Brief von Olga zur Hand genommen und die ersten Zeilen davon gelesen hatte, fand sich in seinen Zügen das heitere Lächeln wieder; und je weiter er las, desto strahlender wurde es. Am Ende platzte der sanfte Mann gar mit einem herzhaften Gelächter heraus; worauf er aber sogleich mit allen Anzeichen von Angst die Briefe verbarg und nach der Thür blickte, als würde etwa Dionys oder Nero oder sonst ein erschrecklicher Mensch durch dieselbe hereintreten.

Da jedoch wider Erwarten keiner kam, beruhigte er sich wieder, öffnete mit möglichster Vermeidung jedes Geräusches eine Schublade des Schreibpultes und zog eine 25Thalernote daraus hervor. Er hüllte dieselbe in einen Zettel, schrieb darauf die Worte: „Inliegende Gratulation bedarf keiner Danksagung, überhaupt kei-

2*

ner mündlichen oder schriftlichen Erwähnung!" — packte dann Zettel und Briefe in ein Couvert, versiegelte es und rief Olga herbei.

„Da, du kleiner Schalk!" — sagte er, ihr den Brief überreichend — „schreib die Adresse darauf und schicke ihn nach der Post."

Und als er dann wieder allein war, zog er aus dem Fache die für heut bestimmten „loci memoriales" hervor und studirte und memorirte sie. Darnach aber machte er Toilette, zog einen naturellfarbenen Rock an, setzte seine hechtgraue Mütze auf und ging, mit einem riesigen Schirme bewaffnet, trotz dem abscheulichsten Regenwetter hinaus auf den Bahnhof.

Zweites Capitel

In einem ziemlich großen Zimmer eines neuen, schönen Gebäudes von B. befanden sich zwei Männer, in lebhafter Unterhaltung begriffen.

Das Zimmer hatte eine recht zutrauliche, anheimelnde Physiognomie. Die Möbel waren sehr geschmackvoll und passend angebracht und machten zugleich den Eindruck des Gefälligen und des Behaglichen. Ein Büchergestell, voll schöngebundner und sorglich geordneter Bücher, ein großer mit Notenheften bedeckter Flügel, ein bequemes Sopha mit weichen schönen Ruhekissen, ein Pfeifentisch mit türkischen und deutschen Pfeifen, eine Menge reizender zum Theil seltener Blumen auf und an den Fenstern und wunderlicher Schlinggewächse in kleinen, hübschen Ampeln — das alles gab dem Gemache ein halb poetisches, halb fashionables Ansehen.

Die beiden Männer, von denen der eine, der Bewohner des geschilderten Zimmers, grade vor einem Rosenstocke stand, die verwelkten Blätter und Blüten abschnitt und durch das geöffnete Fenster warf, der andere aber, auf dem Sopha sitzend und eine Cigarre rauchend, sehr lebhaft sprach, waren in Bezug auf das Alter weit auseinander. Robert Hübler, der Inhaber des Zimmers, war 27 Jahr alt, während Strolph, sein Gast, bereits die funfzig überschritten hatte.

Dieselbe große Verschiedenheit, wie hinsichtlich des Alters, war auch hinsichtlich des Gesichtsausdrucks zwischen ihnen vorhanden.

Roberts jugendliche Züge drückten Offenheit, Selbstbewußtsein, Kühnheit und kecke Lebenslust aus, während in Strolphs marquirtem Gesichte eine gewisse Verschlossenheit, Zerknirschung, Unruhe und spartanische Strenge ausgeprägt waren.

Auch in ihrer Haltung und Bewegung ließ sich ein in die Augen springender Unterschied erkennen; — Robert hielt sich und bewegte sich ruhig und gemessen, während Strolph stets mit den Schultern zuckte, mit den Armen gesticulirte, überhaupt eine Quecksilberbeweglichkeit an den Tag legte, als hätte er französisches Blut in den Adern.

Diese beiden so verschiedenen Männer waren durch ein enges, festes Band aneinander gefesselt, ein Band, welches nicht ganz das der Freundschaft, sondern nur das unbedingter Hochachtung und gegenseitiger Ergänzung war. Denn die Merkmale der Freundschaft, persönliche innige Zuneigung, volle Hingebung und Aufopferungsfähigkeit, besaßen sie nicht füreinander. Sie bildeten Nebenwinkel, welche zusammen zwei Rechte betrugen; demgemäß blieben sie ewig, der eine spitz, der andre stumpf und — nebeneinander.

„Aus alledem schließ ich“ — sagte Strolph, während er von dem Sopha in die Höhe sprang und im Zimmer auf- und abzuschreiten begann — „daß Sie auch jetzt noch nicht auf dem richtigen Wege sind, daß Sie einen andern einschlagen müssen.“

Robert legte die Schere, mit welcher er die vertrockneten Blätter und Blüten abgeschnitten hatte, bei Seite, lehnte sich rücklings an den Flügel und versetzte lächelnd: „Zugegeben, daß Sie recht haben, wie erklären Sie dann die Ruhe, mit welcher ich meinem neuen Berufe lebe, und die Zuversicht, mit welcher ich in die Zukunft blicke?“

„Ich könnte Ihnen antworten, das liege im Blute oder im Charakter“ — entgegnete Strolph. — „Aber was nützte Ihnen denn eine solche Erklärung? Was nützt es denn einem armen Teufel, der seine Hütte in Flammen und Rauch aufgehen sieht, daß er weiß, ob dieselbe durch Unvorsichtigkeit oder durch böswillige Hände in Brand gesteckt worden? Die Hauptsache für ihn ist ja doch, daß er sich darum bekümmert, wie und wohin er sich so bald wie möglich eine neue Hütte zu bauen vermöge."

Robert versetzte: „Sie vergessen, daß ich ja eben erst mit dem Aufbau einer solchen Hütte beschäftigt bin, und daß nicht ich, sondern Sie die noch unfertige schon in Rauch und Flammen aufgehen sehn."

Strolph zuckte ungeduldig mit den Schultern, stellte sich dicht vor Robert hin und sagte mit fast unwilliger Miene: „Sagen Sie mir doch, fühlen Sie sich denn ganz befriedigt, so wie Sie jetzt leben und handeln? Antworten Sie mir, die Hand aufs Herz!"

„Mein Gott, nein!" — antwortete Robert unbedenklich. — „Aber wer fühlt sich in diesem Dasein denn ganz befriedigt? Und dann vergessen Sie nicht, daß alle Welt über meine Unbeständigkeit schreit, und daß dieselbe bereits für mich selbst drückend ist. Soll ich nun jetzt, da ich eben erst wieder ein neues Feld für meine Thätigkeit gewählt habe, darum, weil ich dasselbe nicht sogleich in üppiger Fruchtbarkeit und warmem Sonnenschein vorfinde, umkehren und aufs gerathewohl ein andres Feld betreten?"

„Warum betraten Sie denn dieses Feld ohne Fruchtbarkeit und Sonnenschein?" — fragte Strolph in vorwurfsvollem Tone. — „Warum überlisteten Sie das eigne Herz, welches Ihnen stets zuflüsterte, wofür Sie bestimmt sind? Warum liebten sie den Mammon mehr, als die Menschheit und brachten bei der Wahl Ihres neuen Berufs sich selbst und Ihre Freunde täuschend die Entschuldigung vor: Ich will erst die Mittel gewinnen, womit ich der Menschheit dienen kann; dann aber werde ich keinen Augenblick anstehn, ihr zu dienen?

Das ist ja jene beliebte Perfidie, in welche sich der Egoismus unsrer Tage so trügerisch hüllt! Man will Gott dienen, aber auch dem Teufel. Man will ein Stück Christus sein, aber auch ein Stück Pilatus. Man will die modernen Götzen unter die Füße treten, aber auch ein wenig von dem Weihrauch riechen, welchen man für sie anzündet.

Ich sage ihnen, Robert, Sie werden zu Grunde gehen, moralisch zu Grunde gehn, wenn Sie nicht schleunigst umkehren."

Robert war über diese Worte unwillkürlich betroffen und schlug die Augen vor dem Flammenblicke seines

Gastes scheu zu Boden. Aber er richtete sie auch gleich wieder in die Höhe, heftete sie fest auf Strolphs Gesicht und versetzte: „Bisher ist die Sprache meines Herzens für mich dunkel und unverständlich gewesen. Es hat mir noch niemals bestimmt zugerufen: Ergreife dieses oder jenes! Demnach war die Stimme der Vernunft für mich maßgebend, welche mir bestimmt sagte: Ergreife etwas, denn sonst wirst du eines Tages verhungern! Ergreife was du willst, nur nicht, was deinen Grundsätzen und deinem besten Wissen zuwiderläuft! Demnach habe ich die Theologie fahren lassen, weil sich dieselbe mit meinem Wissen und meinen Grundsätzen nicht vereinigen ließ, und bin Kaufmann geworden.

Wenn Sie aber die Sprache meines Herzens verstanden haben, warum sind Sie dann nicht dessen Dolmetscher und mein Wegweiser geworden? Warum haben Sie mir niemals bestimmt gesagt: Das ist dein Beruf, das ist das Feld deiner Thätigkeit? Warum war Ihre Sprache bis zu dieser Stunde ganz ebenso dunkel als die meines Herzens?"

Strolph ergriff hastig Hut und Stock und entgegnete: „Wem die innere Stimme, die Sprache des Herzens, unverständlich ist, der muß entweder taube Ohren oder gar kein Herz haben! Gott befohlen!" — damit ging er weg und ließ Robert nachdenkend und unruhig zurück.

„Ich glaube wohl, daß mein jetziger Beruf nicht der meines ganzen Lebens bleiben kann;“ — sagte Robert bei sich — „aber ich bin überzeugt, daß Strolph ebensowenig als ich selbst weiß, was ich später ergreifen werde. Er ist ein Mensch, der die ganze Unruhe der Zeit in seinem Innern aufgenommen hat und der nun alle Menschen, mit welchen er in Berührung kommt, ansteckt und unruhig und unzufrieden macht.“

Auf der kleinen Wanduhr schlug es zwei Uhr. Robert kleidete sich an und ging hinab in das Comptoir der Firma Trenkmann, wo er als Correspondent angestellt war.

In dem Comptoir, welches aus zwei großen Zimmern bestand, waren fünf junge Leute und ein älterer Herr beschäftigt.

An den jungen Leuten ging Robert nach leichtem Gruße vorüber; dem älteren Herrn aber, welcher in dem zweiten Zimmer allein an seinem Pulte stand, reichte er die Hand und nickte ihm freundlich zu.

Beinling — so hieß der ältere Herr, welcher den wichtigen Posten eines ersten Buchhalters und in seines Principals Abwesenheit sogar den eines Disponenten bekleidete — ein langer, hagerer Mann von

40 Jahren mit länglichem, magerem Gesicht, blonden stets sorgfältig gekämmten Haaren, niedriger, gefalteter Stirn, grauen Augen, langer, spitzer, mit Schnupftabak reichlich gespeister Nase und einer großen, silbernen Brille darauf, addirte nach dem Händedrucke noch eine lange Colonne (während sich Robert auf seinen Reitschemel niedersetzte und zu lesen begann) schrieb das Facit darunter und sagte dann, die Feder hinter das rechte Ohr klemmend: „Wir haben morgen den Ersten, Herr Hübler.“

„Ich glaube, ja“ — versetzte Robert, ein Lächeln unterdrückend. — Herr Beinling zog seine Brille von der Nase herab, nahm aus der vor ihm liegenden silbernen Dose eine reichliche Prise und fuhr fort: „Sie erhalten morgen Ihren ersten Monatsgehalt“ —

„Bestehend in 30 Thalern Courant“ — ergänzte Robert mit mühsam behauptetem Ernste.

„Da sitzt eben der Haken“ — fuhr Beinling huldreich lächelnd fort. — „Herr Trenkmann ist mit Ihren Leistungen und ihrem Eifer so ausnehmend zufrieden, daß er Ihren Gehalt freiwillig um das Doppelte erhöht hat. Sonach erhalten Sie morgen nicht 30, sondern 60 Thaler Courant.“ — Nach diesen Worten zupfte er gravitätisch an seinen Vatermördern; Robert war äußerst überrascht und warum sollen wir es nicht hinzufügen, erfreut. Indeß aus einer gewissen Eitelkeit beherrschte er diese beiden Gefühle und blickte Herrn Beinling ruhig und fragend ins Gesicht.

Der aber war von dieser scheinbaren Gleichgiltigkeit so betroffen, daß er unversehens den Faden seiner Rede verlor und nicht recht wußte, was er gleich sagen sollte. — Und so saßen sie eine Weile einander nichtssagend gegenüber.

Endlich trug bei Robert die Ehrlichkeit den Sieg über die Verstellung davon und er sagte: „Sie haben mich durch Ihre so unverhoffte Glücksnachricht dergestalt überrascht, daß ich im Augenblicke vergaß, dem Herrn Trenkmann meinen aufrichtigen Dank abstatten zu lassen. Ich glaube nämlich, daß er meine persönliche Danksagung nicht wünschen wird, da er unterlassen hat, mir persönlich die Mittheilung von seiner Güte zu machen."

„Sie haben ganz recht;" — entgegnete der Buchhalter, welcher den verlornen Faden jetzt wiederfand. — „Herr Trenkmann betrachtet diese Angelegenheit als Geschäftssache und macht sie in diesem Stile ab. Durch diese Gehaltsverbesserung will er Ihnen keine Wohlthat erweisen, sondern seine Anerkennung zu erkennen geben."

Und wieder saßen die beiden einander stumm gegenüber; aber diesmal nicht, weil dem Buchhalter der Faden abgerissen oder verloren gegangen war, sondern weil er sich sammeln mußte, denn er hatte noch gar viel auf dem Herzen und konnte doch schon der Höflichkeit und des Anstandes wegen nicht alles auf einmal herunterwälzen, wie er denn überhaupt großes Gewicht auf das savoir vivre legte. — Endlich, als er sich vermittelst einiger Prisen gesammelt hatte, begann er wieder:

„Sie haben, als Sie hier eintraten, gegen Herrn Trenkmann geäußert, daß Ihr jetziger Beruf wol nicht der Ihres ganzen Lebens sein werde. Hegen Sie jetzt noch dieselbe Ansicht?"

Robert besann sich eine lange Weile, wiewol er vor kaum einer halben Stunde die gegen Trenkmann gethane Aeußerung gegen sich selbst unbedenklich wiederholt hatte; darauf aber sagte er zögernd: „Leider hege ich noch jetzt dieselbe, vielleicht thörichte, Ansicht!

„O, gewiß ist sie thöricht, mein lieber Herr Robert! — gestatten sie mir diese vertrauliche Anrede — gewiß ist sie thöricht und beruht auf nichtigen Vorurtheilen! Bedenken Sie, welche Zukunft Ihnen bevorsteht, wenn Sie Ihre jetzige Laufbahn verfolgen. Unsre Firma ist die reichste, die mächtigste von ganz B. Sie besitzen die Achtung, das Zutraun, die Liebe — ja, wahrhaftig! die Liebe des Chefs dieser Firma. Er betrachtet Sie als Familienglied. Er hat Sie vor einigen Tagen in die Familie eingeführt; und diese Ehre hat er außer mir noch keinem seiner Untergebenen, so lange und so treu sie ihm dienen mochten, zu Theil werden lassen. O, wenn Sie ihn kennten, wenn Sie wüßten, welche vorurtheilsfreie, rechtliche und hochherzige Gesinnungen er hegt, wenn Sie eine Ahnung davon hätten, was er für die, welche er achtet und liebt, zu thun fähig ist, Sie würden unbedenklich Ihre Zukunft, Ihr ganzes Geschick an diesen Mann knüpfen und würden glücklich dadurch werden!"

Er hatte mit einer Wärme und einem so klar hervortretenden Wunsche, zu überreden, gesprochen, daß ihn Robert ganz erstaunt und gedankenvoll betrachtete. — Er selbst aber, nachdem er sich beruhigt hatte, schämte sich seiner jugendlichen Aufwallung — so pflegte er die unwillkürlichen und gar nicht seltenen Ergießungen seines guten, vortrefflichen Herzens zu nennen — welche einem ersten Buchhalter offenbar schlecht anstünden. Er setzte seine Brille wieder auf (um sich ein gesetztes Ansehn zu geben), klopfte ein paar Körnchen Schnupftabak, welche ihm auf das blendendweiße Vorhemdchen gefallen waren, vorsichtig herunter, zupfte an den Vatermördern, welche ihm nie hoch und steif genug schienen, und fuhr dann mit vollkommener Würde also fort: „Ich brauche Ihnen nicht zu sagen, welche Rolle der Kaufmannsstand in der Weltgeschichte gespielt hat und noch spielt, daß ihm die Civilisation mehr als allen Königen und Fürsten und großen Geistern verdankt. Aber das erlauben Sie mir, Ihnen zu sagen, mein lieber Herr Robert, daß sich unser Stand mit den freisten, humansten und erhabensten Ideen, welche ein Philosoph hegen kann, verträgt. — Ich bin nicht anmaßend genug, um diese Ueberzeugung als eine durch eigne Einsicht gewonnene hinzustellen; aber ich erkenne in der Person meines Principals ein lebendiges Beispiel von der Richtigkeit dieser Behauptung. Reden Sie mit ihm und er wird auch Sie überzeugen; ja, er wird die Vorurtheile zu nichte machen, welche Strolph, dieser finstre Fanatiker — denn als solchen muß ich ihn tadeln, so sehr ich ihn als Freund achte und liebe — in Ihnen erregt hat."

Da er hierauf die Feder hinter dem Ohre wieder hervornahm und Miene machte, an die Arbeit zu gehn, erhob sich Robert, trat zu ihm heran, reichte ihm die Hand und sagte: „Ihre Worte haben mir bewiesen, daß Sie für mich und mein Geschick eine aufrichtige Theilnahme hegen, Herr Beinling. Lassen Sie mich Ihnen sagen, daß mir dies unendlich wohl thut, und daß ich auch bestrebt sein werde, mich dieser Theilnahme stets würdig zu zeigen.“

„O, Sie werden in diesem Hause stets und auf allen Schritten einer aufrichtigen und warmen Theilnahme begegnen!“ — rief Beinling, während ihm die unausstehliche „jugendliche Aufwallung“ wieder etwas von seiner Würde als erster Buchhalter entzog. — „Ich weiß das aus Erfahrung! Denn ich muß Ihnen sagen, auch ich hatte einst Aussichten, Hoffnungen — aber ich bin nicht der Mann darnach, ich bin nicht Sie! — Doch das gehört nicht hierher. Ueberhaupt habe ich Ihnen zu Liebe mich verleiten lassen, meine Pflicht zu vergessen, die Geschäftsstunden zu mißbrauchen.“

Und mit einer ernsten, fast strengen Miene vertiefte er sich wieder in seine Colonnen. Robert aber ging an seine auswärtige Correspondenz und schrieb, bis gegen 5 Uhr ein Diener zu melden kam, daß der Kaffee servirt wäre.

Beide, Beinling und Robert gingen nun hinauf in das Familienzimmer, woselbst Robert seit einigen Tagen Zutritt hatte. — Daselbst saß auf einem Sopha von dunkelblauem Damast eine junge Dame von ungefähr 22 Jahren. Sie war mit einem schwarzseidenen Ueberrocke bekleidet, aus welchem an den Armen und an Hals und Busen schneeweiße, feine Spitzen hervorquollen. Ihre Haltung war stolz und gebieterisch. Ihr Gesicht interessant und fein, zog an oder stieß ab, je nachdem die Laune dieser vornehmen Dame gut oder böse war, und je nachdem aus ihrem großen, schwarzen Auge ein vielverheißendes und herausfordernde̱s Lächeln oder ein beleidigender, unerbittlicher Hochmuth leuchtete.

„Die Herren waren wol sehr beschäftigt, daß sie mich und hauptsächlich den Kaffee warten ließen?" — sagte sie mit einem Blicke verhaltenen Unwillens auf Beinling.

„Wir waren einerseits sehr beschäftigt" — entgegnete Robert rasch — „und andererseits wissen Sie ja wohl, daß kalter Kaffee eine sehr heilsame, unschätzbare Eigenschaft besitzt."

Selma Trenkmann — denn dies war die in Rede stehende vornehme Dame — ließ ihren Blick langsam an Roberts Gestalt von den Fußspitzen aufwärts bis zum Scheitel gleiten, stocherte während dieser mühsamen Arbeit mit einer Stricknadel in dem glänzend schwarzen, wellenförmig gescheitelten Haar und sagte darnach mit dem Tone souveräner, erbarmungsloser Gleichgiltigkeit: „Das sind allerdings zwei vollgiltige, schlagende Gründe."

Und Robert versetzte wieder rasch: „Ohne Ihre so

freundliche Anerkennung würde ich aber dennoch kaum wagen, sie für ganz vollgiltig zu halten." — Darauf schlürfte er mit der vergnügtesten Miene von der Welt aus seiner Tasse, und Beinling schaute ihn von der Seite mit einem Blicke an, welcher sagen wollte: O, wenn ich ihr doch ein einziges Mal so geantwortet hätte! Aber ich konnte es nicht!

Die junge Dame kniff nach Roberts Antwort die Lippen ein und runzelte die Stirn. Sie war offenbar ebensowol überrascht als unwillig; aber sie verbarg beides sogleich wieder hinter ihrem halb gleichgiltigen, halb mitleidigen Lächeln und sagte: „Da Sie Hauslehrer in einem vornehmen Hause waren, so haben Sie sich jedenfalls viel in der großen Welt bewegt?" — Und nach diesen Worten zogen sich ihre Züge zu einem großen, impertinenten Fragezeichen zusammen.

Robert sagte zu dem Seidenspitz, welcher ein Liebling der jungen Dame war, und welcher ihn schon seit einiger Zeit durch seine Zudringlichkeit belästigte: „Du bist ein kleiner ungezogner Patron!" und schlug ihn sanft auf die Schnauze. Darauf wandte er sich harmlos gegen Selma und antwortete:

„Ich habe mich allerdings ziemlich viel und lange in der „großen" Welt bewegt, habe aber weiter nichts dadurch gewonnen als die Fähigkeit, augenblicklich zu

3*

erkennen, wem der Rang, wem die Geburt, wem Bildung und wem das Geld den Eingang zu jenen Kreisen erschlossen hat. Dieser Gewinn ist zwar nicht von großer Bedeutung, das gebe ich zu; indeß es gewährt einem doch eine gewisse Genugthuung oder wenigstens einige Unterhaltung, wenn man einzelne unbedeutende Persönlichkeiten sich spreizen sieht, zu wissen: Graf X. spreizt sich infolge der Zufälligkeit, daß er ein paar Ahnen zählt; sollten freilich die Ahnen einmal im Preise sinken, so würde sich der arme Mensch nicht mehr spreizen können! — oder Madame Y. spreizt sich, weil sie weiß, daß ihr Gemahl ein paar Millionen zu commandiren hat; sollten freilich einmal Unglücksfälle über die Millionen hereinbrechen, so würde sich die arme Frau nicht mehr spreizen können."

Und nach diesen Worten blickte er ihr so heiter und harmlos ins Gesicht, als ob er eben nur einen lustigen Schwank erzählt hätte.

Selma, welche ohnehin eine überaus zarte, weiße Gesichtsfarbe hatte, wurde kreideweiß, so weiß, daß den armen Beinling, welcher sie verstohlen betrachtete, eine große Angst erfaßte. Aber Selma war ein starkes, willenskräftiges Weib, welches bis jetzt noch niemals in Ohnmacht gefallen war. Sie kämpfte den Sturm nieder, welcher von dem beleidigten Hochmuthe losgelassen, durch ihre Seele brauste. Sie raffte sich auf aus der Ohnmacht, in welche sie der Zorn niedergeworfen hatte, und sagte mit ihrer gleichgiltigsten, mitleidigsten Miene: „Ei, der Gewinn, welchen Sie aus der großen Welt davongetragen, scheint mir gar nicht so unbedeutend. Es muß doch eine große Genugthuung gewähren, das „sollte" und „könnte" in den Verhältnissen des Grafen X. und der Madame Y. so schnell und so leicht herauszufinden." Und darauf streichelte sie dem armen Seidenspitz die von Robert so schnöde behandelte Schnauze.

Robert seinerseits schlürfte lächelnd seinen Kaffee, so heiter, so ehrlich und doch wieder so schalkhaft lächelnd, daß Selma aufs neue erblaßte, die Lippen zusammenpreßte und den unschuldigen Spitz bei Seite schob; denn sie mußte sich sagen: Ich bin besiegt, und von einer also geharnischten Mannesbrust prallten deine spitzesten Pfeile stumpf und machtlos ab!

Und das war bitter für sie, vernichtend bitter. Denn es war der erste Mann, welcher sich ihr also bewaffnet entgegengestellt hatte; und dieser Mann war der zweite Commis ihres Vaters!" — Ein peinliches Schweigen herrschte jetzt unter den Dreien, ein Schweigen, welches für den armen Beinling so unangenehm und qualvoll war, als eine recht schneidende Dissonanz in der Musik — er war nämlich sehr musikalisch, der würdige Buchhalter, und versäumte niemals das Theater, wenn eine gute Oper zur Aufführung kam. — Er hielts auch nicht lange aus, das Schweigen nämlich, sondern räusperte sich mehre Male, zupfte an den Vatermördern — das Schnupfen unterließ er, so schwer ihm das fiel, in Selmas Gegenwart stets, weil sie es, wie sie einmal gesagt hatte, bei jungen Männern gradezu verabscheute — und platzte endlich mit der Bemerkung heraus, Herr Trenkmann scheine ausgegangen zu sein.

„Bedürfen Sie seiner?“ — fragte ein großer Mann mit edlen Zügen und durchdringenden, lebhaften Falkenaugen, aus einem Nebenzimmer heraustretend.

Wiewol nun Herr Beinling eigentlich hätte ja! antworten müssen — denn das höchst widerwärtige Schweigen peinigte ihn dermaßen, daß er in der Verzweiflung seinen Kaffee ganz heiß hinunterschluckte und sich den Mund verbrannte; und diesen unangenehmen Zustand konnte nur ein hinzukommender Vierter beenden — so brachte er doch kein Wort hervor, nicht einmal als ihm eine Antwort, die ihm sehr passend schien, schon auf der Zunge schwebte, die Antwort nämlich: „Wir bedürfen Ihrer immer und überall!“

Trenkmann lächelte über die seltsame Befangenheit

seines treuen und lieben Factotums, entschuldigte sich lächelnd bei seiner Tochter wegen seines Nichterscheinens zu rechter Zeit und wußte innerhalb weniger Minuten nicht blos alle drei in ein allgemeines Gespräch zu ziehn, sondern auch der Art anzuregen, daß man allerseits mit Interesse am Gegenstande und zum Theil mit Lebhaftigkeit sprach. Roberts männliche Offenheit, Selmas stolze Zurückhaltung, Beinlings edle, durch die Hülle einer pedantischen Würde hindurchschimmernde Gefühlswärme und Trenkmanns achtunggebietende Anspruchslosigkeit contrastirten, ergänzten sich und hoben sich gegenseitig so schön hervor, daß ein Zuhörer wol hätte glauben können, der Aufführung einer gut einstudirten Scene beizuwohnen. Derselbe hätte auch unmöglich entdecken können, weder, daß zwischen Robert und Selma erst kurz vorher ein recht scharfer und erbitterter Kampf stattgefunden hatte, noch, ob wol Trenkmann ein ungesehener Zeuge dieses Kampfes gewesen sei.

Nachdem Robert und Beinling wieder in das Comptoir zurückgegangen waren (wobei der letztere den ersteren plötzlich angehalten, auf die Schulter geklopft und ihm ins Ohr geflüstert: „Und wenn Sie der durchtriebenste Jesuit des Kirchenstaates wären, so hätten Sie sich doch nicht klüger und angemessener benehmen können, wiewol mir, offen gestanden, sehr unangenehm dabei zu Muthe war"), sagte Selma, nachdem sie lange nachdenklich vor sich hingeschaut hatte: „Ich kann gar nicht glauben, daß sich Hübler für den Kaufmannsstand eignen sollte. Wenigstens bildet seine Persönlichkeit das vollkommene Gegenstück zu der von Beinling, von welchem du doch behauptest, daß er durch und durch, Zoll für Zoll Kaufmann sei."

Trenkmann schlug langsam seine durchdringenden Augen von dem Boden, wohin sie lange Zeit unverwandt gerichtet gewesen waren, auf, blickte seiner Tochter voll ins Gesicht und versetzte: „Merkwürdigerweise stimmt dieses dein Urtheil genau mit dem überein, welches Robert Hübler, als er sich mir vorstellte, über sich selber fällte. Auch er behauptete damals, daß der Kaufmannsstand wol nicht der Beruf seines Lebens sei."

„Aber warum hat er ihn dann gewählt?" — fiel ihm Selma hastig ins Wort.

„Mein Kind, wir wählen nicht immer," — fuhr Trenkmann in fast träumerischem Tone fort — „oft und wol meistens wählen die Verhältnisse für uns Auch ich bin einst, ganz wie dieser junge Mann, fat wider Willen, nur von der Noth bezwungen, in den Kaufmannsstand getreten; — sowie denn überhawt zwischen seinen und meinen Jugendschicksalen, ja, ich möchte sagen, zwischen seinem jetzigen und meinem früheren Charakter eine wunderbare Aehnlichkeit existirt. Ich würde es darum sehr bedauern, wenn mein Bestreben, ihn unsrem Stande und unsrem Hause zu erhalten, fruchtlos sein sollte.“

Selma schaute überrascht und wie fragend ihren Vater an.

Drittes Capitel.

Als Strolph von Robert hinweggegangen war und unten auf der Straße stand, blickte er mit zorngeröthetem Gesicht rings umher, als ob er einen Menschen suchte, den er durchprügeln könnte. Da er aber nirgends ein Individuum bemerkte, welches geneigt schien, sich besagter Procedur zu unterziehen, so stampfte er heftig mit dem Stocke auf die Quadersteine des Trottoirs, stieß einen Laut hervor, welcher ungefähr die Mitte zwischen Brummen und Stöhnen hielt, und schritt dann hastig seines Weges fürbaß.

Da seine Figur ebenso klein war, als der Ingrimm in seinen rollenden Augen und die Hast seines Schrittes groß, so erregte er mehrmals die Verwunderung der Vorübergehenden. Da er dies keineswegs bemerkte, so störte es ihn weiter nicht. Und wenn ers auch wirklich bemerkt hätte, so ist sehr zu bezweifeln, ob es ihn irgendwie gestört hätte.

Auf diese Weise legte er, ohne anzuhalten, zwei Hauptstraßen und einige Nebengassen zurück, stand dann vor einem schönen, großen Eckhause still, sann eine Weile nach, ging hinein, stieg zwei Treppen hinan und klopfte an einer Thür, neben welcher eine weiß lackirte Platte mit der Aufschrift „Assessor Moll" angebracht war.

Auf das mit tiefer, markiger Baßstimme gerufene „Herein!" öffnete Strolph die Thür und trat ein.

In der Mitte des Zimmers, auf einem Teppiche, saß oder lag ein großer Mann von herkulischem Körperbau, und pechschwarzem, bis auf die Brust herabwallendem Bart. Um ihn herum und auf ihm krabbelten und rutschten und kletterten drei Knaben unter lustigem Geschrei. Der Mann aber lachte stoßweise in das Geschrei hinein, und seine männlichen, marquirten Züge gewannen durch sein heiteres Vaterlächeln einen milderen, sanfteren Ausdruck. Bei Strolphs Eintreten erhob er sich sogleich trotz aller Gegenvorstellungen der Kinder, reichte dem Gaste die Hand und sagte lächelnd: „Sind Sie auch Vater, Sir?" —

Strolph entzog ihm hastig die Hand, warf Hut und Stock auf einen Tisch, kreuzte die Arme über der Brust und schritt mit allen Anzeichen einer heftigen Aufregung im Zimmer auf und nieder.

„Weißköpfiger Jüngling!“ — rief Moll, ihm mit dem Blicke inniger Theilnahme folgend.

„Jüngling, Jüngling!“ — wiederholte Strolph mit einem bittren Lächeln — „Fluch über unsre Jugend! Sie ist faul, faul bis ins Herz. Auf den Mist mit ihr, auf daß sie vollends verwese und wenigstens bald Dünger gebe, Dünger für die Zukunft!. Auf den Mist mit ihr, sag ich!“

„Ins kalte Wasser mit dir, sag ich!“ — rief Moll, herzlich lachend — „Ins kalte Wasser, und dann eine tüchtige Bewegung im Freien, du armer Märtyrer! — du kommst gewiß von Robert, he?“

„Hätt ich ihn nie gesehen!“ sagte Strolph, sich aufs Sopha werfend, den Kopf auf die Brust senkend und vor sich hinstarrend — „Ich trüge tausend geknickte Hoffnungen weniger im Herzen.“

„Unverbesserlicher Ideolog!“ — entgegnete Moll, sich neben den Freund setzend und die starke Hand auf dessen Schulter legend — „Bist du nicht unduldsamer, als der abscheulichste Fanatiker? Willst du den Menschen nicht behandeln wie der Künstler den Stein, den Marmor, ihm einen Kopf, eine Nase, einen Mund nach deinem Gutdünken meißeln? Willst du nicht Robert zu einem Werkzeuge herabwürdigen, zu einem Geschöpfe deines Denkens und Wollens?“

„Sieh, Strolph, du bist recht eigentlich dazu angethan, ohne Aufhören getäuscht und betrogen zu werden. Und das Schlimmste dabei ist, daß du allein alle Schuld daran trägst und eigentlich keinem Menschen einen Vorwurf machen kannst.“

Strolph sprang unwillig in die Höhe und schritt wieder hastig im Zimmer auf und ab; aber Moll nahm weiter keine Notiz davon, sondern fuhr ungestört fort: „Du bist der heilloseste Weltverbesserer, der je gelebt hat. Robespierre ist ein Schuljunge neben dir, und Luther ein Stümper. Du brütest des Tages drei neue Ideen aus, von denen jede einzelne, unter der Menschheit verbreitet, eine Umgestaltung der gesellschaftlichen Formen herbeiführen würde. Diese Ideen sind alle an sich gut und vernünftig. Mag sein. Du besitzest außerdem das Talent, dieselben anschaulich, klar und eindringlich zu machen. Daher findest du leicht jemanden, der sie erfaßt, sich zu eigen macht, sich dafür begeistert. Anstatt aber damit zufrieden zu sein, anstatt die Begeisterung langsam sich verbreiten und wirken zu lassen, anstatt abzuwarten, bis die Idee Fleisch und Blut in der Gesellschaft gewonnen hat, erwählst du sogleich ein bestimmtes Individuum, machst es zum Träger der Idee, bekleidest es in deiner Phantasie mit allen erhabenen, reformatorischen, welterlösenden Eigenschaften — — stille Jungens, geht zur Mutter hinüber, ihr Schreihälse, marsch! — und da plötzlich purzelst du aus dem Himmel der Ideale elendiglich auf die Erde der Wirklichkeit herunter, denn dein Phantasiegeschöpf ist nur ein gewöhnlicher Mensch mit ein bischen Begeisterung, die nicht ewig dauert, und ein bischen Jugendkraft und gutem Willen, die nicht überall ausreichen. So ist dir's immer gegangen."

„Still still!" — rief Strolph, herbeispringend und seinem Freunde die Hand vor den Mund haltend — „Ich habe genug von deiner Weisheit, deiner bausbäckigen, praktischen und sehr alltäglichen Lebensweisheit. Aber sei so gut und merke dir dieses: Als Columbus absegelte, Amerika zu entdecken, fragte er nicht darnach, zu welcher Tageszeit und nach welchen Strapazen ers finden, und ob ihm seine Matrosen durch alle Gefahren und Entbehrungen hindurch getreu und gehorsam bleiben, und ob die Lebensmittel auch bis ans Ende der Fahrt ausreichen würden, und ob er in dem neuen Lande Menschenfresser und Jaguare oder bequeme Wohnsitze und guten Kaffee zum Frühstück antreffen würde; sondern er sagte sich: „Es gibt Land da drüben, es muß eins geben; ich werde es finden und nehmen, und wärs von zehntausend Teufeln bewohnt, welche ich erst hinwegtreiben müßte!" —

und so segelte er ab und fands und nahms! — Siehst du, das ist die Art und Weise, wie man eine neue Welt entdeckt und erobert, wie man Ideen in lebendige Wirklichkeit umwandelt. Ihr freilich wollt das neue Land, das heißt die Zukunft, vorerst wie ein wohlbekanntes, genau ausgemessenes Reich auf dem Papiere haben, mit guten Straßen, Wegweisern und Wirthshäusern versehen; dann erst könnt ihr ja die Hoffnung hegen, euch dort zurecht zu finden! — Ihr wollt eure Reisebegleiter und Führer erst zwanzigmal erprobt und von allen Seiten mit der Tugendlampe beleuchtet haben, eh ihr ihnen traut. Denn ihr zittert für eure Sicherheit und Bequemlichkeit und verzichtet lieber auf das gelobte Land, als daß ihr euch der Gefahr unterzieht, während der Reise dahin euch einmal zu verirren —"

„Halt!" — rief Moll, die Hand wie zur Abwehr vorstreckend — „Du gehst zu weit und schleuderst Beschuldigungen gegen uns, welche wir nicht verdienen. Auch wir glauben an ein neues Land, an die Zukunft, auch wir legen die Hände an, den Weg dahin zu bahnen und zu ebnen, aber wir schlagen unsre eignen Kräfte und die unsrer Mitarbeiter nicht zu hoch an, wir wissen, daß keiner von uns fliegen, und die andern auf seinen Flügeln hinübertragen kann in das

Reich der Zukunft. Darum schwärmen wir zwar nicht, täuschen uns aber auch nicht oft, fühlen uns nicht betrogen, harren ruhig aus und zeitigen die Früchte, welche vielleicht erst unsre Kinder oder Kindeskinder reif abpflücken werden."

„Doch nun sage mir, wessen klagst du Robert an? Warum verzweifelst du an ihm?"

„Frage mich nicht!" — versetzte Strolph mit finstrem Blick und einer Geberde des Unwillens — „Er ist verloren für uns und für sich! Er wird Schätze aufhäufen und dann wie alle andern, welche durch die stete Berührung des Goldes so kalt und fühllos wie dieses geworden sind, als unerbittlicher, grausamer Feind seiner Brüder, seiner Mitmenschen, unter sie treten. Er wird sie zu Frohnden zwingen, er wird wie ein Wegelagerer auf den armen Wanderer losspringen und ihm sagen: Vermittelst dieser todbringenden Waffe (des Goldes oder Capitals) befehle ich dir, mir deinen ganzen Besitz, nämlich deine Arbeitskräfte und Fähigkeiten augenblicklich auszuhändigen, widrigenfalls ich dich ohne Barmherzigkeit deinem Verhängnisse preisgebe, dem Verhängnisse, langsam herunterzukommen und zu verhungern! Siehst du," — fuhr er, sich erhitzend, mit zornsprühenden Augen und dem Tone der Leidenschaft fort — „siehst du, ich könnte ihn mit meinen Händen, mit diesen da, ersticken, nur um einem späteren Zusammentreffen mit dem Wegelagerer vorzubeugen!"

Moll erhob sich ganz gelassen, nahm eine bereits gestopfte Pfeife zur Hand, zündete sie an und sagte mit dem Fidibus auf den Deckel des Pfeifenkopfes klopfend: „Höre, Strolph, dein Großvater war ein Creole, und deine Mutter eine Französin, verlaß dich drauf. Solch ein Hitzkopf und Phantasiemensch wie du, ist mir gar noch nicht vorgekommen. Bei deinem prächtigen, unbarmherzig logischen Verstande bist du doch manchmal, wenn dir das Blut zu Kopfe steigt, vorurtheilsvoll und befangen, und ungereimt in deinen Schlüssen, wie mein ungezogner Junge, der eben im Nebenzimmer zu spektakeln beginnt, weil ich ihm hier in diesem Ruhe geboten habe.

Robert ist ein talentvoller, ehrlicher junger Mann, welchem der liebe Herrgott gleichsam als Sporn und Stachel noch eine Dosis Ehrgeiz beigegeben hat. Du lernst ihn kennen und merkst bald, daß du Eindruck auf ihn machst, daß er dein unablässiges Ringen nach Fortschritt und Aufklärung bewundert, daß er mit Begierde deine Ideen von Menschenwohl und Menschenrecht erfaßt, daß er sich dafür begeistert. Gut. Anstatt nun zu bedenken, daß diese seine Begeisterung, da sie nicht durch den Anblick eines nahe und vor Augen liegenden und mit Ruhm und Ehre gekrönten Zieles unaufhörlich genährt wird, bald wieder, wenn auch nicht ganz erlöschen, so doch andern Gefühlen den Vorrang lassen muß; anstatt sein Wesen, seinen Charakter und seine Verhältnisse bei den Hoffnungen, welche du auf ihn gründest, mit in Anschlag zu bringen, schraubst du dich in Bezug auf ihn in einen ausfahrigen Enthusiasmus hinein und machst es ihm gradezu unmöglich, deinen Erwartungen zu entsprechen. Ja du bist so unbillig, ihm zuzumuthen, daß er lieber am Hungertuche nage und seine Existenz in Frage stelle, als daß er eine Bahn betrete, welche nicht deinen Beifall hat!"

„Und hat sie etwa deinen Beifall, du billiger, rücksichtsvoller und nachsichtiger Mann?" — fragte Strolph nicht ohne Bitterkeit.

„Ganz entschieden, mein Lieber;" — versetzte Moll mit großer Gelassenheit — „ganz entschieden. Wenn er nämlich der Mensch ist, wofür ich ihn halte, so wird er jede Laufbahn mit Ehren wandeln. Er wird, wie wir alle, mitunter auf Abwege gerathen, sich in Sackgassen verrennen, stolpern, straucheln, sich den Kopf beschinden u. s. w., aber bei alledem wird er sich kräftig entwickeln, ausbilden, am Ende den rechten

Weg finden und seine Rolle spielen, so gut wie du und ich. Ist er aber ein Lump oder Schwachmatikus, so wird er verkommen, so oder so; er wird dann den rechten Weg niemals und nirgends finden, weil es in diesem Falle für ihn gar keinen gibt."

Moll schwieg, erhob sich, ging und öffnete ein Fenster, damit der Tabaksqualm hinauszöge, und schaute hinunter auf die Straße.

Strolph seinerseits lehnte sich mit den Händen und mit dem Rücken an den Ofen, wiewol es draußen sehr warm, und der Ofen gar nicht geheizt war, und schaute nach der Decke und nach dem in ihrer Mitte gemalten großen blauen Sterne.

Wie sie aber so dastanden und schwiegen, ward die Thür, welche in das Neben- oder Familienzimmer führte, leise geöffnet, und hereintrat eine noch junge und noch hübsche Frau, welche recht schalkhaft lächelte, als sie die beiden so sah, und dann mit heller, klangreicher und sehr biegsamer Stimme sagte: „Guten Tag, Herr Strolph!"

Strolph, welcher der hartnäckigste Hagestolz aller deutschen Staaten war, und das weibliche Geschlecht schon seit seiner Geburt geringschätzte und fürchtete und nicht leiden mochte, — er pflegte schon als kleines Kind kläglich zu schreien und mit den Aermchen um

4*

sich zu schlagen, sobald ihn außer seiner Mutter eine Frauensperson auf den Arm nahm — machte der jungen Frau eine steife Verbeugung und dann einige unhörbare Worte stammelnd, noch eine, und dann sagte er weiter nichts und lehnte sich wieder mit den Händen und mit dem Rücken an den kalten, weißen Ofen. — Die junge Frau schenkte ihm auch keine besondre Aufmerksamkeit, sondern ging zu ihrem Manne, welcher noch immer zum Fenster hinausschaute und von ihrer Anwesenheit nichts wußte, legte ihre kleine, weiße Hand auf seine Schulter und sagte: „Ihr führt eine sonderbare Unterhaltung und auf großen Umwegen miteinander.“

Moll drehte sich um und versetzte: „Es ist Zeit, daß du kommst, Molly, und ihm den Kopf wäschest, damit er kühler werde. In seiner Leidenschaftlichkeit möchte er die halbe Menschheit in einen Teig zusammenkneten und daraus einen Mann, einen Riesen backen. welcher die andere Hälfte der Menschheit verschlänge.“

Währenddem zog Strolph die Uhr aus der Tasche, blickte auf den Stunden- und dann auf den Minutenzeiger, hielt die Uhr ans rechte Ohr, als vermuthete er, daß sie stehen geblieben wäre, murmelte sodann etwas von „spät“ und „Geschäften“ und griff nach Hut und Stock.

Aber Moll faßte ihn sanft am Arme und sagte: „Halt, Freund! Du mußt ausharren im Feuer und nicht davonlaufen wie Falstaff, der fette Schlingel. — Meine Frau ist nicht bösartig. Sie wird dir keinen Schaden zufügen, weder an Leib noch an Seele. Aber sie soll richten zwischen uns und zwischen Robert und dir."

Strolph schien einen schweren Kampf innerlich durchzukämpfen; denn er bebte am ganzen Leibe. Aber der Kampf dauerte nicht lange. Er näherte plötzlich seinen Mund dem Ohre des Assessors und flüsterte: „Ich unterwerfe dergleichen Fragen niemals dem Urtheile eines Weibes!" — Darauf drückte er ihm die Hand, verbeugte sich hastig gegen Molly und stürzte aus dem Zimmer, als drohte die Decke desselben jeden Augenblick herunterzufallen.

„Immer der alte, ungehobelte Sonderling!" — rief Molly, die vollen, rosigen Lippen ein wenig aufwerfend; denn selbst kluge Frauen verzeihen dem Manne eher eine Thorheit als eine Unhöflichkeit. — „Es ist gar nicht zu verwundern, daß er niemals eine Frau bekommen hat.

Moll lachte sich schadenfroh ins Fäustchen, umschlang sein schmollendes Weib, führte es nach dem Sopha, küßte es auf die vollen, rosigen Lippen und sagte: „So seid ihr nun, — ihr wollt von allen Männern immer und überall berücksichtigt werden. Und trüge einer den Tod im Herzen, so möchte er doch für euch noch Honig auf den Lippen und im Auge ein Lächeln haben. — Strolph ist kein artiger, galanter Mann, das ist wahr. Aber während du hier über seine Manieren spottest, opfert er sich auf für seine Mitmenschen. Er besucht zwanzig und mehr Kranke und heilt sie mit seinem kalten Wasser. Er curirt Krankheiten, welche die Aerzte von Profession nicht zu curiren verstehn. Und doch nimmt er keinen Lohn dafür, sondern zieht sich dadurch vielmehr noch Anfeindungen und Verfolgungen zu. Strolph ist ein echter Märtyrer und verdient Hochachtung statt Spott."

Molly sann eine Weile nach und versetzte dann: „Und doch kann ich mich des Gedankens nicht erwehren, daß Strolph wenig Gefühl und Gemüth besitze, daß er keinen einzigen Menschen recht inbrünstig liebe."

„Das letztere ist wol möglich;" — erwiderte Moll zögernd — „denn Strolph liebt seine Ideen von Freiheit und Menschenwohlfahrt zu sehr. Diese liebt er tief und glühend wie ein alter Römer. Für sie arbeitet er, kämpft er, leidet er und würde er sein Herzblut hingeben. Man könnte daher auch sagen, er liebt die Menschen als ganze Gattung, wiewol er dem Individuum nicht besonders zugethan ist. Aber daß er Gefühl besitzt, kann ich dir verbürgen. Ich habe —"

Hier wurde seine Rede durch einen betäubenden Lärm, welcher sich in dem Familienzimmer erhob, abgeschnitten. Gleich darauf stürzten die drei Knaben — die kurz vorher von Moll hinausgejagten Schreihälse — wieder herein, und hinter ihnen kam ein junges Mädchen, sehr einfach aber sauber und anständig gekleidet, und überreichte mit niedergeschlagenen Augen und tiefem Erröthen dem Assessor einen Brief.

Während nun der älteste der Schreihälse dem schüchternen und verlegenen Mädchen einen Stuhl herbeiholte, und die beiden jüngeren dasselbe neugierig und halb verstohlen betrachteten, und während Molly in das anstoßende Gemach ging und den Kaffeetisch zurichtete, las Moll in dem Briefe wie folgt:

„Hochverehrtester Herr Ober-Gerichts-Assessor.

Durch die mir heut gewordenen Mittheilungen ist nachgrade mein düsteres Loos entschieden. Jacta alea est! Dürfte ich bei meinem Engagement geahnet haben, welche Ansprüche Ew. Hochwohlgeboren an einen Secretär zu stellen belieben, so würde ich ohne Zweifel offen und ehrlich, wie ein Mann, bekannt haben, daß ich dergleichen Difficultäten nicht gewachsen bin nach dem Maße meiner Kräfte.

Schrecklich, ja wahrlich! schrecklich ist meiner Familie Loos! Revoltirend die innersten Empfindungen, da ich nicht einmal, offen gestanden, mir heut ein Mittagbrot besorgen konnte, weshalb ich in sinnloser Verzweiflung Hochdieselben eindringlichst bitten muß,

mir durch meine sechzehnjährige Tochter (Helene, wenn der Name dabei etwas thun sollte) noch einen dürftigen Vorschuß von 5, schreibe Fünf Thalern allergütigst gewähren zu wollen,

um wenigstens meinen Angehörigen, meinem Fleisch und Blute noch Nahrung zu spenden, wenn ich selbst auch, von der bitteren Nothwendigkeit forcirt, hierauf resigniren würde.

Wenn ich noch einiges Gefühl habe für meine Angehörigen, und ein solches Ereigniß überlegt wird, so dürfte einleuchtend sein, wie herb und narkotisch mein Schmerz mir erscheinen muß!

Hochachtungsvoll zeichne ich mich als

Ew. Hochwohlgeboren

ganz gehorf. Salzer."

Moll hätte sich bei Durchlesung dieses höchst eigenthümlichen und höchst werthvollen Documents gar zu gern durch ein lautes, herzliches Lachen Luft gemacht.

Indeß um des armen, schüchternen Mädchens willen überwand er den Drang dazu, trat ganz ernsthaft an sein Stehpult und schrieb auf die Rückseite des Vorschußgesuchs:

„Ich wiederhole Ihnen meinen mündlichen Rath schriftlich: Meiden Sie die Kegelbahnen und Billardzimmer, die Karten und Würfel und führen Sie ein nüchternes, thätiges Leben. Bei Ihren Anlagen und Fähigkeiten wird es Ihnen nicht schwer fallen, eine Anstellung zu erhalten. Nöthigenfalls will ich selbst trotz der gemachten Erfahrungen Ihnen zu einer solchen verhelfen, wofern ich nur irgend bemerken werde, daß die obigen Rathschläge gefruchtet haben.

Was Ihre Frau und Tochter betrifft, so werd ich mir Mühe geben, etwas ausfindig zu machen, wodurch ihnen geholfen werde. Das Nähere will ich sodann mit Ihrer Frau selbst besprechen.

Den verlangten Vorschuß kann ich Ihnen nicht leisten, erstens weil ich grade nur so viel besitze als ich selbst brauche, und zweitens weil ich hoffe, daß grade Ihre jetzige verzweifelte Lage Sie bestimmen werde, ernstliche Schritte zur endlichen Begründung Ihrer Existenz zu thun.

F. Moll.“

In dem Augenblicke, als der Assessor seinen Namen unterzeichnete, trat Molly ein und theilte mit, daß der Kaffee aufgetragen sei; und als ihr hierauf das junge Mädchen als Helene Salzer vorgestellt wurde, forderte sie dieselbe freundlich auf, eine Tasse mit ihnen zu trinken.

Helene brachte einige halblaute Entschuldigungen vor, welche aber nicht angenommen wurden; und so blieb sie da.

Während sie nun an dem Kaffeetische saß und ziemlich unbefangen zulangte, und auf Mollys Fragen über das Befinden ihrer Mutter und über ihre häuslichen Beschäftigungen mit einfachen, aber sehr verständigen Worten und mit einer schönen, hellen Metallstimme Auskunft gab, betrachtete sie Moll, anfangs mit mitleidiger Theilnahme, bald darauf aber mit Ueberraschung und zuletzt mit höchster Bewunderung.

Helene Salzer war Blondine. Ihr reiches, kastanienbraunes Haar, dessen Färbung bei starker Beleuchtung von Dunkelbraun bis zum Goldschein sich erhellte, ihre langen und dichten Wimpern, welche sich zuweilen schwer und wie ermüdet herabsenkten, ihre von der schneeweißen Haut sanft hervorgehobenen Brauen, und endlich ihre tiefblauen Augen, welche in gewissen Augenblicken sich völlig verdunkelten, so daß sie wie schwarz erschienen, — das alles stand im vollkommenen Einklange mit ihrer übrigen echt griechischen Gesichtsbildung.

Von dem Roth ihrer Wangen wurden alle Rosen des Frühlings verdunkelt und der Strahl ihrer Augen blendete wie heller Sonnenschein.

Ihre Gestalt verkündete bereits jungfräuliche Reife und vollkommenes Ebenmaß; in ihrer Haltung und Bewegung lag ein Zauber, der sich gar nicht beschreiben läßt.

Moll war ein warmer und geschulter Verehrer des Schönen, was Wunder, wenn ihn dies classische Bild da vor ihm zur Bewunderung zwang und entzückte? Was Wunder, wenn er sogar den einzigen Fehler, welchen man diesem Bilde hätte vorwerfen können, ein für ein Mädchen etwas zu kräftiges Kinn, nicht entdeckte?

Außerdem war Moll ein tüchtiger Physiognomiker; und in dem Gesichte des 16jährigen Mädchens, in den überaus zarten Zügen, welche aber, wie er wol bemerkt hatte, zuweilen eine feste Entschlossenheit und Bestimmtheit annehmen konnten, fand er alle Merkmale eines kräftigen Charakters, alle Merkmale einer Persönlichkeit, für welche ein Leben voll Conflicte, voll Kühnheiten und Wagnisse und voll Siege und Täuschungen bevorstand.

Moll starrte das wundersam schöne Gesicht mit ernstem, forschendem Blicke an und einmal schien es ihm, als ob Helene seinen Blick bemerkte, und als ob infolge dessen ein Flammenblitz aus ihren Augen zuckte.

Allein er hatte keine Gelegenheit, das Mädchen weiter zu beobachten und sich zu überzeugen, ob er recht gesehn oder sich getäuscht habe. Denn gleich darauf trat ein neuer Gast, nämlich Fräulein Selma Trenkmann, ins Zimmer.

Selma und Molly waren schon seit ihrer frühesten Jugend miteinander bekannt und befreundet; und noch jetzt war Molly, die kluge, feingebildete junge Frau mit ihrem sittigen Wesen, ihrem zärtlichen, treuen Herzen und ihrer edlen Gesinnung die liebste oder vielmehr die einzige Freundin der strengen, stolzen und unermeßlich reichen Erbin.

Gegen Molly allein war Selma zärtlich, aufrichtig und hingebend, von ihr allein nahm sie einen Tadel hin und sie allein suchte sie auf.

Da nun Molly mit treuer, warmer Liebe an Selma hing, so verging selten ein Tag, an welchem sie einander nicht besuchten.

Heut holte Selma ihre Freundin zu einer Spazierfahrt ab.

Gleich nach ihrem Eintreten verabschiedete sich

Helene, dankte Molly für die freundliche Aufnahme, verbeugte sich gegen Moll und Selma und ging weg. Sie that dies alles in einer Art und Weise, welche sich von der, in welcher sie eingetreten war, himmelweit unterschied. Sie war, als sie wegging, nicht mehr die schüchterne, erröthende Bittstellerin, als welche sie anfangs aufgetreten, sondern sie nahm den Ton und das Wesen einer Dame an, welche einen Besuch abgestattet hat, einen Höflichkeitsbesuch bei einer befreundeten Familie. Und in dem Blicke, mit welchem sie ihre Verbeugung gegen Selma begleitete, schien es dem Assessor, als läge eine trotzige, stolze Herausforderung.

Als sie fort war, und während Molly sich ankleidete, sagte Moll zu Selma Trenkmann: „Haben Sie vielleicht das junge Mädchen, welches sich soeben entfernt hat, genauer betrachtet?"

„Sie scheint hübsch zu sein" — versetzte Selma in dem Tone eines etwas hochmüthigen Mitleids.

„Sehr hübsch und voll Anmuth," entgegnete Moll lächelnd. — „Leider ist ihr Vater ein Taugenichts und stürzt Weib und Kind ins Elend. — Wünschten Sie nicht vor einigen Tagen ein armes, anständiges, gebildetes junges Mädchen als Gesellschafterin in Ihr Haus aufzunehmen?'

„Gewiß" antwortete Selma rasch. — „Und glauben Sie wol, daß dies junge Mädchen, welches sich soeben entfernt hat, dazu geeignet sein möchte?"

„Gewiß!" — sagte Moll ebenso rasch und erröthete dabei, was aber Selma nicht bemerkte.

— — — —

Viertes Capitel.

Wer war nun glücklicher als die Räthin Hübler? — Robert, ihr Neffe, den sie ja auferzogen hatte, Robert, der ihr ja alles dankte und schuldete — sie behauptete dies wenigstens gegen jedermann und selbst gegen sich, wiewol Robert bis zum 15. Jahre von seinem Vater erzogen, dann aber nach dem Tode des letzteren von seinem Vormunde nach B. aufs Gymnasium gebracht worden war und von dort aus die Tante nur ein oder zweimal des Jahres besucht und dabei immer ein kleines Taschengeld von ihr empfangen hatte — dieser Robert, ihr Werk und jetzt ihr Stolz, welcher bereits ein Einkommen von 600 Thalern jährlich hatte, sollte heut — es war an einem Sonntage — mit dem nächsten Bahnzuge (Nachmittags um 3½ Uhr) in D. eintreffen, und sie sollte ihn, von dem man schon so mitleidig und so „wegwerfend" in den sublimen Cirkeln von D. gesprochen hatte, aller Welt vorstellen und sich dabei an den Neidesblicken, mit welchen man ihn unfehlbar betrachten und anstarren würde, so recht „inbrünstig“ weiden können.

Weder der Rechnungsrath, noch Olga, noch Julie, die Köchin, konnte sich erinnern, die würdige Dame jemals so vergnügt und leutselig gesehn zu haben, als an jenem Sonntage.

Olga hatte das kleine Gastzimmer für den erwarteten Vetter recht hübsch aufgeputzt und stellte eben noch einige von ihren Blumen hinein — Robert liebte die Blumen so sehr — als die Tante mit Bibi auf dem Arme eintrat, rings umherschaute, zum Zeichen der Zufriedenheit mit dem Kopfe nickte und darauf also begann:

„Ich denke, hier kann er sich wohlfühlen. Für die eine Nacht, welche er hier zubringen wird, findet er Bequemlichkeit genug, der brave Junge.“ — Sie setzte Bibi auf die Erde, begann mit dem Sacktuche die Möbel abzustäuben, was sehr unnöthig und überflüssig war, insofern Olga für dies alles schon gesorgt hatte und fuhr fort: „Wenn man sich bedenkt, daß der Diakonus doch nur ein Einkommen von 400 Thalern hat, und daß der eingebildete Herr von Pedell, trotz seinen Möbeln von Mahagoni und seinen Tapeten und seinem Silberzeuge nur von der Güte und Gnade seines Herrn Schwiegervaters leben muß, weil er sein eignes Vermögen „verdebauchirt“ hat; — dann muß man den Robert, der es in seinen jungen Jahren doch schon so weit gebracht hat, ordentlich hoch achten — ja, wahrlich! das muß man!“

„Aber, liebe Tante“ — bemerkte Olga lächelnd — „die Höhe des Einkommens entscheidet doch nicht über den Werth des Menschen, sonst müßten wir Frauen und Mädchen im allgemeinen ja gar keinen Werth haben. Ich glaube nicht, daß Robert jetzt höher zu schätzen ist, als früher, wo er noch gar kein Einkommen hatte. Seine Kenntnisse mögen allerdings etwas dazu beigetragen haben, daß er seine jetzige Stellung erhalten hat. Aber gewiß hat ihn auch das Glück sehr begünstigt.“

Niemals in ihrem Leben hatte die Räthin einen Einwand so geduldig und freundlich aufgenommen, als diesen. Kein Zornesblitz schoß aus ihren noch schönen blauen Augen auf die Nichte. Sie machte keine Geberde des Unwillens. Sie sagte nur mit wehmuthsvoller Miene: „Vielleicht gelten wir Frauen nur darum so wenig in der Welt, weil wir kein bestimmtes Einkommen haben.“

Olga, durch die außerordentliche Milde und

Freundlichkeit der Tante kühn gemacht, wagte sich jetzt mit einer Bemerkung hervor, mit welcher sie schon den ganzen Morgen gleichsam im Hinterhalt gelegen hatte. Sie sagte: „Wie schön wärs doch, wenn wir heut Abend mit Robert allein sein könnten. Ich weiß, er liebt die Theegesellschaften nicht und ich bin überzeugt, er wird über uns lachen, daß wir seine so kurze Anwesenheit dazu benutzen wollen, mit seiner Person Staat zu machen."

Gleich nachdem sie diese Worte hervorgebracht hatte, fühlte Olga, daß sie ein wenig zu weit gegangen sei. Darum biß sie sich auch auf die Unterlippe und schaute mit einem halb neugierigen, halb ängstlichen Blicke in die Züge der Tante.

Diese aber — die Züge — veränderten sich in einem Augenblicke so vollkommen, daß sie nicht wiederzuerkennen waren: Die blassen Wangen färbten sich scharlachroth, die glatte, hohe Stirn furchte sich, zog sich zusammen, die Augen, welche eben noch gelächelt hatten, begannen Flammen des Zornes hervorzuschießen; die ganze Gestalt der Tante bebte, als sie mit harter, fast männlicher Stimme ausrief: „Also für alle die Opfer, welche ich ihm gebracht, für die Sorgen, welche ich um ihn ausgestanden, für die Thränen, welche ich um ihn geweint, soll mir nicht einmal die einzige Entschädigung werden, welche er mir bieten kann? Ich soll nicht sehen können, wie er die Giftmäuler, die tückischen, welche bei jeder Gelegenheit eine boshafte Rede über ihn führten, sogar gegen mich führten, wie er sie zum Schweigen bringen und in Verlegenheit setzen wird? Ich soll nicht hören können, wie er sie durch seinen Geist, seine Kenntnisse, seine Redefertigkeit und durch sein nobles, feines Wesen alle überstrahlen wird; alle, alle, sogar den Diakonus? — denn das muß man ihm lassen" — fuhr sie mit mehr Ruhe und weicherer Stimme fort — „er hat sich schon von jeher, noch ehe er eine Anstellung hatte und als er noch Student war mit Anstand zu benehmen gewußt, hat immer seinen Stolz und seine Würde behauptet und ist niemals der gehorsame Diener von jemand gewesen. Und ich will hoffen, daß er deine närrische Idee von „„Staat mit ihm machen" " nicht einmal hegen, geschweige denn aussprechen wird."

Nach dieser höchst logischen Rede trat sie an ein Fenster und schaute hinab auf den Ring. Und da dort nichts Besondres zu sehen war, blickte sie nach dem alten aber neuangestrichenen Rathhause, welches in der Mitte des Ringes stand, und dann auf den alten schiefen Rathsthurm, über welchen sie sich (weil

5*

er eben schief war) schon so oft geärgert hatte, und zuletzt auf die alte Thurmuhr, über welche sie sich auch schon so oft geärgert hatte, weil sie immer vorlief.

Aber heute ärgerte sie sich weder über den einen noch über die andre — die arme Dame hatte soeben Veranlassung genug zum Aergern gehabt — sondern sie entdeckte mit Bestürzung, daß es schon in die zweite Stunde ging und in der dritten sollte Robert kommen, und es gab vor seiner Ankunft noch so viel zu thun.

Sie wandte sich hastig gegen Olga und sagte: „Und du denkst auch gar nicht daran, dich umzukleiden. Es ist bald zwei und bis nach dem Bahnhofe brauchst du gut eine halbe Stunde. Was wird Robert denn sagen, wenn er niemanden findet, der ihn empfängt und hereingeleitet?"

Olga erschrack ordentlich vor den Worten der Tante und dann erröthete sie lebhaft, schlug die Augen zu Boden und entgegnete: „Aber, liebe Tante, er wird gewiß nicht erwarten, daß ich zu seinem Empfange hinauskomme, auch habe ich gar keine Zeit hinauszugehen. Ich will schon gern eine halbe Stunde länger auf seine Begrüßung warten."

„Und du legst es also heute darauf an, mir zu widersprechen und mich in Harnisch zu bringen!" — rief die Tante, welcher in diesem Augenblicke ein wirklicher Harnisch gar nicht so übel gestanden hätte, da ihr ganzes Wesen im Zorn und in der Aufregung etwas Männliches, Kampfsüchtiges annahm. — „Was ficht dich denn an, daß du mir einen Tag der Freude, der, weiß Gott, der erste seit Jahren ist, in einen Tag des Streites und Aergers umwandeln willst?"

„Liebe Tante, Sie wissen recht gut, daß ich dies weder heute noch jemals gewollt habe" — fiel ihr Olga ins Wort und schaute ihr dabei mit traurigem, um Schonung flehendem Blicke in die Augen.

„Nun, woher dann dieses zimperliche, scheinheilige Wesen?" — fuhr die Tante ein wenig besänftigt fort. — „Du hast dich ja sonst nicht gescheut, ihn gegen alle Welt in Schutz zu nehmen, ihn zu loben und zu preisen, du hast ihn sogar gegen mich vertheidigt — wiewol ich, weiß Gott, immer überzeugt war, daß er nicht verderben, sondern sich durchschlagen und mit Ehren aufrechterhalten würde — und nun thust du als wär er ein Wüstling, ein Don Juan und du dürftest dich mit ihm allein vor den Leuten nicht sehen lassen. — Also geh nur und kleide dich um und hole ihn vom Bahnhofe ab."

„Aber wenn ich Sie recht innig bitte, liebe Tante, mir diesen Gang zu erlassen? Wenn ich Ihnen betheure, daß weder Laune noch Ziererei mich zu dieser

Bitte bestimmt?“ — Man konnte es an Olgas zitterndem Tone hören, welche Angst und Qual sie litt.

„Und wenn unser Herrgott vom Himmel käme, so müßtest du gehn, eigensinnige Kokette!“ — schrie die Tante mit einer Stimme, welche die heftige Aufregung fast zu einer gutturalen machte.

In diesem Augenblicke trat der Rechnungsrath ins Zimmer, sanft und ruhig, wie immer. Er war mit dem naturellfarbigen Rocke bekleidet und hielt in der Hand die hechtgraue Mütze und den riesigen Regenschirm — untrügliche Zeichen, daß er auszugehen im Begriff war. — „Ich werde jetzt Robert vom Bahnhofe abholen;“ — sagte er mit seiner sanften Stimme — „richte du nur den Kaffee zu, Olga; — in kaum einer Stunde werden wir hier sein.“

„Olga wird mit dir gehn!“ — rief die Räthin im Tone eines herrischen Befehles.

Der Rechnungsrath veränderte ein klein wenig die Farbe; darauf blickte er seiner Frau — zum zweiten oder dritten Male seit seiner Verheirathung — fest und streng ins Gesicht und sagte im Tone einer ruhigen Autorität: „Es wäre unpassend, wenn Olga ginge. Darum werde ich selbst gehn, wie du bereits von mir gehört hast. Robert wird dir später sagen, daß deine Zumuthung recht sehr unbillig war, wofern du nämlich wünschen solltest, seine Meinung darüber zu hören!“

Es lag in dem festen, strengen Blicke, den er auf sie warf, etwas, was die Räthin betroffen und ängstlich machte. Ein oder zweimal hatte sie bereits früher, wie schon erwähnt, diesen Blick an ihrem sonst so gutherzigen, sanftmüthigen und duldsamen Manne gesehn und jedesmal war er der Vorbote eines unerschütterlichen Willens, einer eisernen Strenge gewesen. Sie griff daher zu der letzten Angriffswaffe des Weibes — zu den Thränen. Sie warf sich ungestüm aufs Sopha und weinte; und weinend hielt sie eine lange, von Stoßseufzern unterbrochene Rede, worin sie ihr unglückseliges Loos, ihre traurige Verlassenheit und erbärmliche Sklaverei, deutlich und ausführlich auseinandersetzte. Aber dadurch noch nicht getröstet oder nur besänftigt, stellte sie die kühnsten Hypothesen über alles Ungemach auf, welches die Zukunft in ihrem Schoße für sie noch in Bereitschaft halten möchte, und erfand Verhältnisse und Situationen und Zustände, welche nur eine Person von unermeßlich reicher Phantasie und unerhört sinnreicher Selbstquälerei erfinden kann.

Was Olga anbetrifft, so ging sie bald beim Beginn der thränenreichen Rede auf einen Wink des

Oheims leise aus dem Zimmer. Der Oheim aber wartete nur, bis sie hinausgegangen war; dann überließ auch er seine Frau ungestört ihrem süßen Zeitvertreibe.

Es war Abend. Die Zimmer der Räthin waren hell erleuchtet und warfen einen lebhaften Lichtschein auf das alte Rathhaus gegenüber. —

In dem größten von diesen Zimmern finden wir eine zahlreiche Gesellschaft versammelt — die haute volée von D. — Wir wollen mit derselben ein wenig Bekanntschaft machen.

Zunächst betrachten wir den Diakonus Schön, bedeutsam durch sein seltnes vielgepriesenes Rednertalent.

Er ist ein junger Mann von 28 Jahren, während sein Aussehn höchstens auf 20 schließen läßt. Sein Gesicht ist fahl, aber fleischig, und läßt auch dem scharfsichtigsten Auge nicht eine Spur, eine nur schwache Andeutung von Bart entdecken. Sein Haar, welches er durch Kauf an sich gebracht — ein abscheuliches Nervenfieber hat ihn, wie er angibt, des seinigen beraubt — ist röthlich blond. Sein Auge ist von unbestimmter Farbe, schwankend zwischen grau, blau und braun. Für gewöhnlich hat dasselbe einen matten, trüben

Glanz; aber in Augenblicken der Begeisterung, der Eingebung, namentlich wenn er von der Kanzel herab mit seiner biegsamen, einschmeichelnden Stimme jene schmelzende Beredtsamkeit herniederströmen läßt, um derentwillen er so berühmt und geliebt und gefeiert ist — dann flammt und leuchtet aus diesem selbigen Auge ein edles, heiliges Feuer.

Diakonus Schön besitzt gleichsam als Zugabe zu seinem Talente eine kleine, bescheidene Dosis Ehrgeiz. Derselbe hat ihn bestimmt, eine mystisch-pietistische Richtung einzuschlagen, weil er diese Richtung gegenwärtig für die einzige hält, in welcher ein Mann seines Standes Carrière zu machen hoffen darf. — Er will Consistorialrath werden! — Dennoch ist sein Gang, gleichwie seine Haltung, stets demuthsvoll und unterwürfig, seine Sprache stets sanft und salbungsvoll und seine Miene unveränderlich fromm und feierlich. — Da er, wie vor Zeiten Demosthenes, an einer schwachen Brust leidet und sich wie dieser zum Redner berufen fühlt, so ahmt er denselben mit großem Eifer nach, indem er seine Brust durch laute Declamationen in seinem Zimmer zu stählen sucht und des Tages zweimal vor dem Spiegel Anstand, Mimik und Geberdenspiel studirt.

In gewissen Gesellschaften, wo weder Vorgesetzte

von ihm noch Damen zugegen sind, wird er zuweilen recht heiter, witzig und liebenswürdig; und wenn man ihn dann dazu bewegen kann, ein paar Glas Wein zu sich zu nehmen, dann ist man sicher, in ihm den jovialsten Diakonus der ganzen Christenheit zu entdecken.

Höchst achtungswerth ist er wegen seines kindlichen Gehorsams, welcher so weit geht, daß böse Zungen — kaum ist es zu glauben — das Gerücht verbreitet haben, seine Mutter sehe ihm seine Predigten durch.

Herr v. Pedell, welcher neben ihm sitzt und seinen blonden, merkwürdig blonden Schnurr- und Kinnbart unaufhörlich dreht und streichelt und seine dünne, ewig belegte Stimme nur höchst selten einmal verstummen läßt, ist ein schlanker, großer Mann von 13 Zoll mit kleinen, grauen, wässerigen Augen (welche immer lächeln) und sehr gezierten, abgecirkelten Manieren. Er glaubt sich im Besitz von ganz außergewöhnlichen geselligen Talenten und da er nebenher die Ueberzeugung hegt, die meisten Menschen müßten ebensowol zum Vergnügen und zur Freude als zur Anstrengung und zur Entsagung bei den Haaren herbeigezogen werden, so übernimmt er überall, wo er sich niederläßt, unbedenklich und ohne Aufforderung das Geschäft des Herbeiziehens (zum Vergnügen nämlich) und bringt so abwechselnd Lesecirkel, Kränzchen, Bälle, musikalische Abende, Liebhabertheater und Schlittenfahrten zu Stande.

Merkwürdigerweise hat er großes Unglück bei diesem Geschäfte, indem er einerseits für all seine Bemühungen meist nur Undank und boshafte Verleumdung erntet, indem andrerseits all seine vortrefflichen Arrangements selten lange Bestand haben, und indem endlich die vorurtheilsvolle Welt noch obendrein an seinem Talente zu zweifeln sich unterfängt. — Wenn ihm nun auch der Besitz großer geselliger Talente von mancher Seite abgesprochen wird — wann und wo wäre jemals ein kühner, unternehmender Geist gleich nach Verdienst gewürdigt worden? — so kann doch niemand, und wäre es sein ärgster Feind, in Abrede stellen, daß er eine ganz merkwürdige, wunderbare, ja tollkühne Einbildungskraft besitzt. Man spreche nur einige Minuten mit ihm, man erzähle ihm irgend ein seltsames, außergewöhnliches Erlebniß, so ist es tausend gegen eins zu wetten, daß er im Augenblicke darauf ein Erlebniß von sich selbst mittheilen wird, welches tausendmal seltsamer und überraschender klingt. Es gibt da keine Rolle, die er nicht auch gespielt, keinen Lebensweg, welchen er nicht auch betreten hätte.

Unter seine kleinen liebenswürdigen Schwächen —

und man kaun ihm deren wahrlich nur wenige zur Last legen — gehört eine geringe Anwandlung von Adelstolz. Derselbe manifestirt sich am deutlichsten dadurch, daß Herr v. Pedell bei allen Gelegenheiten, wo sich eine derartige Bemerkung anbringen läßt, behauptet oder durch die Blume zu verstehen gibt, er besitze keinen, nein, nicht den geringsten. Gleich darauf aber erzählt er in der Regel, seine Familie sei übrigens so ausgebreitet, daß in Pommern der ganze große Grundbesitz eines ganzen großen Kreises einzig und allein der Familie v. Pedell angehöre.

Der Leser wird zugestehn, daß neben diesen beiden männlichen Individuen alle übrigen männlichen, welche noch an dem reich beladenen Theetische der Räthin Hübler sitzen, ganz uninteressant und bedeutungslos erscheinen müssen, weshalb wir die letztern gar nicht erst besonders zu schildern brauchen und sogleich zu den verehrungswürdigen Damen übergehen.

Wie unter den Männern so gibts auch unter den anwesenden Damen zwei, welche alle übrigen überstrahlen, alle Aufmerksamkeit von den andern weg auf sich allein lenken.

Sie sitzen beide auf dem Sopha — ein Ehrenplatz, welcher ihnen infolge ihres Ranges gebührt — tragen beide seidne Kleider und nehmen beide zuerst von der ganzen Gesellschaft ihre Tassen in die Hände.

Die verwittwete Landräthin von Schettwitz — die eine von den beiden Damen — ist eine Frau (oder Wittwe) von 50 Jahren. Sie hat sich ehedem viel in der großen Welt bewegt und hat von dort gewisse vornehme Airs mit nach D. gebracht. Da sie sich nun außerdem einer scharfen Beobachtungsgabe und eines gut entwickelten Sprechorgans erfreut, und da sie noch jetzt mit mehren vornehmen Verwandten in brieflicher Verbindung steht, so ist nichts natürlicher, als daß sie in dem kleinen Städtchen D. für alles, was auf Takt und guten Ton Bezug hat, ein wahres Orakel abgibt. Sie ist eine anerkannte Macht und man kann nicht sagen, daß sie mit ihrem Ansehn Mißbrauch treibt.

Zwar besitzt sie eine große Leidenschaft für eine gewisse Gattung von Anatomie, sie secirt gern in moralischer Weise die Personen, mit denen sie in Berührung kommt, sie zerlegt sie gewissermaßen bis in die kleinsten Theile (als da sind: Kleidung, Lebensart, Bildung, häusliche Einrichtung, Familienverhältnisse u. s. w.) und dabei geschieht es wol, wie das gar nicht anders denkbar ist, daß sie manche Theile oder Glieder ein wenig quetscht oder drückt oder verrenkt oder sonst wie beschädigt; indeß das kann wol keineswegs einen Makel auf ihren Charakter werfen, denn eine kleine Ungeschicklichkeit ist noch lange kein moralischer Fehler, wie das sämmtliche Chirurgen und Geburtshelfer und Operateure der ganzen Christenheit offen eingestehn werden.

Frau von Pedell — die andere von den beiden hervorzuhebenden Damen — ist eine noch junge, kleine, rothwangige, sehr lebhafte Frau von nicht ganz tadelloser Gestalt und bürgerlicher Abstammung. Gleichwol wird sie in D., wie wir schon bemerkt, sehr hoch geschätzt, weil ihr Vater weit und breit als geld- und einflußreicher Geschäftsmann gilt, weil sie sich einer schönen comfortablen häuslichen Einrichtung rühmen darf, weil sie vortreffliche Kaffee- und Abendgesellschaften gibt und weil sich ihr ältester Sohn bereits in einer Kadettenanstalt befindet und nächstens zum ersten Male in seiner Uniform zu den Ferien nach D. kommen wird.

Während nun diese vier Personen, welche man die geheimen Räthe des Sittenobertribunals von D. nennen konnte, wie gewöhnlich die Unterhaltung leiteten und beherrschten und mit liebenswürdiger Herablassung auch die untergeordneten Geister, welche anwesend waren, gelegentlich zu dem Gespräche herbeizogen, saß die Räthin, gleichsam das Hauptorgan der Oppositionspartei (gegen das in Rede stehende Tribunal) schweigend und nachdenklich auf ihrem Stuhle, fuhr mechanisch mit der Hand über den flockhaarigen Rücken Bibis, welcher auf ihrem Schoße lag, warf hin und wieder einen finstern, vorwurfsvollen Blick auf den Rechnungsrath, welcher heute ebenfalls sehr zerstreut schien und sich auf gar keinen passenden locus memorialis besinnen konnte, horchte mit sichtbarer Unruhe und Spannung auf jedes Geräusch, welches sich draußen auf dem Flure oder in einem der Nebenzimmer hören ließ, und athmete schwer auf, wenn sich das Geräusch wieder verlor, und nichts Besonderes darauf folgte.

Robert, Robert, wie wirst du deine unglückliche Tante entschädigen für den Schmerz und die getäuschte Erwartung, welche du ihr heute wieder verursacht hast, für die Thränen, welche sie heute wieder um deinetwillen geweint und die grausame Unterdrückung, welche sie heute zum zweiten oder dritten Male deinetwegen erduldet hat?

Wie wirst du deinen guten, sanften Oheim entschädigen, der sich, kühn gemacht durch die gewisse Aussicht auf deine Ankunft und auf deine Unterstützung, durch einen Act unerschütterlicher Gerechtigkeit den Groll und den Unwillen Henriettens zugezogen hat, und der jetzt mit wahrer Seelenangst die Folgen eines Schrittes fürchtet, zu welchem ihn nur ein augenblicklicher, unerklärlicher Impuls hingerissen hat?

Warum bist du denn nicht gekommen, Grausamer?! — Olga allein, die sich doch vor einigen Tagen am meisten auf Roberts Ankunft gefreut hat, ist jetzt glücklich darüber, daß er nicht gekommen; denn sie weiß, daß infolge seines Ausbleibens die Tante von dem Vorwurfe einer Lächerlichkeit verschont bleiben wird, einem Vorwurfe, welcher ihr von den Tribunalsräthen schon so oft, so gern und leider nicht ohne Grund gemacht worden ist.

Und es war wirklich ein großes Glück, daß wenigstens Olga eine heitere Miene machen und den Gästen eine ganz ungetheilte Aufmerksamkeit zollen konnte, da sie ja die Hausfrau und auch den Hausherrn in jeder Beziehung vertreten und beider Befangenheit und Zerstreutheit geschickt verdecken mußte — wie sie denn überhaupt der gute Engel des Hauses war.

Wie lieblich und reizend war sie anzuschauen in ihrem purpurrothen Kleide und dem schwarzen Sammetjäckchen darüber, wie sie den Thee einschenkte und herumreichte, mit ihren Gazellenaugen so sinnig und klug und wieder sehnsüchtig dreinblickte und auf jede Frage schnell eine einfache aber kluge Antwort bereit hatte, wie sie sich dann bescheiden in die Reihe der untergeordneten Geister setzte und mit diesen herzlich und harmlos plauderte, als ob die furchtbaren Vier gar nicht da oder wenigstens für sie nicht so furchtbar wären, wie sie einem alten schweigsamen und schon ein wenig schwerhörigen pensionirten Majore (der aber immer noch in seiner Dienstuniform in Gesellschaft ging) förmlich den Hof machte, und wie sie dann plötzlich wieder aufsprang, um irgend eine Aufmerksamkeit gegen irgend ein anderes Mitglied der Gesellschaft an den Tag zu legen.

Mit welchem bezaubernden Lächeln wußte sie die Tante zu entwaffnen, wenn dieselbe im Begriff war, wegen einer eingebildeten Unaufmerksamkeit oder angeblichen Taktlosigkeit von Seiten ihrer Nichte, ungeduldig und unwirsch zu werden; mit welcher Geistesgegenwart rettete sie dieselbe oft vor den Folgen oder der Zweideutigkeit einer unüberlegten, unvorsichtigen Aeußerung!

Und man glaube nicht etwa, daß diese Reize ihrer äußern Erscheinung und dieser Zauber ihres Wesens so ganz unbemerkt ohne Anerkennung und ohne Bewunderung von Seiten der Gesellschaft geblieben wären.

O, nein! Es gab zwei Augen, zwei Augen von mattem, trübem Glanze, welche fast unverwandt auf sie gerichtet waren, welche sich, so zu sagen, durch ihren Anblick berauschten, trunken machten, und welche dann, um diesen Rausch, diese Trunkenheit zu verbergen, sich momentweise zu Boden senkten.

Wir wissen nicht, wie viele Gegenstände und welche von der Gesellschaft bereits abgehandelt waren, wir wissen nur, daß man eben die Gründung einer Kleinkinderbewahranstalt, welche von dem Diakonus Schön beantragt worden war, beschlossen hatte, — die Landräthin wurde nach mehrfachem bescheidnem Ablehnen ihrerseits und lebhaften Bestürmungen von Seiten der Gesellschaft zur Präsidentin und Frau von Pedell (nach denselben Schicklichkeitsäußerungen) zum Secretär gewählt; die Räthin hatte ihre Theilnahme abgelehnt (aber ernstlich abgelehnt), weil sie erstens keine Kinder hätte und auch keine mehr erwarten dürfte, und weil sie zweitens, auch wenn sie welche hätte, dieselben nicht mit denen von Kreti und Pleti in Gesellschaft geben würde — als der alte pensionirte Major sich bei dem Rechnungsrathe nach dem Befinden von Robert erkundigte.

Ein allgemeines Räuspern deutete an, daß jetzt ein Gegenstand von Wichtigkeit aufs Tapet käme und daß jedermann bereit wäre, sein Scherflein zur Unterhaltung redlich beizutragen, damit auch der Gegenstand gehörig erschöpft werden könnte.

„O, Robert befindet sich sehr wohl, sehr wohl!" — antwortete die Räthin an der Stelle ihres Gemahls; denn sie lebte der Ueberzeugung, daß derselbe in außerordentlichen Fällen bei weitem nicht eine so erstaunliche Geistesgegenwart besitze, als sie sich deren bewußt war. — „In seinem vorletzten Briefe theilt er uns mit, daß er in dem größten Handlungshause von B. bei A. Trenkmann als Correspondent angestellt sei und in seinem letzten, daß er bereits einen Gehalt von 600 Thalern und darüber beziehe. Für den Anfang ist das schon eine recht anständige Summe. Mit Kleinem fängt man an, mit Großem hört man auf." — Dieses Proverbe wurde mit einer angemessenen Zuversicht angeführt. — Die Landräthin lächelte wie ein junger eifriger Chirurg, welcher auf dem Tische vor sich einen merkwürdigen Cadaver liegen sieht, in der Linken schon das Secirmesser hält und mit der Rechten nur noch geschwind eine Prise nimmt, und dabei sagte sie: „Ja wol, ja wol. Indeß Sie wissen wol, manchmal fängt man eine Sache beim Ende an; und wer hätte nicht schon die Erfahrung gemacht, daß es mit unsern Glücksumständen rückwärts gehen kann?" —

6*

Sie betrachtete darauf den Rechnungsrath mit einem bezeichnenden Blicke, als wollte sie sagen: „Früher hatte er ein Einkommen von über 700, jetzt ist er auf eine Pension von kaum 500 beschränkt“ — und dann schlug sie die Augen zu Boden und seufzte, als wollte sie damit sagen: „Als mein Mann noch lebte, hatten wir über 1000 zu verzehren, und jetzt muß ich mit einer jämmerlichen Wittwenpension von 200 in Gold zufrieden sein.“

„Ich glaube, Robert hat stets bewiesen, daß er eine Sache richtig anzufangen weiß, und daß er nicht an der üblen Gewohnheit leidet, rückwärts in ein Zimmer zu treten“ — versetzte die Räthin gereizt und sich, wie zum Kampfe, grade aufrichtend.

„Wenn ich verrathen darf, was mir ganz insgeheim mitgetheilt worden ist“ — sagte Frau von Pedell, mit pfiffigem Lächeln zu der Räthin sich wendend — „so werden Sie daraus ersehen, daß Herr Hübler, Ihr Neffe, ein Glückskind ohne Gleichen ist, daß gleichsam das Eisen schon ganz warm vor ihm auf dem Amboße liegt und ers nur zu schmieden brauchte, wenn er wollte.“

Todtenstille herrschte im Kreise und die Züge der Zuhörer drückten die höchste Spannung und Neugierde aus. Nur die Landräthin behielt ihr anatomisches

Lächeln und die Augen des Diakonus Schön hefteten sich forschend auf Olgas gespannte, fast unruhige Miene.

„Ich habe nämlich“ — fuhr Frau v. Pedell eifrig fort — „von einer Freundin, welche im Trenkmannschen Hause häufig aus- und eingeht, erfahren, daß der Principal ihres Herrn Neffen so eingenommen von demselben ist, daß er in vollem Ernste an eine Verbindung desselben mit seiner einzigen Tochter Selma denkt, welche einst ganz allein sein ungeheures, fürstliches Vermögen erben wird.“

Einige von den Zuhörern, darunter die Räthin und ihr Gemahl, waren vollkommen wie versteinert, keiner Bewegung, keines Lautes fähig; einige andre gaben kurze, wie herausgepreßte Ausrufungslaute von sich; Olga erblaßte und schloß die Augen, als ob sie eben in einen gähnenden Abgrund hinabgeschaut hätte; die Gesichtsfarbe des Diakonus wurde karmoisinroth, und seine trüben Augen begannen zu glühen und zu glänzen, — nur die Landräthin blieb gelassen und lächelte fort und sagte: „Warum aber schmiedet Herr Hübler das Eisen nicht, solang es noch warm ist?“

„Ich kann nur Muthmaßungen angeben, wie sie mir angegeben worden sind;“ — fuhr die kleine rothwangige Frau fort — „und ich rechne auf allerseitige strenge Verschwiegenheit, wenn ich diese Muthmaßungen laut werden lasse. — Herr Trenkmann hat nämlich vor kurzem ein armes, aber junges und außerordentlich schönes Mädchen als Gesellschafterin für seine Tochter in sein Haus aufgenommen.“

„Sie ist die Tochter eines liederlichen und höchst leichtsinnigen Mannes, welcher Schreiber oder Secretär oder so etwas Aehnliches sein soll“ — fiel Herr v. Pedell seiner Frau ins Wort, da ers nicht über sich gewinnen konnte, noch länger den schweigenden Zuhörer zu spielen. — Ich gestehe, nicht begreifen zu können, wie ein erfahrner und kluger Mann, gleich Herrn Trenkmann, einen so wunderlichen und gefährlichen Schritt wagen konnte.“

Nach dieser höchst dringenden Expectoration ihres Gemahls nahm Frau v. Pedell wieder das Wort und begann: „Dieses junge Mädchen nun soll außer ihrer Schönheit noch so viel andere Reize und Zauber besitzen, daß Herr Robert Hübler —“

„Dann will ich ihn nie wieder vor meinen Augen sehn, den unverständigen, wahnsinnigen Menschen!“ — rief die Räthin, sich von ihrem Stuhle emporschnellend und einen majestätischen Zornesblick rings umherwerfend — „dann sei jedes Band zwischen ihm und mir zerrissen, und —“

„Liebe Tante, beruhigen Sie sich!“ rief Olga, blaß wie der Tod, die Aufgeregte mit den Armen umschlingend — „lassen Sie sich nicht von dem Zorne zu einer Ungerechtigkeit hinreißen! Robert, auf welchen Sie mit Recht so stolz sind, wird nie etwas thun, was seiner unwürdig wäre. Und wenn er jenes arme, aber gewiß edle Mädchen wirklich liebt, so offenbart dies nur einen neuen schönen Zug seines herrlichen Charakters!“ — Und ein glühend verschämtes Roth überzog ihre Züge nach diesen Worten.

„Danke, danke!“ — flüsterte ein großer junger Mann, welcher schon seit einigen Minuten im Nebenzimmer stand und die ganze Scene betrachtet und jedes Wort, das gesprochen worden, mit angehört hatte — „Ich werde dir dies nie, nie vergessen, Olga, du guter, reizender Engel!“

Und fest entschlossen, sich der interessanten Theegesellschaft seiner Tante heut nicht vorzustellen, ging Robert, der soeben mit dem letzten Bahnzuge angekommen war, leise in das Gemach seines Oheims, warf sich dort auf das alte, harte Sopha und dachte an Olga, an die sanfte, stille Olga, welche sich heut so edel, so kühn und so herrlich gezeigt hatte.

Fünftes Capitel.

Herr Beinling pflegte alle Sonntage, früh um 10 Uhr, in ein nahes Weinhaus zu gehen, sich dort an einem bestimmten Platze niederzulassen, seine Frisur vermittelst eines zierlichen Kämmchens, welches er stets bei sich trug, zu ordnen, die Zeitung zu ergreifen und während des Lesens eine Schnitte Caviar und ein Glas Nierensteiner zu genießen.

Da er dies mit einer gewissenhaften Pünktlichkeit that, so pflegte der Kellner des Weinhauses Herrn Beinling niemals erst zu fragen, was er wünsche, sondern ihm ohne weiteres die Zeitung, die Caviarschnitte und das Glas Rheinwein zu bringen und darnach etwa noch die Wanduhr zu stellen, wenn dieselbe vielleicht einige Minuten vor oder nach 10 Uhr zeigte. — So wie der Buchhalter aber stets zu derselben Stunde im Weinhause erschien, so trug er bei seinen Besuchen auch stets dieselbe Kleidung — schwarzen Frack, schwarze Hose, weiße Piquéweste, lackirte Stiefeln, steife, hohe Vatermörder und gelbe Glacéhandschuhe. Seinen gelben Rohrstock mit goldnem Knopfe, so wie seine große silberne Brille mit den kreisrunden Gläsern brauchen wir nicht erst zu erwähnen, da er dieselben täglich trug.

Mit dem Schlage 11 pflegte Herr Beinling die Zeitung aus der Hand zu legen, eine Prise zu nehmen, eine Havana (natürlich stets eine echte) anzurauchen, und mit einer gewissen freudigen Ungeduld nach der Thür zu blicken, durch welche dann in der Regel alsbald seine Freunde, Assessor Moll und Strolph und seit einem Monate auch Robert Hübler, eintraten. — Gleichzeitig füllte der Kellner, stets ungerufen, Beinlings leeres Glas, und nun begann zwischen den vier originellen und voneinander so verschiedenen Menschen eine Unterhaltung, welche, wenn sie gedruckt worden wäre, wol ein ebenso interessantes Buch geliefert haben würde, als uns Plato oder Cicero oder sonst ein großer heidnischer Philosoph hinterlassen hat.

Gegen 1 Uhr trennten sich die Unzertrennlichen; und wenn dann Robert mit Beinling nach Hause ging, pflegte der letztere unterwegs zuweilen stehen zu bleiben und Reden wie diese zum Besten zu geben: „Dieser Strolph ist ein ganz gescheiter Mensch, meinet-

wegen; aber für seine Unduldsamkeit verdiente er —
— — —" hier focht er mit seinem Rohrstocke in der Luft herum, als ob Strolph unsichtbar neben ihm stünde, und er (Beinling) ihm seinen Verdienst gleich per comptant auszahlen wollte. — „Und was den Kaufmannsstand und die Geschäftswelt anbetrifft, so ist seine Kenntniß so gering als die meine über chinesische Buchführung. Und er soll sich, was diesen Punkt anbelangt, in Acht nehmen, durch seine Reden Unheil anzurichten; sonst hat ers mit mir zu thun!" — Hierauf blickte er starr in Roberts Gesicht, um zu erforschen, ob Strolphs Reden etwa schon Unheil angerichtet; und wenn er dann Robert pfiffig lachen sah, war er zufrieden und ging weiter.

An dem Sonntage, an welchem die Ereignisse, welche wir im vorigen Capitel geschildert, stattfanden, erschien Beinling Schlag 10 Uhr, wie gewöhnlich, im Weinhause, ließ sich in seinem mit Leder überzogenen Lehnsessel nieder, kämmte mit seinem kleinen, zierlichen Kamme seine Haare glatt, griff nach der vor ihm liegenden Zeitung und studirte darin, während er nebenher seine Caviarschnitte verzehrte und sein Glas Niersteiner trank.

Mit dem Schlage 11 legte er die Zeitung bei Seite, nahm eine Prise, zog aus seiner gestickten

Cigarrentasche eine Havana hervor, zündete sie an, lehnte sich in seinem Stuhle zurück und schaute mit dem erwähnten Blicke freudiger Ungeduld nach der Thür. — So saß er eine geraume Weile, große Rauchwolken nach der Decke blasend und mit den Fingern der linken Hand auf dem Tische trommelnd. Hierbei war zu bemerken, daß der Takt, nach welchem er trommelte, mit jeder Minute schneller wurde, so daß derselbe nach Verlauf von 10 Minuten einen Schnelligkeitsgrad erreicht hatte, welcher sich unmöglich noch steigern konnte. Demgemäß stellte Beinling das Trommeln ein, sprang aus seinem Sessel heraus, schritt eine Weile in dem Zimmer auf und ab und schaute dabei zwei oder dreimal nach der Wanduhr und von dieser weg auf seine eigne. — Darauf stellte er sich dicht vor Anton, den Kellner, maß ihn mit strengem, vorwurfsvollem Blicke und sagte: „Verdammt leer Eure Weinstube! Nichts mehr los bei Euch! He?"

„'s ist vermuthlich wegen der Kirche —" wagte Anton schüchtern einzuwenden.

„Kirche! Kirche!" — brummte Beinling, mit einem höchst eigenthümlichen Zucken der Schultern durch das Zimmer schreitend — und die nächstfolgenden Worte wurden so leise geflüstert, daß sie glücklicherweise für eines Menschen Ohr nicht hörbar waren. — Darauf setzte er sich wieder auf seinen Stuhl, nahm noch einmal die Zeitung zur Hand, gab sich einige Minuten das Ansehen, darin zu lesen und dann rief er plötzlich mit herrischem Tone und sehr grimmiger, schrecklicher Miene: „Warum füllen Sie mir das Glas nicht, Kellner, da Sie doch sehen müssen, daß es leer ist?"

Anton war so verdutzt infolge des barschen, zornigen Wesens eines Mannes, welchen er bis daher nur als sanft und freundlich gekannt hatte, daß er gar nicht wußte, was er antworten, noch was er thun sollte.

„Ich frage Sie, ob Sie mir mein leeres Glas füllen wollen, Herr!" — sagte Beinling, in die Höhe springend und mit feierlicher Geberde nach seinem Hute greifend.

Natürlich beeilte sich Anton jetzt, seinem Befehle nachzukommen, und Beinling stellte den Hut wieder weg und setzte sich wieder nieder.

In diesem Augenblicke wurde die Thür leise geöffnet, und zuerst erschien ein männlicher Kopf mit schwarzen und weißen Haaren — jede Farbe war gleich schwach vertreten — darauf aber ein ganzes männliches Individuum von dürftiger, fadenscheiniger Kleidung, kleiner, unbedeutender Gestalt und spirituös geröthetem Gesichte. — Besagtes Individuum verbeugte sich theatralisch gegen Beinling, näherte sich ihm einige Schritte, verbeugte sich wieder, näherte sich ihm ganz und verbeugte sich zum dritten Mal, ohne im geringsten darauf zu achten, daß der Buchhalter scharlachroth wurde und ihm finster ins Gesicht starrte.

„Ich freue mich, daß ich das Glück habe, Sie allein anzutreffen;“ — begann das Individuum in sehr affectirt ehrerbietigem Tone und setzte sich dabei auf den leeren Stuhl neben Beinling — „ich möchte Sie, dürft ich es wagen, wol um einige Aufklärungen betreffs meines Fleisches und Blutes gehorsamst ersuchen.“

„Scheren Sie sich zum Kuckuk mit Ihrem Fleisch und Blut!“ — platzte Beinling heraus — „Ich habe Ihnen im Namen meines Principals erklärt, daß wir mit Ihnen nicht das Geringste wollen zu schaffen haben. Sie sind bereitwillig auf unsre vornehmste Bedingung, daß Sie sich jeder Annäherung sowol gegen Ihre Tochter als gegen uns für alle Zeit enthalten müssen, eingegangen. Also sein Sie so gut, Herr, und lassen Sie mich in Ruhe!“ — Damit leerte er das vor ihm stehende Glas auf einen Zug, befahl, gleichsam um seine Gedanken und Augen von dem zudringlichen, widerwärtigen Menschen abzulenken, daß dasselbe sogleich wieder gefüllt würde, und zupfte an seinen Vatermördern. — Das mißliebige Individuum aber betrachtete das bestellte Glas Wein von einer anderen Seite. Es sah darin gleichsam eine Uebergangsbrücke von böser zu guter Laune, von schroffer Unduldsamkeit zu mittheilsamer Nachsicht. Demgemäß verharrte es in würdevollem und zugleich ehrerbietigem Schweigen, bis das Glas gefüllt war, und Beinling (halb aus Aerger, halb aus Verlegenheit) daraus genippt hatte. Dann aber begann es mit einem Lächeln, worin etwas Spöttisches lag: „Ich bin ganz bereit, den conditiones, auf welche Sie anzuspielen beliebten, meinerseits nachzukommen, beim Brahma, glaube mich jedoch auch zu dem Verlangen berechtigt, — verzeihen Sie, daß ein so armer, unbedeutender Mensch, wie ich bin, Ihnen gegenüber sich solcher Worte zu bedienen wagt, — daß man auch auf der andern Seite den Bedingungen nachkommt!“

Beinling machte eine Geberde der Ungeduld und that wiederum einen Zug aus dem Glase.

„Es ist mir versprochen worden,“ — fuhr der andre mit einschmeichelnder Stimme fort — „daß man für das körperliche und geistige Gedeihen meines einzigen Kindes, meiner Tochter Helene, sorgen werde; es ist mir feierlich verbürgt worden, daß man sie wie ein Familienmitglied betrachten, respectiren und behüten werde. Ich habe nichts auf dieser Welt," — hier traten dem gerührten Individuum mehre heiße Thränen in die hervorstehenden, etwas stieren Augen — „was meine kummervolle Existenz nur einigermaßen passabel machen und mein stets niedergebeugtes Haupt etwas aufrichten dürfte, als meine Tochter, mein einziges Kind, dessen Tugend bisher fleckenlos geblieben ist, dessen Herz sich bisher engelrein erhalten hat, beim Wischnu! Und heute, heute, mein verehrtester Herr Beinling, habe ich mit diesen meinen Augen, den besorgten und bekümmerten Vateraugen, sehen müssen, wie sich mein Kind von dem Pfade unverfälschter Tugend verirrte, wie sie unter dem Vorwande eines Kirchenbesuchs sich nach der Promenade stahl und dort die trügerischen umstrickenden Reden eines jungen Mannes, eines jungen Mannes, der daheim die Maske keuscher Sittsamkeit trägt, anhörte; horribile dictu!" — Hier schluchzte das Individuum wiederholentlich und wischte sich mit dem Taschentuche die heißen Zähren aus den gerötheten Augen. — Inzwischen waren mehre Weingäste ins Zimmer getreten und betrachteten das weinende Individuum, so wie auch Herrn Beinling mit großer Neugierde und Verwunderung; und da den letzteren ohnedies schon die sonderbare Erzählung in den Zustand einer peinlichen Unruhe versetzt hatte, so erhob er sich hastig, bezahlte seine Rechnung, flüsterte dem unglücklichen Vater die Worte ins Ohr: „Folgen Sie mir nach meiner Wohnung, Herr!“ und verließ mit größter Eile das Weinzimmer.

Sonst, wenn der wackere Buchhalter durch die Straßen seiner lieben Vaterstadt B. wandelte, pflegte er das Haupt stets hoch zu tragen, — Selma war so boshaft, zu behaupten, er thue dies aus Rücksicht für seine Vatermörder — die theils freundschaftlichen, theils respectvollen Grüße der Vorübergehenden (welche bei einem so angesehenen und wichtigen Manne natürlich sehr zahlreich waren) gebührend zu erwidern und gelegentlich an den Schaufenstern gewisser fashionabler Kaufladen stehen zu bleiben und die superfeinen Stoffe zu mustern.

Heut that er von alledem nichts, sondern eilte in fast wilder Hast, wie in verzweifeltem Sturmschritte dahin, an den Chefs der solidesten Häuser, den intimsten Geschäftsfreunden seines Principals vorüber, ohne sie nur zu sehen, und hielt nicht eher an und blickte nicht eher umher, bis er endlich schweißtriefend und außer Athem in seinem Zimmer stand.

Das kleine, zudringliche Individuum, welches wir von jetzt an bei seinem gesellschaftlichen Namen, also Salzer, nennen wollen, war trotz seinen kurzen und schwächlichen Beinen dem Buchhalter auf der Ferse gefolgt, und stand, als dieser sich umdrehte, lächelnd und sich verbeugend vor ihm.

„Reden Sie jetzt, Herr; aber einfach und deutlich, Herr! Lassen Sie das Wimmern und Heucheln und sagen Sie kurz, was Sie wollen!“ — Beinling stieß diese Worte so hastig und zischend hervor, daß sie kaum verständlich waren.

„Ich bin untröstlich, Herr Beinling, wirklich ganz untröstlich, Sie dergestalt alterirt zu haben.“

„Zum Teufel mit Ihrer Heuchelei, Mensch!“ — rief Beinling mit dem Fuße heftig aufstampfend, und indem seine Miene etwas Entschlossenes, Drohendes annahm — „Wer war, antworten Sie mit einem Worte, wer war der junge Mann, welchen Sie einer heimlichen Zusammenkunft mit Ihrer Tochter anklagen?“

„O, darin liegt eben das Verderbliche, das unabwendbar Schreckliche, daß er sich hier in diesem Hause, mit ihr unter einem Dache befindet!“ — rief Salzer, jetzt seinerseits die Miene der Entrüstung mit vielem Geschick annehmend — „die Ehre meines Kindes ist mir ein unveräußerlicher Schatz; ich schwöre es; bieten Sie mir Milliarden dafür, ich lehne sie mit Indignation und Hohngelächter ab, Herr; ja ich schwöre es feierlich!

Beim Brahma! Und diese Ehre ist in Gefahr, mein Herr, und Gefahr ist im Verzuge, periculum in mora; denn wenn es diesem Herrn Hübler, nachdem er sich erst zwei Monate in diesem Hause befindet, bereits gelungen ist, gewisse Gerüchte zu verbreiten —"

„Welche Gerüchte, schamloser Lügner?" — donnerte Beinling, keiner Zurückhaltung mehr fähig, indem er den andern bei der Schulter packte.

Aber der kleine Mann war ein so tüchtiger und talentvoller Schauspieler, als nur je einer auf der Bühne des Lebens gestanden und gespielt hat. Sein rothes, aufgedunsenes Gesicht nahm ordentlich den Ausdruck eines rechtschaffenen Unwillens und einer imposanten Kühnheit an, als er sagte: „O, Herr Beinling, ich fürchte mich nicht, so klein und so armselig ich bin. Ich bin gefaßt auf alle Eventualitäten. Das Geschick hat mir wenig Körperkraft verliehen; aber, Gott sei Dank, ich besitze Muth und Resignation. Treten Sie mich, Herr, wie einen Wurm; aber der Wurm wird sich krümmen!" — Und er kreuzte die Arme über der Brust, wie Bonaparte, wenn er auf das Feld schaute, wo die Schlacht geschlagen werden sollte.

Beinling zog seine Hand von des Mannes Schulter zurück, wurde blaß wie der Tod, und schlug die ehrlichen grauen Augen schamerfüllt zu Boden.

„Diese Gerüchte würden Herrn Trenkmann und seine Tochter bitter kränken, wenn sie zu seinen und ihren Ohren kämen;" — fuhr Salzer fort — „denn kann es für einen solchen Mann, welcher an der Spitze von Millionen steht, einen herberen und narkotischeren Schmerz wol geben, als wenn er hört, daß ein Commis seines Hauses mit Aussichten prahlt, deren sich Leute aus den höchsten Ständen mit Stolz rühmen würden?" — Hier warf er einen durchdringenden, lauernden Blick auf Beinling.

Der aber schlug plötzlich seine Augen wieder auf, so daß Salzer bemerken konnte, wie sie voll freudiger Ueberraschung glänzten, trat einen Schritt vor und rief: „Hat er das? Hat er damit geprahlt, oder vielmehr hat er davon gesprochen? — Aber nein, dies Gerücht, wenn ein solches existirt, rührt ja von ihm nicht her. Denn wissen Sie, Herr," — fuhr er mit edler Wärme fort — „daß dieser junge Mann, dieser Robert Hübler, den Sie des Leichtsinns und der Prahlerei beschuldigen, weit entfernt, sich jener Aussichten unberechtigterweise zu rühmen, wie Sie behaupteten, sie in Wirklichkeit vielmehr von sich weist und verschmäht! Und wenn er, was der Himmel verhüte, eine ernste Neigung zu Ihrer Tochter fühlen sollte, so könnten Sie stolz darauf sein, Mann, ja das könnten

7*

Sie!“ — Wäre er nicht gar so aufgeregt und leidenschaftlich gewesen, so würde er das triumphirende, zufriedene Lächeln bemerkt haben, mit welchem Salzer entgegnete: „Es bedarf für mich nur Ihrer Versicherung, Herr Beinling, und ich bin bereit, an den achtungswürdigen und noblen Charakter des Herrn Hübler zu glauben. Ich kehre also mit der sittlichen Beruhigung eines ängstlichen Vaterherzens wieder heim und bitte nur unterthänigst, den Herrn Hübler in vollkommener Discretion über meinen nur allzu leicht beleidigenden Argwohn zu halten, da derselbe, wenn es streng überlegt wird, lediglich aus edlen Empfindungen entfloß.“ — Hierauf verbeugte er sich wie ein gewandter Diplomat, welcher eben einen einfältigen überlistet und hinters Licht geführt hat, und verließ mit würdevollem Anstande das Zimmer.

Und mit würdevollem Anstande schritt er auch auf der Straße einher, ganz anders, als er kurz vorher hinter Beinling hergelaufen war. Wer ihn beobachtet, hätte glauben müssen, er habe da oben in Beinlings Zimmer unverhofft die Nachricht und den sichern Beweis empfangen, daß er ein wohlhabender Mann sei, während er sich doch für bettelarm gehalten. — Und nach seiner Meinung hatte er dort in der That etwas erfahren, wovon er sich goldne Berge versprechen konnte, vorausgesetzt, daß ers gehörig zu benutzen und auszubeuten verstände, woran er durchaus nicht zweifelte. .

Seine Tochter befand sich im Hause des reichsten und mächtigsten Kaufmanns von ganz B. Und zwar spielte sie dort nicht etwa die Rolle einer Dienerin, sondern die eines Familiengliedes, einer intimen Freundin der Tochter des Hauses. Für einen Mann wie Salzer war schon diese einfache aber unbestreitbare Thatsache bisher eine recht angenehme Hilfsquelle gewesen. Da nämlich die Leute, mit denen er verkehrte, im Anfange nichts ahneten von der geheimen Clausel des Vertrages zwischen Trenkmann und Salzer — daß der letztere sich niemals im Hause des ersteren erblicken lassen durfte und allen sogenannten Vaterrechten hatte entsagen müssen — so eröffneten sie ihm, von der Wahrheit jener Thatsache bestochen, eine Zeitlang ihren Credit, welchen er natürlich nach Kräften benutzte. Unglücklicherweise indeß erfreut sich die Kaste der Gläubiger unter allen Himmelsstrichen eines sehr feinen, durchdringenden Spürorgans; und so entdeckten denn auch diejenigen, mit welchen es Salzer zu thun hatte, mit der Zeit die Existenz jener verhängnißvollen Clausel. Alsbald wurde die segensreiche Quelle des Credits verstopft, und Salzer befand sich in einer traurigeren Lage denn je.

In dieser trüben Zeit erschnappte er, da er sich neben dem Spiel gelegentlich auch auf das Spioniren verlegte, ein paar Neuigkeiten, welche ihm einer gründlichen Forschung nicht unwürdig erschienen.

Er erfuhr nämlich, daß der zweite Commis von Trenkmann die glänzendsten Aussichten habe, welche ein Mann in seiner Lage haben könnte; und zugleich erfuhr er, daß dieser nämliche Commis sich um die besagten Aussichten weiter nicht zu kümmern scheine, sondern dem armen, aber schönen Mädchen, welches Trenkmanns bei sich aufgenommen, andächtig den Hof mache.

Während er nun eines Sonntags früh nach seiner Gewohnheit auf der Promenade herumschlenderte und überlegte, wie sich aus den erwähnten Neuigkeiten ein wenig Geld oder sonst einige Vortheile herausschlagen ließen, erblickte er mit unaussprechlicher Freude sein Töchterchen am Arme des aussichtsreichen Commis, beide unter lebhaftem und, wie es ihm schien, verliebtem Geplauder langsam dahinschreitend. Und nun entdeckte sein erfinderisches Gehirn blitzschnell den Weg, welchen er einzuschlagen hätte.

„Wenn ich dem ehrlichen Buchhalter, welcher sich für seinen Principal todtschlagen und für seinen Freund und Günstling, den zweiten Commis, rädern ließe, zu

Leibe rücke und Lärm schlage," — also reflectirte er — „so erfolgt von Dreien Eins; entweder er bekommt Angst vor mir und sucht mich vermittelst einiger Kassen- oder Darlehnsscheine zu beruhigen, oder er steckt die Geschichte dem Principal, und sie kriegen beide Angst vor meinem Töchterchen und suchen es wieder aus dem Hause zu spediren, wobei ich naturellement meine propositiones stellen werde, oder aber ich erfahre wenigstens genau, wie die Sachen stehen, mache meinem geliebten und überaus pfiffigen Engelskinde Mittheilung davon (so daß sie weiß, was die Glocke geschlagen, und darnach ihre Damenuhr stellen kann) und erhalte zum Lohn von ihr einige Kassenscheine oder einen Ring, den sie nicht braucht, oder sonst etwas von reellem Werthe."

Demgemäß begab er sich schleunigst nach dem Weinhause, welches Beinling, wie er wußte, des Sonntags früh zu besuchen pflegte, und was darauf folgte, ist dem Leser bekannt.

Herr Salzer stolzirte also, nachdem er von Beinling hinweggegangen war, mit würdevollem Anstande durch mehre Straßen, zündete sich, um sich ein distinguirtes Ansehen zu geben, eine Cigarre an, betrachtete dann mehre Cigarrenläden, Weinhäuser und Conditoreien mit prüfendem Blicke, indem er bei sich sagte: „Von hier werd ich in Zukunft vermuthlich meine Cigarren beziehen — immer vier oder fünf Mille auf einmal — hier werde ich kurz vor Tische mein Glas Wein trinken und ein paar Dutzend Austern essen, und hier werde ich des Morgens meine Bouillon und des Abends meine Chokolade genießen, stieg endlich in einen ziemlich anspruchslosen baierschen Bierkeller hinab, wo er wie zu Hause war, ließ sich Papier, Feder und Tinte geben (indem er, um den Wirth bereitwilliger zu machen, ihm geheimnißvoll zuflüsterte, es sei ihm über Nacht ein wundersam funkelnder Glücksstern aufgegangen) setzte sich nieder und schrieb dann, wie folgt:

„Mein innigst geliebtes Kind, meine gute Tochter!

Soeben habe ich eine Unterredung mit Eurem Buchhalter Beinling gehabt, wobei auch von den Aussichten eines gewissen zweiten Commis — welchen Du kennst! — gesprochen wurde. Bei dieser Gelegenheit äußerte die ehrliche Haut von Buchhalter, natürlich von mir in geschickter Weise stimuliret, verbotenus: „„Dieser junge Mann, weit entfernt, sich jener Aussichten zu rühmen, weist sie vielmehr zurück und verschmäht sie! Und wenn er, was der Himmel verhüte, eine ernste Neigung zu Ihrer Tochter fühlen sollte, so könnten Sie stolz darauf sein, ja das könnten Sie!““ — Ich überlasse Deiner mir bekannten Intelligenz und intuition die Auslegung dieser Worte sowie die Maßregeln, welche zu treffen sein dürften, und wollte mir nur die Bemerkung erlauben, daß das zukünftige Geschick unseres Hauses auf Deinen Schultern ruht — von der Mutter Natur so wundervoll ausgestattet!

Die benannte Unterredung indeß kostet mich eine Flasche Nierensteiner — in Deinem Interesse geopfert!

Wenn nun überlegt wird, wie kümmerlich meine Verhältnisse, und wie beschränkt meine Mittel sind, so daß ich genöthigt bin, meine späteren Tage im vergleichungsweisen Ruin hinzubringen; — der Himmel weiß, nicht durch eigne Schuld, sondern durch ein gewisses, unüberwindliches Verhängniß — so dürfte es Dir möglich werden, mich durch ein paar Tresorscheine oder sonst etwas von gediegnem Werth zu entschädigen und zu erquicken.

Mit unwandelbarer Liebe

Dein

kummervoller Vater.

Postscriptum. Ich schicke Dir diese Zeilen zu Deiner Mutter, welche Du heut leicht heimsuchen dürftest. Das Angebinde Deiner kindlichen Liebe mögest Du bei selbiger zurücklassen."

Während nun Salzer aus der von ihm so meisterhaft geführten Unterredung die glorreichsten Hoffnungen schöpfte und für den Anfang einige Tresorscheine herauszuschlagen suchte, saß der ehrliche Beinling auf dem Sorgenstuhle und grämte sich und schämte sich und ängstete sich ihretwegen und hätte gern einen Jahresgehalt darum gegeben, wenn er sie hätte zurücknehmen, wenn er sich das Bewußtsein hätte verschaffen können, daß sie gar nicht stattgefunden.

„Sich mit diesem aufdringlichen Menschen einzulassen!“ — sagte er trostlos vor sich hin — „Mit ihm über Familienverhältnisse zu sprechen! Ihm gegenüber sich zu einer Art Rechtfertigung zu verstehn! O, ich Thor, ich einfältiger, unbesonnener Thor!“

Und er stützte sein Kinn auf den goldnen Knopf seines Stockes und schaute trübselig auf seine lackirten, glänzenden Stiefeln. — Nach einer langen Weile dumpfen Brütens fuhr er fort: „Warum hat man denn nicht auf mich gehört? Warum hat man die Tochter eines solchen Menschen ins Haus genommen? Mir ahnte wol, daß nur Unheil daraus entstehen würde, trotz allen Gegenversicherungen Molls und Selmas.“

Nachdem er abermals mehre Minuten sinnend vor sich hingestarrt hatte, flüsterte er mit fast unhörbarer Stimme: „Warum er ihn so lieben mag? Und warum ich ihn so lieben mag? Wie im Sturm hat er sich unser beider ganzes Herz gewonnen — unbegreiflich! — Wenn man bedenkt, daß in einer Zeit, wo das Geld die einzige überall respectirte und nirgends gefährdete Macht ist, ein Mann, der Millionen besitzt, der die ganze hiesige Handelswelt beherrscht, sich Mühe gibt, sein einziges Kind, die alleinige Erbin seines ganzen fürstlichen Vermögens, mit einem armen jungen Manne, ohne Rang, ohne Titel, zu verbinden, so könnte man sich versucht fühlen an ein dunkles, unerklärliches Geheimniß zu glauben!" — vorausgesetzt, daß man die beiden Männer nicht kennt.

In diesem Augenblicke vernahm Herr Beinling Roberts Stimme und hörte seinen Namen nennen; und alsbald richtete er sein Haupt in die Höhe und die Vatermörder, welche er ein wenig daniedergedrückt hatte, auch, nahm dann eine wichtige, fast feierliche Miene an, warf einen kurzen, verstohlenen Blick in den Spiegel und fand, daß alles gut wäre; — und so empfing er Robert, welcher bald darauf bei ihm eintrat.

„Sein Sie nicht böse, gestrenger Herr, daß wir Sie heut haben vergebens auf uns warten lassen" — begann Robert, dem würdigen Buchhalter vertraulich auf die Schulter klopfend — „Grade als ich im Begriff war, Strolph abzuholen, begegnete ich auf der Promenade Fräulein Helene, welche mir sagte, daß sie zu Molls ginge. Da ich nun auch den Assessor abholen wollte, so begleitete ich sie dorthin. — Nun ist aber Herr Moll ein sehr galanter Mann, wie Sie wissen; und als solcher wollte er die Damen doch nicht allein lassen. Ich aber, der ich viel jünger bin als Moll, also zur Galanterie viel mehr verpflichtet, durfte das erst gar nicht; und so blieb ich auch. Strolph seinerseits hat jedenfalls auf mich und Moll gewartet, und so ist es gekommen, daß Sie heut unsrer liebenswürdigen Gesellschaft verlustig wurden."

„Sie sind sehr gütig, daß Sie sich dieser Sache wegen bei mir entschuldigen," — entgegnete Beinling und betrachtete dabei mit außerordentlichem Interesse die feine Arbeit an dem goldnen, massiven Knopfe seines Rohrstockes.

Sechstes Capitel.

Nachlässig in die weichen, elastischen Kissen ihres Lehnsessels zurückgelehnt, starrte Selma Trenkmann auf eine große Vase von Dresdner Porcellan, welche auf einem Napfe von massivem Silber stand. — In dem Ausdruck ihres Gesichts lag ein kalter Stolz, nicht jener Stolz, welcher von dem Bewußtsein hoher Stellung und hoher Pflichten im Leben herrührt, auch nicht jener, welcher sich kühn und streng gemeiner Gesinnung gegenüberstellt, sondern jener verletzende Stolz, welcher seinen Ursprung in selbstsüchtiger Anmaßung, in maßloser Selbstüberschätzung hat.

Sie streichelte mechanisch den Seidenspitz mit dem Silberglöckchen am Halse, welcher auf ihrem Schoße lag; und diese scheinbare Zärtlichkeit gab ihr ein noch kälteres, frostigeres Ansehn, als sie ohnedies schon hatte. — Sie trug, wie fast immer, ein schwarzseidnes

Kleid (zu ihrem rabenschwarzen Haar und ihrer schneeweißen Haut paßte dasselbe am besten), aus dem an den Händen und an Brust und Hals kostbare, prachtvolle Spitzen hervorquollen.

Das Gemach, in welchem sich Selma befand, bot dem Auge, wiewol es nicht grade groß war, eine Menge von schönen und prächtigen Sachen zur Anschauung. Auch herrschte ein durchaus guter Geschmack und keine Spur von Ueberladung darin.

Selma gegenüber, an einem Fenster, saß Helene Salzer. Sie war mit einer Häkelei beschäftigt, welche all ihre Aufmerksamkeit in Beschlag zu nehmen schien; wir sagen „schien“, weil sie in Wahrheit an ganz andre Dinge, als an das Häkeln, dachte und zuweilen einen schnellen, verstohlenen Blick auf Selma und von dieser hinweg zum Fenster hinabwarf.

Sie war mit einem hellen Sommerüberrocke bekleidet. Eine Rosenknospe im Haar war der einzige Schmuck, welchen man an ihr bemerken konnte. Aber grade diese Einfachheit hob ihre blendende Schönheit, wie ein schmuckloser Rahmen ein classisches Gemälde, in wunderbarer Weise hervor. Sie erschien so strahlend, wie der Sommermorgen draußen, welcher die Stadt wie ein Meer von Licht und Glanz umgab.

Wol eine halbe Stunde hatten die beiden Mädchen

so dagesessen, ohne ein Wort zu wechseln, ohne einen Laut von sich zu geben, als Selma plötzlich, wie aus einem Traume erwachend, schwer Athem holte, sich im Zimmer umschaute und dann zu Helenen sagte: „Sagen Sie mir doch, wie spät es ist, liebe Helene.“

Sie hätte ihre Augen nur ein klein wenig nach rechts wenden dürfen, dann würde sie in der kleinen Uhr mit alabasternem Gehäuse, welche auf einem Tischchen von Ebenholz stand, bis auf die Secunde haben erkennen müssen, wie spät es war; aber vermuthlich fiel ihr das zu schwer und so fragte sie. — Helene schien im stillen genau! dieselbe Bemerkung zu machen und daran noch einen für Selma keineswegs schmeichelhaften Gedanken zu knüpfen, was aus einem eigenthümlichen Zucken um ihre schönen Mundwinkel hervorging; indeß das geschah so blitzschnell, daß Selma nichts davon merkte, und dann schaute sie heiter auf die kleine Uhr und antwortete: „Es ist leider schon wieder einige Minuten über zehn.“

Selma warf einen Blick stolzen Unwillens auf Helene und entgegnete: „Wenn ich nicht wüßte, daß Sie zuweilen unfähig sind, die Tragweite Ihrer Worte zu berechnen, so würde ich Ihr unglückliches „„leider““ und „„schon wieder““ als boshafte Ironie betrachten müssen; denn ich habe Ihnen vor kaum einer halben

Stunde gesagt, daß ich mich zum Sterben langweile."

„Aber ich langweile mich nicht, und dies „„leider““ und „„schon wieder““ bezog ich auf meine noch unfertige Häkelarbeit. Und sonach scheint mir meine diesmalige Berechnung der „„Tragweite meiner Worte““ fehlerlos zu sein." — Helenens Wangen rötheten sich purpurn, während sie so sprach.

„Sie werden ungezogen, meine Liebe!" — sagte Selma mit hochmüthigem Lächeln. — „Jeder Gebildete ist verpflichtet, und wenn seine Verhältnisse nicht glänzend sind, so ist er doppelt verpflichtet, seine Gefühle dann nicht zu äußern, wenn er damit die Gefühle eines andern verletzen könnte. Merken Sie sich das! Uebrigens scheint Ihr unpassendes Benehmen auch schon von andrer Seite beobachtet worden zu sein; denn, ich muß es Ihnen nur sagen, man hat mir den guten Rath gegeben, mir um des Hausfriedens willen ein anderes Gesellschaftsfräulein" — das letzte Wort betonte sie in herabwürdigender Weise „aufzusuchen."

„Und ich muß Ihnen nur sagen," — versetzte Helene, indem sie sich erhob und vor Selma eine herausfordernde Verbeugung machte — „daß ich diesem guten Rathe, wenn auch aus einem andern Grunde, von Herzen beistimme." — Darauf setzte sie sich wieder und fuhr fort zu häkeln.

„O pfui, wer wird so leidenschaftlich sein, sich so spießbürgerlich in Positur setzen, liebe Kleine!" — sagte Selma ganz gelassen, ihren Schoßhund streichelnd — „Denken Sie einmal, wenn ich nun hart und grausam genug wäre, Sie beim Worte zu nehmen? Was würden Sie denn daheim in Ihrem Kämmerchen und in Gesellschaft Ihres liebenswürdigen Herrn Vaters mit Ihrem Ehrgeize anfangen? Sagen Sie mir dies, ich bitte."

Helene wurde blaß wie der Tod, darauf erröthete sie so lebhaft, daß man hätte glauben sollen, das andringende Blut würde ihre zarte, feine Haut zersprengen, und dann erblaßte sie wieder. Plötzlich aber sprang sie von ihrem Stuhle empor, trat dicht vor Selma, warf einen Blick tödtlichen Hasses und fürchterlicher Drohung auf sie und sagte mit einer vor Bewegung zitternden Stimme, während ihr Busen wie ein vom Sturm gepeitschter See wogte: „Also die stolze Erbin von Millionen läßt sich herab, auf ein armes Mädchen, welches sie kaum als ihre Zofe betrachtet, eifersüchtig zu sein! Die stolze Erbin grübelt Tag und Nacht darüber nach, wie sie das arme Mädchen, auf welches sie eifersüchtig ist, kränken und unterdrücken möge! Sie möchte die arme Nebenbuhlerin gern zermalmen, vernichten und kann sich doch nicht von ihr trennen, muß sie stets unter den Augen haben, weil sie sterben würde, wenn sie sie fern und den Geliebten bei ihr wüßte! Ist es so oder nicht, mein liebes Fräulein? — Ei der tausend! Warum wechseln Sie die Farbe, warum pressen Sie die farblosen Lippen zusammen, warum möchten Sie mich mit Ihrem Glutblicke zu einem Aschenhaufen verbrennen? — Kann ich dafür, wenn er Sie nicht verstehen mag? Wenn er Ihrem Hochmuthe täglich die tödtlichsten Streiche versetzt, wenn er Ihre Millionen verachtet und Ihre Schönheit nicht nach Gebühr zu schätzen weiß? Sagen Sie mir dies, ich bitte!"

Hoch aufgerichtet, wie sie dastand, die Arme über der wogenden Brust gekreuzt, mit blitzenden Augen, purpurrothen Wangen und stolz aufgeworfenen Lippen, ein Bild der Lebendigkeit in höchster Potenz, bildete sie einen seltsamen Contrast gegen Selma, welche regungslos, mit starren Augen und fahlen Wangen, in ihrem Sessel saß und mehr einem Phantasiegebilde als einem Wesen von Fleisch und Blut glich.

„Genug der Verstellungskünste zwischen uns!" — fuhr Helene nach kurzer Pause mit einer aus ihrer

Seele quellenden Bitterkeit fort — „Wenn wir miteinander kämpfen sollen, so kämpfen wir offen. Ihre Streitkräfte werden den meinen immer noch um das Zehnfache überlegen sein. Gold ist eine furchtbare Macht; und wenn Sie am Ende siegen sollten, so blicken Sie nicht gar zu hochmüthig auf den niedergeschmetterten Feind herab, sondern denken Sie an die Ungleichheit der Waffen."

Helene war im Begriff zu ihrem Platze am Fenster zurückzukehren, als Selma einen schweren Seufzer ausstieß und, gleichsam als hätte sie mit demselben zugleich all ihren Groll, ihren Haß, ihren Zorn und selbst jeden Gedanken an das, was eben vorgefallen war, von sich gestoßen, in kaltem, ruhigem Tone sagte: „Darf ich Sie bitten, liebe Helene, die Klingelschnur in Bewegung zu setzen."

Und Helene ging, einem unerklärlichen Gefühle der Unterwürfigkeit nachgebend, nach der Klingelschnur und schellte.

„Ich wünsche auszufahren, Sophie;" — sagte Selma, ein Gähnen unterdrückend, zu der eintretenden Zofe — „in zehn Minuten mag der Wagen bereit sein. Auch wünsche ich Herrn Beinling zu sprechen; führe ihn in den grünen Saal."

Sophie, welche sich während des Wortwechsels

zwischen Helene und ihrer Gebieterin zufällig in der Nähe der Stubenthür befunden und, da von beiden Seiten ungewöhnlich laut gesprochen worden, fast wider Willen jedes Wort gehört hatte, — sie meinte, es sei immer noch besser wenn sie, als wenn ein Fremder dergleichen mit anhöre — warf einen kurzen Blick grenzenloser Hochachtung auf Selma und einen recht spöttischen, höhnischen auf Helene und verließ dann mit einem unterthänigen Knix das Zimmer.

Als sie eine Weile draußen war, erhob sich Selma, setzte sich einen Hut auf, legte einen Shawl um die Schultern, warf einen gleichgiltigen Blick in den Spiegel und verließ darauf das Gemach mit den Worten: „Ich hätte Sie gern aufgefordert, mich zu begleiten, liebe Helene; indeß da Sie sich ohnedies vorhin über die Flüchtigkeit der Zeit beklagten, so muß ich Sie schon für heut, so schwer es mir fällt, Ihrer leidigen Häkelei überlassen.“

Fast mit Selma zugleich trat auch Beinling in den grünen Saal. Er begrüßte sie mit ehrerbietiger und dabei sehr erwartungsvoller Miene.

„Sie hatten recht, lieber Freund,“ — begann sie, mit liebenswürdiger, gar nicht hoch genug zu schätzender Herablassung ihm zwei von ihren wächsernen Fingern reichend — „um des Hausfriedens willen muß sie fort! Ich werde meine Maßregeln darnach treffen; aber ich brauche Geld, viel Geld."

Beinling verbeugte sich und zupfte an den Vatermördern.

„Bringen Sie mir, ich bitte, 500 Thaler in Gold herauf und setzen Sie dieselben als „Nadelgelder" für mich auf die Rechnung." — Beinling verbeugte sich abermals, ging hinab in das Comptoir und kehrte nach einigen Minuten mit fünf Rollen zurück, welche sie zu sich steckte. — „Ich danke Ihnen! Dies Geld aus Ihrer Hand wird mir Glück bringen," — sagte sie mit seraphischem Lächeln, wie es Beinling seit den 15 Jahren, welche er sie kannte, noch niemals an ihr bemerkt hatte, und ging dann mit stolzer, triumphirender Miene hinweg. — Beinling aber schüttelte bedenklich den Kopf und murmelte: „O, o! und das alles für ihn!"

Selmas Kutscher war gar sehr erstaunt, als er den Befehl erhielt, in eine der obscursten und schmuzigsten Gassen von ganz B. zu fahren. Er fuhr aber förmlich von seinem Sitze vor Schreck in die Höhe, als man ihm ein unzweideutiges Zeichen gab, vor einem kleinen, schmuzigen und baufälligen Hause still zu halten.

Selma stieg aus, ging festen Schrittes in das

schmuzige Haus, klopfte an einer Thür, welche halb offenstand und durch welche ihr ein starker Zwiebelduft entgegendrang, und trat, ohne eine Antwort auf das Klopfen abzuwarten, in das Zimmer.

Daselbst aber saß an einem ziemlich trümmerhaften Tische, mit einem himmelblauen Kattunschlafrocke angethan und mit der Zubereitung eines Beefsteaks beschäftigt, Amandus Salzer. — Er merkte nicht gleich, wer und daß überhaupt jemand eingetreten war; denn da er grade einen ziemlich großen Haufen Zwiebeln klein hackte, wars wol natürlich, daß er ein so unbedeutendes Geräusch, als das Anklopfen und Eintreten einer vornehmen Dame verursacht, überhörte.

So kam es, daß Selma schon ganz nahe bei ihm stand, als er ihrer erst ansichtig wurde.

„Gerechter Himmel! Welch ein Wonneglück dringt in mein ärmlich und dem Ruine nahes Asyl!" Mit diesen Worten raffte er Fleisch und Zwiebeln und Salz und Pfeffer in eine Schüssel zusammen, flüchtete sich damit in eine enge, unwohnliche Kammer nebenan, zog dort einen Rock an, den einzigen und fadenscheinigen, den er hatte, und präsentirte sich dann unter mannigfachen und tiefen Verbeugungen und mit den classischen Worten: „Heil dem Tag, an welchem Sie bei uns erschienen!

Selma, welche sich inzwischen in eine Art von Großvaterstuhl niedergelassen hatte, betrachtete den kleinen Mann mit jener insolenten Neugierde und Unbefangenheit, wie sie vielen vornehmen Leuten bei dergleichen Gelegenheiten eigen sind, und begann dann: „Ich habe also die Ehre, von Ihnen gekannt zu sein?“

„Bitte unterthänigst, die Ehre liegt ganz auf dieser Seite.“ — Bei diesen Worten zeigte Salzer mit dem Zeigefinger der linken Hand auf diejenige Stelle, wo er glaubte, daß sein Herz läge.

„Nun ich muß Ihnen sagen,“ — fuhr Selma, hochmüthig lächelnd, fort — „die Ehre ist wenigstens gegenseitig. Nachdem wir aber jetzt die nöthigen Höflichkeiten ausgetauscht haben, lassen Sie mich den Zweck meines Kommens berühren —“

„Welcher es immer sei, — ich meine den Zweck“ — fiel ihr Herr Salzer ins Wort — „wenn Sie nur Menschliches verlangen, so werden Sie ihn erreichen! Ich schwöre es!“ — und er streckte die beiden Schwurfinger feierlich gen Himmel.

Nach einem leisen Wedeln mit dem battistenen Taschentuche, welches den köstlichen Duft des eau de Portugal über das Zimmer verbreitete, fuhr Selma fort: „Aus Familienrücksichten, auf welche ich hier nicht näher eingehen will, wünschte ich, daß Ihre Tochter Helene, welche ich übrigens sehr lieb habe und hochschätze, auf eine anständige Weise, d. h. ohne alles Geräusch, meines Vaters Haus verließe."

Herr Salzer, welcher nun mit einem Male alles begriff und vor freudiger Bewegung fast zitterte, warf sich, um diese Bewegung zu verbergen, wie in tiefster Niedergeschlagenheit auf einen Stuhl, ließ den rechten Arm kokett über die Lehne herunterhängen und sagte im Tone des tiefsten Kummers: „O, die Unglückliche, die Verblendete! Wie Eva aus dem Paradiese verstoßen! Elend, Verzweiflung, Tod!" — und er starrte, gramerfüllt, nach einer Zwiebelschale, welche vom Tische gefallen war und vor ihm auf dem Boden lag.

„Sie haben mich nicht recht verstanden, mein Herr!" — entgegnete Selma, welche ihre gegenwärtige Situation unbehaglich zu finden begann — „Es handelt sich hier weder um Elend noch Verzweiflung oder Tod —"

„O, Dank Ihnen, Dank Ihnen!" — stöhnte der Gramerfüllte —

„sondern es handelt sich einfach um eine gütliche Uebereinkunft. Hören Sie mir aufmerksam zu! — Sie erscheinen bei meinem Vater und verlangen Ihre Tochter zurück unter dem Vorgeben, daß ihr von auswärts, meinetwegen von einer alten, entfernten Verwandten (die sie einmal beerben kann), eine vortheilhafte Stellung angeboten worden sei, oder daß Sie selbst eine günstige Anstellung irgendwo erhalten haben. In diesem Falle wird mein Vater, nach einer kurzen Rücksprache mit mir, keinen Augenblick zögern, Ihrem Verlangen nachzugeben. Darauf packen Sie Ihre Sachen zusammen und begeben sich mit Ihrer Frau und Tochter in eine Provinzialstadt, weit von hier, wo Sie sich niederlassen und irgend etwas ergreifen, was Ihnen zusagt. Im Fall Sie auf diesen Vorschlag einzugehen geneigt sind, erhalten Sie von mir sogleich 250 Thaler in Gold. Dieselbe Summe zahle ich an Sie, sobald Sie sich irgendwo eingebürgert haben, und endlich zahle ich noch einmal dieselbe Summe nach Verlauf eines halben Jahres; jedoch unter der ausdrücklichen Bedingung, daß Helene, Ihre Tochter, vor einem Jahre nicht wieder hierher zurückkehrt. Was Sie Ihrer Tochter darüber mittheilen, wie Sie dieselbe zu dem erwähnten Schritte bewegen oder nöthigenfalls zwingen wollen, überlasse ich Ihnen. Nur bedinge ich mir, daß sie vor dem Ablauf eines Jahres kein Wort davon erfahren darf, daß und wie i ch hierbei die Hand im Spiele gehabt habe. Und nun sagen Sie mir kurz, ich bitte, was Sie zu thun gesonnen sind."

Salzer erhob sich langsam von seinem Stuhle — wol nicht aus Ehrerbietung oder sonst einem chevaleresken Gefühle, sondern um während des Sprechens seiner Haltung und seinen Bewegungen mehr Ausdruck zu geben — und begann mit einem sehr rührenden Zittern der Stimme: „Mein armes Kind! Welche Stellung in der Welt, welcher Rang, welcher Titel, kann ihr, von Ihnen fern, süß sein?"

„Ich muß Sie mit der Bemerkung unterbrechen," — fiel ihm Selma ins Wort, während sie sich ihrerseits auch erhob und nach der Thür blickte — „daß Helene, selbst wenn Sie auf meinen Vorschlag nicht eingehen sollten, dennoch unser Haus verlassen wird! Erwägen Sie dies, mein Herr! — Natürlich würden im letzten Falle alle Bedingungen auf beiden Seiten wegfallen, mein Herr."

„Und was gibt Ihnen denn Grund, an meinem Schwure zu zweifeln?" — rief Salzer mit rechtschaffener und nobler Entrüstung. — „Beim lebendigen Gotte, Sie sollen den Zweck, welcher Sie hierhergeführt, erreichen, und sollt ich mein eignes Kind in einen finstern, kalte Schauer erregenden Kerker sperren!" — Hier starrte er eine Weile nach der Wand gegenüber, als ob er mit seiner Tochter schon in dem entsetzlichen Kerker stände und ihn die kalten Schauer erfaßten; darauf aber schüttelte er, zu einem Lächeln der Verwunderung übergehend, das weiß und schwarz gesprenkelte Haupt und murmelte vor sich hin: „O, die Reichen sind die Götter der Welt; denn selbst das Schicksal arbeitet für sie! Ja,“ — fuhr er gegen Selma sich wendend und seine Lüge mit Enthusiasmus hervorbringend, fort — „ja, das Schicksal hat für Sie gearbeitet; denn wissen Sie, daß in der That — scheint es doch fast, als ob sich Ihnen, gleich den Priesterinnen des Alterthums, die Zukunft eröffnete — eine alte Tante von meiner Tochter an uns geschrieben und Helene zu sich eingeladen hat (wiewol bei ihr, da sie arm, von keiner Erbschaft die Rede sein kann). — O, welch wunderbare Divinationsgabe! Fabelhaft!“

Selma war trotz aller Selbstbeherrschung zu aufgeregt, als daß ihr das Pathos des kleinen Mannes im richtigen Lichte, nämlich lächerlich, erschienen wäre, und andrerseits war sie zu hochmüthig und dünkelvoll, als daß sie sich zu dem Argwohn herabgelassen, der erbärmliche Mensch könnte die Absicht hegen, sie zu betrügen. Daher versetzte sie ganz ernsthaft und zuversichtlich: „Um so besser, mein Herr. In diesem Falle haben Sie nichts weiter zu thun, als Helene schleunigst an Ort und Stelle zu bringen und dafür Sorge zu tragen, daß sie hierher nicht wieder zurückkehren kann, wenigstens vor dem festgesetzten Termine nicht. Sie selbst sammt Ihrer Frau mögen dann immerhin hier am Orte bleiben; es ist dies für mich von keiner Bedeutung. Die Summen, welche ich Ihnen angeboten, bleiben dieselben. Die Zahlungstermine ändern sich nur insofern, als die Auszahlung der zweiten Rate jetzt von Helenens Uebersiedelung in ihre neue Heimath abhängig ist. Doch — à propos — wie heißt die neue Heimath Ihrer Tochter?"

„O, weit weg von hier!" — erwiderte Salzer, einen schmuzigen Brief aus der Tasche hervorziehend und darin lesend — „Berge dazwischen — keine Eisenbahn — einsame Gegend — ein kleines, obscures Dörfchen — halt da! C - z - e - r — Tschernowitz, glaub ich — diese barbarischen Namen sind für die rhetorischen Zungen der Civilisation wahrhaft unerschwinglich!"

Ueber Selmas Züge glitt ein Lächeln triumphirender Rache, als sie von dem kleinen, obscuren polnischen Dörfchen hörte. Darauf aber zog sie rasch drei von den Goldrollen hervor, brach die eine entzwei, steckte die kleinere Hälfte wieder zu sich und legte die andere zu den zwei ganzen Rollen auf den Tisch. — Doch plötzlich wendete sie sich gegen Salzer und fragte: „Und Ihre Frau, mein Herr? Wie ich gehört habe, vergöttert sie ihre Tochter. Wird sie sich von ihr trennen wollen?"

Amandus Salzer nahm eine strenge, fast drohende Miene an, richtete sich, so weit es ihm irgend möglich war, in die Höhe und versetzte: „Betrachten Sie mich, ich bitte, meine Gnädige; gleich ich dem Manne, der Furcht kennt? Hat mir der Schöpfer, der unbekannte, das Brandmal der Knechtschaft und Feigheit auf die Stirn gedrückt? — O, ich bitte, zweifeln Sie nicht! Aus den Stürmen des Lebens hab ich wenigstens ein Bewußtsein gerettet, welches über dem Zweifel steht!"

Zum ersten Male fiel Selma jetzt die Lächerlichkeit des Mannes auf, mit welchem sie es zu thun hatte. Indeß zur Bedenklichkeit war jetzt nicht mehr die rechte Zeit. „Ich habe hier" — sagte sie mit der Hand auf die Geldrollen zeigend — „die erste meiner Verpflichtungen erfüllt. Erfüllen Sie jetzt auch die Ihrige! Doch erinnern Sie sich," — fügte sie mit einem Blicke, in welchem eine Drohung lag, und mit dem Tone stolzen Befehles hinzu — „erinnern Sie sich Ihrer eignen Worte: Die Reichen sind die Götter der Welt! Diese Erinnerung dürfte Sie vor einer gefährlichen Versuchung bewahren, vor der Versuchung, mich zu täuschen!" — Und ohne eine Antwort abzuwarten, — was für den Leser ohne Zweifel sehr unangenehm ist — verließ sie stolzen Schrittes das enge, unbehagliche Zimmer und das kleine, schmuzige Haus, stieg in den

Wagen und warf sich, schwer seufzend, auf den weichen, elastischen Sitz.

Als Amandus Salzer allein war, stemmte er die Fäuste in die Seiten und ging einige Male hastig im Zimmer auf und nieder, wie ein Mensch, welchen eine heftige innere Bewegung zu ersticken droht. Darauf stand er vor dem Tische still, riß die papiernen Rollen entzwei und wühlte mit den Fingern in den glänzenden herausgefallenen Goldstücken.

„Wie köstlich ist der Glanz des Goldes!" — rief er in unbeschreiblicher Verzückung — „Wie lieblich ist sein Klang! Welche Musik bringt solche Zaubertöne hervor? Und wie gewaltig ist seine Macht! Für Gold schwört der Mensch seinen Glauben ab, für Gold verkauft er sich; und der subtilste gibt sich für Gold wenigstens den Anschein der Verkäuflichkeit!" — Mit diesen Worten, welche er gleichsam als heilenden Balsam auf sein verwundetes Gewissen träufelte, schob er ein Dutzend von den goldnen Füchsen in seine Tasche und die andern verschloß er in einen wurmstichigen eichnen Schrank.

Demnächst suchte er mühsam einen noch unbeschriebenen Papierbogen und Feder und Tinte zusammen, was er endlich nach verschiedentlichen Ausrufungen der Ungeduld, und nachdem er alle Schubladen und Winkel durchstöbert hatte, auch wirklich alles fand. Darauf setzte er sich nieder und schrieb auf die erste Hälfte des Bogens:

„Theures Weib!

Gebiete Deinen Thränen! — Von dem Sturze des Lebens wieder aufgerichtet, hab ich das Schicksal zu neuem Kampfe herausgefordert und besiegt! In der ungestümen Freude meines Herzens kann ich mich nicht kraftvoller zu erkennen geben, als wenn ich Dir — der unvergleichlichen Entbehrerin — das Beefsteak, so ich mir selbst zubereitet, mit dem aufrichtigen Wunsche überlasse: Es möge Dir munden! Bald werd ich im Stande sein, mich deutlicher zu declariren; bis dahin u. s. w.“

Auf die andre Hälfte schrieb er:

„Geliebtes Kind, theure Tochter!

Per aspera ad astra! — d. h. vom Lächerlichen zum Erhabenen ist nur ein Schritt! Wünschest Du die nähere und praktische Ausführung dieses Satzes zu ermessen, so muß ich Dich bitten, heut Nachmittag, 6 Uhr präcise, in Deiner Eltern bescheidnen vier Pfählen Dich einzufinden.

Dein

hoffnungsreicher Vater.“

Das letztere Schreiben trennte er von dem ersten

in Ermangelung einer Schere vermittelst des Zeige-fingers ab, faltete es in Form eines Briefes, versiegelte es und steckte es zu sich. Das erstere aber ließ er offen auf dem Tische liegen.

Hierauf ging er aus, nachdem er die Thür seines Zimmers sorgfältiger als sonst verschlossen und den Schlüssel in ein Loch unterhalb der Thürschwelle gelegt hatte.

Um seinen Charakter ganz zu würdigen und auch nachzuweisen, daß er trotz allem Ungemach noch streng ästhetische Gefühle behalten hatte, müssen wir ihm auf seinen nächsten Schritten folgen.

Zuerst besuchte er eine antiquarische Kleiderhand-lung, woselbst er sich dermaßen ausstattete, daß er in seinem Aeußeren mit geringen Unterschiedlichkeiten einem Lord von 10—15 tausend Pfund jährlich glich.

Demnächst ging er zu einem Drechsler und kaufte sich einen Rohrstock mit vergoldetem Knopfe, wie er ihn bei Herrn Beinling gesehn und bewundert hatte. Aus dem Preise hätte er darauf schließen können, daß die Vergoldung nicht echt war; und wir müssen seinem Scharfsinne gerecht werden und eingestehn, daß er im stillen jenen Schluß wirklich machte. Indeß er beseitigte den Gedanken an diesen mißlichen Umstand durch das Citat: „Freund, das Gold ist nur Chimäre!" — wie er sich denn überhaupt in den schwierigsten Fällen seines Lebens durch passende Citate aufrecht erhielt.

Hierauf kaufte er sich ein gesticktes Cigarrenetui und ließ es in dem nächsten Cigarrenladen mit „importirten Londres“ füllen. Zugleich erkundigte er sich, inwieweit man den Preis ermäßigen würde, falls er gleich fünf Mille auf einmal nähme. Und da die Ermäßigung sehr bedeutend war, so versprach er, mit nächstem seinen Bedienten herzuschicken und sie abholen zu lassen.

Darnach besuchte er eine große Weinhandlung, in welcher er bisher noch nie gesehen worden und also auch noch nicht bekannt war. Dort ließ er sich mehre Proben von alten Bordeauxweinen, als: St. Julien, Côtes Montferant, Lafitte u. s. w. vorsetzen, kostete sie, tadelte hin und wieder und lobte dazwischen, bestellte endlich eine Flasche Lafitte und fragte dabei, wie hoch wol der Eimer davon käme. Nebenher verzehrte er einige Portionen Caviar, Schweizerkäse und ein Beefsteak.

Zuletzt stieg er in den bescheidenen baierschen Bierkeller hinab, wo er wie zu Hause war, fragte wie gelegentlich nach seinem Conto, warf einen Doppelfriedrichsdor auf den Tisch und sagte, man möchte sich davon bezahlt machen. Darauf spielte er mit dem

Marqueuer Billard, nahm nach jedem guten Stoße — deren er heut bei seiner unzerstörbaren Gemüthsruhe sehr viele machte — einen Schluck Bier zu sich und war gegen vier Uhr auf einem Punkte der Glückseligkeit angelangt, wo man der Ruhe und der Erholung dringend bedarf, wo man sich niedersetzen muß, wenn man vor lauter Wonne und Glückseligkeit nicht hinsinken will. Er setzte sich demnach auf das Sopha und fiel gleich darauf in einen tiefen, tiefen Schlaf, aus welchem er erst gegen acht Uhr erwachte. Als er erfuhr, wie spät es schon war, griff er schnell in die Tasche seines Rockes, zog daraus jenes Schreiben hervor, welches er, wie wir wissen, am Morgen zu sich gesteckt hatte, durchlas es halblaut und sagte bei sich: „Ich hätte nicht gedacht, daß das Glück einen Kerl gleich mir so berauschen könnte, daß er darüber seine Angelegenheiten vergißt. Beim Wischnu! Nein! Doch homo sum et nihil humani etc. etc. Morgen ist auch noch ein Tag!" — Darnach zündete er eine Cigarre an, bestellte eine Kuffe Bier und setzte sich an einen Tisch, wo gespielt wurde, nieder.

Selma Trenkmann fuhr von Herrn Salzer aus zu ihrer Freundin Molly. Um keinen Preis hätte sie jetzt gleich nach Hause zurückkehren und Helenen gegenübertreten mögen. Nicht daß sie Gewissensbisse fühlte, o nein! — sie hätte für Helene einen Meuchelmörder dingen können, ohne nachher Scham oder Reue zu empfinden — aber sie verschmähte es, sich zu verstellen, und wußte doch, daß sie Helenen gegenüber sich verstellen mußte.

Wir haben gesagt, daß Selma gegen Molly allein unter allen Menschen aufrichtig und hingebend war. Indeß heut zeigte sich, daß ihr Stolz auch mächtiger als diese Freundschaft, als diese Aufrichtigkeit und Hingebung war. Sie erwähnte gegen Molly kein Wort, weder von dem, was kurz vorher zwischen ihr und Helenen vorgefallen war, noch von ihrem Besuche bei Helenens Vater. Sie erwähnte nur, wie gelegentlich, daß Helene in den nächsten Tagen sie verlassen und zu einer alten Tante, welche in einem entlegenen polnischen Dörfchen wohne, reisen würde.

„Ich muß dir nur offen gestehn," — sagte Molly darauf mit Lebhaftigkeit — „daß ich dies als ein sehr glückliches Ereigniß für euch beide betrachte. Fürs erste taugt es schon nichts, wenn Personen, die so wenig sympathisiren, als du und Helene, immer beisammenleben. Fürs zweite ist das Verhältniß, in welchem ihr steht, ein für beide Theile unerquickliches, insofern die eine stets nur gibt, und die andre immer

9*

nur nehmen muß. Ein solches Verhältniß erzeugt meistens widerwärtige Mißhelligkeiten; denn die Geberin macht gern auf lebhafte Dankbarkeit und außerordentliche Rücksicht Anspruch, während die Empfängerin in übergroße Empfindlichkeit verfällt und gar leicht und gar oft einen Mangel an Zartgefühl zu entdecken meint. — Ich gestehe, daß diese Nachricht von Helenens Abreise mir ordentliche Freude macht."

„Es ist mir ganz unbegreiflich, warum alle Welt so lebhaften Antheil an dem Schicksale dieses Mädchens nimmt," — entgegnete Selma mit großer Bitterkeit. — „Es liegt in dieser Theilnahme und Besorgniß ein stiller Vorwurf gegen mich. Was nun die andern betrifft, so ergreift und betrübt mich ein solcher Vorwurf weiter nicht; daß aber auch du dich daran betheiligst, macht mich traurig und läßt mich fast an deiner Freundschaft zweifeln."

„O, sei nicht unbillig, Selma!" — rief die junge, edelmüthige Frau — „Helene ist dir gegenüber die Schwache, Ohnmächtige. Ist es nicht unsre Pflicht, ihre Partei zu ergreifen? Und dann, liebe Selma," — hier schaute sie der reichen, stolzen Freundin mit einem Blicke liebevoller aber auch unerschütterlicher Offenheit ins Gesicht — „du verletzest zuweilen, ohne daß du es willst oder weißt! Herr Hübler hat mir tausend

Fälle erzählt, wie du die arme, ganz von dir abhängige Helene recht tief und bitter gekränkt hast. Und selbst Moll —"

„So, also hat er das?" — fragte Selma mit glühenden, gleich Phosphorkügelchen leuchtenden Augen — „Nun ich muß gestehn, ich hätte ihm mehr Gefühl für das Schickliche zugetraut, als daß er zarte Familienangelegenheiten dem Gerede der Oeffentlichkeit preisgeben würde." — Und nach einigen kalten, ceremoniösen Worten verabschiedete sie sich und fuhr heim.

„„Gold ist eine furchtbare Macht!"" — flüsterte sie, Helenens Worte wiederholend, unterwegs vor sich hin, und indem sie ungerechterweise allen Groll, allen Ingrimm, welchen Mollys offene Bemerkung in ihr aufgeregt hatte, noch auf Helene übertrug und ihre Züge den Ausdruck eines giftigen, tödtlichen Hasses annahmen, fuhr sie fort: „O, du sollst die ganze, entsetzliche Wahrheit deiner Worte zu deinem Verderben erst noch kennen lernen!"

Siebentes Capitel.

Am nächsten Tage nach demjenigen, an welchem die Ereignisse des vorigen Capitels stattfanden, saß Robert nach Tische auf seinem Zimmer und durchlas zum dritten Male einen Brief von Olga, welchen er einige Stunden vorher erhalten hatte, und welcher also lautete:

„Lieber Robert!

Das Leben in unsrem Hause ist nachgrade für alle Parteien unerträglich geworden. Seit Du an jenem unglücklichen Abende infolge der harten und wirklich ein wenig lieblosen Worte, mit welchen Dich die Tante empfing, (aber sie war ja auch durch das böswillige Geschwätz ihrer liebenswürdigen Theegäste so recht absichtlich aller Besinnung beraubt worden) — seit Du also an jenem Abende, dem Ungestüm Deines Charakters folgend, davongelaufen bist; — verzeihe den Ausdruck, aber er scheint mir am bezeichnendsten — ist alle Freude, aller Friede, ja selbst alle Ruhe von uns gewichen.

Du kannst Dir wol denken, daß ein derartiges Ereigniß in einer Stadt, wie die unsre, (klein und doch für Oeffentlichkeit schwärmend) nicht lange verschwiegen bleiben konnte, ja daß gewisse Freundinnen unsrer Tante — besonders die Landräthin, welche so gern bei ihren Freundinnen Beobachtungen darüber anstellt, inwieweit und auf welche Art die Menschenseele unangenehme Eindrücke aushalte — dafür gesorgt haben, daß dasselbe gehörig erweitert und mit den nöthigen Arabesken ausgestattet würde. — So ist denn allgemach ein Geklatsche entstanden, welches uns förmlich daheim gefangen hält, weil die Leute, glaub ich, mit Fingern auf uns weisen würden, wenn wir es wagten, über die Straße zu gehn.

Das wäre nun freilich noch recht gut zu ertragen und könnte unter Umständen sogar dazu dienen, uns zu froher Laune zu verhelfen, wenn nicht im Innern unsres kleinen Familienstaates ein recht hartnäckiger Bürgerkrieg ausgebrochen wäre. Der gute Onkel ist krank vor Aerger und liest keine Zeitung mehr. Er macht sich die bittersten Vorwürfe, daß er Dich nicht an jenem Abende durch ein Machtgebot zurückgehalten und die Tante durch ein Machtgebot in die Schranken der Besonnenheit und Mäßigung zurückgewiesen hat. Er liebt Dich wirklich unaussprechlich, er spricht den ganzen Tag über nur von Dir und mag die Tante jetzt gar nicht sehen, weil sie Dich, wie er sagt, vor aller Welt blosgestellt und so lieblos behandelt hat.

Die Tante ihrerseits zürnt mit der ganzen Welt (außer mit Bibi und dem Kater, welche sich der Fülle ihrer Liebe und Wohlthaten mehr denn je erfreuen). Julien hat sie Knall und Fall fortgejagt; und so bin ich denn glücklicherweise allein um sie und wenigstens sicher, daß unsre häusliche Zerrüttung nicht wieder zum Stadtgespräch werden wird. Sie kann es Dir noch immer nicht verzeihen, daß Du eine Millionärin gleichsam abseits liegen lässest und einem armen Dinge „„das keinen Hund aus dem Ofen zu locken hat,““ nachläufst. „„Und es muß doch so sein, sonst hätt er sich wenigstens vertheidigt!““ — Mit diesen Worten beschließt sie in der Regel ihre Klagelieder, welche sie des Tages mehre Male wiederholt.

Ich würde Dir diese höchst unerquicklichen Bilder nicht vor die Augen geführt haben, wenn ich nicht grade damit meine Bitte, den Hauptzweck dieses Briefes, nachdrücklich zu unterstützen beabsichtigte, die Bitte nämlich, daß Du recht bald an den Onkel schreiben und ihn Deiner Liebe versichern, ja daß Du hochherzig genug sein mögest, auch für die Tante einige freundliche Worte beizufügen.

Ich mag Dir nicht sagen, wie ich Dir früher einmal sagte, daß sie im Grunde große Stücke auf Dich halte, und daß selbst ihr jetziger Aerger und ihre Unduldsamkeit nur ungeschickte Ausdrücke ihrer Theilnahme für Dich und Dein Wohl seien; Du möchtest mir wieder wie früher antworten, und das will ich nicht. Aber die Ueberzeugung spreche ich aus, daß Du durch Erfüllung meiner Bitte Gutes stiften wirst! — Und nun lebe wohl und behalte lieb

Deine

getreue Muhme Olga."

Robert legte den Brief, nachdem er ihn zum dritten Male durchlesen, vor sich nieder und schloß die Augen, gleichsam damit sein innerer Blick durch keine Außenerscheinung gestört werde. Und mit diesem innern Blicke betrachtete er dann Olga, ihr liebes treues Gesichtchen und ihre tiefblauen, wunderbaren Augen — diese Augen mit dem unbeschreiblichen Schmelze, der ihre Strahlen gleich der duftigen Abendwolke vor der Sonne milderte und sänftigte. — Seit jenem Abende wo er sie so schön und herrlich gesehn, hatte Robert, namentlich in den ersten Tagen gar oft an sie gedacht, sie gar oft mit seinem innern Blicke betrachtet; aber dieser Blick war noch nie so forschend, so gierig, so intensiv gewesen als heut. Er bohrte jetzt gleichsam sein geistiges Auge in ihre Züge hinein, um bis zur Quelle ihrer Gedanken und Gefühle zu dringen und zu ergründen, ob die Worte ihres Briefes: „Es muß doch so sein; denn sonst hätt er sich wenigstens gerechtfertigt!" — vielleicht mehr aus ihrem als aus der Tante Herzen gekommen wären.

Aber das Resultat seiner Forschung war ein ungünstiges, trauriges. Denn als Robert die Augen wieder aufgeschlagen, ließ er sie schwermüthig in dem Zimmer umherschweifen und flüsterte: „O nein! Wie könnte dieser Engel, dessen ganzes Leben eine ununterbrochene Hingebung und Aufopferung ist, einen Menschen lieben, dessen hervorstechende Eigenschaften nach ihrer Ueberzeugung Selbstsucht und Ehrgeiz sind? — Und hat sie mir nicht selbst geschrieben, daß ihre Gefühle gegen mich nur sehr ruhiger Natur sind? Und hat sie an jenem Abende nicht offen und vor aller Welt bekannt, daß meine angebliche Liebe zu dem armen Mädchen sie mit Stolz und Freude erfülle? — Bedarf ich noch eines andern, eines schlagendern Beweises? — O, Olga, Olga! Was ist Helene neben dir? Was ist Selma, die ganze weibliche Welt neben

dir? Du hättest können mein guter Engel sein! Du hättest mich durch einen deiner sanften, sehnsüchtigen, unwiderstehlichen Blicke zurückgehalten, wenn meine ungestüme Natur mich auf schlüpfrige Pfade getrieben, du hättest das Gute in mir gegen das Böse vertheidigt und gerettet! Und du wendest dich von mir ab und überlässest mich meinem Sterne!" — Er sprang auf und ging, die Arme über der Brust kreuzend, auf und nieder.

„Die Pfingsttage meines Lebens sind also für mich verloren!" — fuhr er nach einer Weile fort — „jenes süßeste, lieblichste Fest, welches das menschliche Herz zu feiern hat, muß ich also aus meinem Kalender streichen. Gut! Ich werde es! Aber fortan, liebes Herz, erweise mir auch den Gefallen und schweige, schweige ganz! Mische dich weiter nicht in meine Angelegenheiten; denn du verwirrst sie nur. Lasse mich dem Verstande folgen, dem nüchternen, kalten Verstande. Denn als du hättest sprechen sollen, deutlich und kategorisch sprechen, hast du geschwiegen. Und wo du hättest schweigen sollen, hast du gesprochen, armes, thörichtes, unverständiges Herz!" — Und bei diesen Worten glitt ein bittres, gezwungenes Lächeln über Roberts Züge. Ja, dieses Lächeln war gezwungen, war falsch, so wie sein ganzer Monolog gezwungen und falsch war.

Robert liebte Olga seit lange; aber er liebte sie so, wie ein zwar ehrlicher aber auch selbstsüchtiger und ehrgeiziger Mensch meistens liebt, eitel und selbstbetrügerisch. Als er jenen ersten Brief durchlas, in welchem Olga seinen übereilten Antrag im Tone muntern Scherzes zurückwies, fühlte er sich sehr unglücklich, sehr traurig. Seine Eitelkeit hatte ja einen schweren und schmachvollen Schlag erlitten. Aber die Aussichten, die sich bald darauf mit jedem Tage herrlicher für ihn gestalteten, die Rolle, welche er im Trenkmannschen Hause spielte, die strahlenden Blicke der schönen, geistreichen Helene, dieses wunderbaren, unbegreiflichen Mädchens und der stolzen, hochmüthigen und gegen ihn jetzt so sanften Selma — das alles tröstete ihn bald wieder, berauschte ihn mit der Zeit, so daß er in dem Taumel seines Glücks am Ende keine Zeit und auch keine Anregung mehr fand, an Olga zu denken.

Als er aber Olga wiedersah und zwar grade in jenem Augenblicke, wo sich das Hochherzige, Edle und Herrliche ihrer Natur so recht strahlend offenbarte, wachte er auf aus seinem Traume, sein Geist wurde nüchtern, und sein Herz wieder warm. Die Binde der Selbstverblendung fiel ihm von den Augen, sein besseres Ich richtete sich wieder auf, und er erkannte in einem glücklichen Augenblicke der Erleuchtung, daß

Olga sein guter Genius sei. Mit dieser Erkenntniß reiste er zurück nach B.

Nach einiger Zeit aber stand diese Erkenntniß nur noch wie eine verwischte Schrift in seiner Seele; und wenn er sie auch fast täglich noch einmal las, geschah es nur mit Widerstreben und Unbehagen. Verstand und Ehrlichkeit müssen im Kampfe mit der Selbstsucht und dem Ehrgeize gar oft unterliegen. Der Verstand wird leicht zum Verräther, zum Ueberläufer; und die Ehrlichkeit muß sich sodann auf Gnade und Ungnade gefangen geben.

Robert sah eine Zukunft vor sich, welche seine kühnsten Wünsche und Hoffnungen von ehedem als blasse Schattenbilder erscheinen ließ.

Selma, die Erbin von Millionen, liebte ihn. Allem Anscheine nach wurde diese Liebe von ihrem Vater bemerkt und begünstigt. Demnach lag in der That das Eisen ganz warm und glühend auf dem Amboß, und er brauchte es nur zu schmieden. Wäre nun Robert noch so ehrlich gewesen, wie er es früher einmal war, so würde er zu sich gesagt haben: „Ich bin offenbar für das sanfte, weiche, stille und friedfertige Herzens- und Gemüthsleben nicht geschaffen; darum wähle ich die Laufbahn des Verstandes, des Ruhmes und des Glanzes, darum entsage ich Olga und knüpfe meine Zukunft an Selma! — Aber er war nicht mehr so ehrlich und daher auch nicht kühn und entschlossen genug, herzhaft eine Wahl zu treffen. Er schwankte, und in diesem Schwanken suchte er einen Uebergang von Olga zu Selma, eine Brücke, welche ihn bequem und geräuschlos von der einen zur andern führen sollte — und dazu sollte ihm Helene dienen.

Olga verlassen und Selma wählen, das wäre zu augenscheinlich, zu demonstrativ gewesen. Darüber hätte sich niemand, nicht einmal Robert selbst täuschen können. Aber Olga verlassen und Helenen anhangen, Helenen, dem armen, unglücklichen Mädchen, welches dem kalten Mitleiden fremder Menschen preisgegeben war, welches durch das hochmüthige, frostige Wesen Selmas so viel zu leiden hatte — das wäre ein Zug, den ja schon Olga als herrlich und edel und hochherzig gepriesen hatte; dadurch bewiese er ja am schlagendsten aller Welt und sich selbst, daß er von so etwas Gemeinem, wie materielle Rücksichten, weit entfernt sei. — Hierzu kam noch, daß er, bald nach Helenens Eintritt in die Trenkmannsche Familie, theils um Selmas Hochmuth zu verwunden und zu dämpfen, theils weil er wirklich eine Neigung zu dem schönen, bewunderungswürdigen Mädchen fühlte, sich demselben in auffallender Weise genähert hatte. Und als Selma, dadurch gekränkt und erbittert, Helene mit Kälte und Lieblosigkeit behandelt hatte, war sein Benehmen gegen Helene immer freundlicher, herzlicher und liebevoller geworden, so daß es den Anschein gewann, als ob er zwischen den beiden Parteien gewählt hätte.

Daher wurde es ihm jetzt sehr leicht, die Rolle eines Anbeters von Helene zu spielen und nicht blos alle Zuschauer, sondern auch am Ende sich selbst zu täuschen.

Helene war ein gefährliches Weib. In ihrem Blicke, ihrem Lächeln, ihrer Silberstimme, ihrer Haltung, kurz in ihrem ganzen Wesen lag etwas Sirenenartiges, etwas Unwiderstehliches, Magisches. Wer in die Brennweite ihres Zaubers gerieth, der war schier so gut wie verloren. Und Robert war in diese Brennweite unvermerkt hineingerathen, und die Leidenschaft war ihm zu Kopfe gestiegen.

Zu dieser Zeit empfing er jenen zweiten Brief von Olga, dessen Inhalt wir kennen. — Und so mächtig war auch noch jetzt der Einfluß Olgas auf ihn, daß er nach Durchlesung ihres Briefes plötzlich zur Besinnung kam und die ganze Feigheit und Zweideutigkeit seines Denkens und Handelns erkannte. Es wurde ihm mit einem Male klar, daß diese erkünstelte Leidenschaft für Helene eine Lüge, ein Selbstbetrug und am

Ende ein frevelhafter Leichtsinn war. Er erkannte die Nothwendigkeit, zwischen Olga und Selma zu wählen. — Und er wählte, er wählte, der ehrliche, aufrichtige Robert, indem er aufs neue einen Act der raffinirtesten Selbsttäuschung beging. Er stellte sich kläglich als das Opfer eines grausamen Verhängnisses dar; — Olga hatte ihm ja ein für alle Mal jede Hoffnung abgeschnitten, sie hatte seine aufrichtige Liebe unzweideutig zurückgewiesen, verschmäht, also nicht er, sondern Olga hatte gewählt, er war nur das arme, verzweifelnde Opferlamm — und so befahl er seinem unglücklichen Herzen zu schweigen, ihn dem glücklicheren Verstande zu überlassen! Und darnach glitt jenes bittre, gezwungene Lächeln über seine Züge, dessen wir Erwähnung gethan, das wir vergessen sollen

Grade in diesem Augenblicke stand er am Fenster und schaute hinab. Und da sah er Strolph über die Straße kommen und in das Haus treten. Sein Blick verdüsterte sich, seine Züge nahmen den Ausdruck einer ängstlichen Spannung an. Grade jetzt war er gar nicht in der Stimmung, um mit dem finstern und strengen Strolph zu verkehren. Er horchte. Draußen auf dem Flur blieb alles still! Strolph war also nicht zu ihm gekommen.

„Ah, der Besuch gilt also nicht mir, sondern Herrn

Beinling" — sagte er in einem Tone, welcher trotz einer gewissen Freudigkeit auch getäuschte Erwartung und Aerger verrieth. — „Desto besser! Die Freundschaft dieses Mannes hat etwas Drückendes, Beängstigendes!"

Und nach einer Weile tiefen Nachdenkens fuhr er fort: „Ich möchte doch wissen, wozu er mich eigentlich bestimmt hatte. Zum agent provocateur? — Dann hätt ich vermuthlich heut schon das Vergnügen, innerhalb von vier feuchten Mauern, bei schmalen Rationen von Wasser und Brot und unter Schloß und Riegel über meine Zukunft und einstige Größe nachzudenken. — Oder zum Mitarbeiter an einem volksthümlichen, oppositionellen Blatte? — Dann würden vielleicht Schloß und Riegel wegfallen, aber die schmalen Rationen wären mir sicher. — Oder zum Wunderdoctor, der die Uebel und Leiden der Menschheit mit kaltem Wasser curiren soll? — Dafür hätte ich nicht die nöthige Geduld und Ausdauer und Aufopferungsfähigkeit besessen. — Nein, guter Strolph, ich hätte zur Ausführung deiner tausend Zwecke nichts getaugt! Diese Zwecke sind gut, sind groß und erhaben, aber noch nicht zeitgemäß. Sollten sie einst zeitgemäß werden, — und sie werden es, davon bin ich überzeugt — dann werd ich mit Gut und Blut für sie auftreten!"

Offenbar waren die bessern Saiten in seiner Seele angeschlagen; das konnte man aus seinem Gesichtsausdrucke, seinem offnen, feurigen Blicke, seinen stolz aufgeworfenen Lippen und an seiner männlichen und edlen Haltung erkennen. Er schritt festen und gleichmäßigen Schrittes im Zimmer auf und nieder und fuhr nach einer kurzen Pause in seinem Selbstgespräche also fort: „Du sollst dich nicht in mir getäuscht haben, Freund Strolph, so sehr du mich gegenwärtig auch verkennst. Ich werde auch im Glücke und im Reichthume ein freier, ein ehrlicher Mensch bleiben. Ich werde den Arbeiter nicht ausbeuten; der Schweiß des Armen soll mir heilig sein! Ich werde mich nicht der gegenwärtig herrschenden Frömmelei und Gleisnerei in die Arme werfen, um den Stürmen vorzubeugen, welche die Aufklärung mit sich bringt, jenen Stürmen, welche vorzugsweise die Paläste der Reichen und Mächtigen niederreißen."

In diesem Augenblicke wurde die Thür ungestüm aufgerissen, und hereinstürzte Beinling, bleich und zitternd, eine Broschüre in der Hand. — „O, mein Gott!" — rief er — „Strolph muß ins Gefängniß, sechs Wochen ins Gefängniß, um der Wohlthaten willen, die er, wie ein zweiter Christus, mit eigner Aufopferung ausgeübt! O, diese Pharisäer! Sie kreuzigen also noch heute, wer nicht ihres Glaubens ist! — Lesen Sie, lesen Sie! — So hat er sich vertheidigt, und dennoch haben sie ihn verurtheilt!" — Und er drückte dem erschrocknen und verdutzten Robert die Broschüre in die Hand.

Der gute Mann war ganz außer sich. Seine Brille saß schief, sein Haar war in Unordnung, seine Vatermörder waren durch das Herabsenken des Kopfes niedergedrückt. Seine Würde als erster Buchhalter hatte sich spurlos verloren. Er warf ordentlich einen Blick des Unwillens auf Robert, weil der ihn fragend betrachtete und nicht gleich zu lesen anfing. — „Lesen Sie, lesen Sie; jedes Wort, was er gesprochen, ist Goldes werth; und doch haben sie ihn verurtheilt, diese Hypokriten! Aber ich gelobe feierlich, — seien Sie Zeuge meines Gelübdes — und wenn ich sterben müßte, an mein Krankenbett darf keiner von diesen dünkelhaften Allopathen mehr treten!"

Robert, der von alledem nichts oder nur wenig begriff, warf einen Blick auf das Titelblatt der Broschüre. Darauf aber stand:

„Vertheidigungsrede
gegen eine Anklage wegen unbefugter und ungesetzlicher
Ausübung ärztlicher Berufsobliegenheiten
von Strolph."

Jetzt begriff Robert. Er setzte sich nieder und las, (während sich Beinling durch einen hastigen Spaziergang im Zimmer und durch mannigfache halblaute Ausrufungen und Seufzer einigermaßen Luft machte) wie folgt:

„Meine Herren! Weit entfernt, die Facta, welche Sie mir zur Last legen, zu leugnen, muß ich Ihren rechtschaffenen Amtsunwillen bis zum Ungeheuern durch das Bekenntniß steigern, daß ich nicht nur, wie Sie mir vorwerfen, fünf Kranke, sondern 65 und zwar schwer Erkrankte im Laufe dieses Jahres „unbefugterweise“ behandelt habe! — Ich lese Entrüstung in Ihren Gesichtern; — und allerdings, wenn die Resultate meiner ärztlichen Behandlung denen vieler allopathischen Aerzte gleichkämen, so könnten Sie mich beschuldigen, daß ich gradezu einen Vernichtungskrieg gegen Menschenleben geführt hätte. Aber beruhigen Sie sich, meine Herren, von jenen 65 schwer Erkrankten habe ich laut den Zeugnissen, welche ich Ihnen zu überreichen mir die Ehre geben werde, 63 vollkommen geheilt. Nur zwei sind gestorben, und zwar aus dem einfachen Grunde, weil ich kein Wunderdoctor bin, weil auch das kalte Wasser an die Stelle gänzlich zerstörter Organe keine neuen, gesunden zu setzen vermag. Daß aber bei den zwei Gestorbenen eine solche Zerstörung vorhanden war, werde ich durch das Zeugniß eines Mannes von Fach, eines promovirten Arztes, beweisen.

Ich frage Sie, meine Herren, und ich frage vorzüglich die beiden Herren Medicinalräthe, welche ich dort auf der Zuschauerbank sitzen sehe, ob jemals ein Allopath gelebt hat oder noch lebt, welcher gleiche oder nur ähnliche Resultate seiner Praxis nachzuweisen vermochte oder noch vermag? — Da mir niemand antwortet, so wage ich, diese Frage auf eigne Faust öffentlich zu verneinen; denn, meine Herrn, unter den 63 von mir geheilten Kranken befanden sich 14, welche von jenen beiden höchst gelehrten und höchst geachteten Herren Medicinalräthen — deren Resultate in der Heilkunde doch sicherlich ungleich günstiger als die eines gewöhnlichen Arztes sein müssen, als unheilbar, als dem Tode verfallen, gänzlich aufgegeben worden waren."

Als Robert bis hierher hastig gelesen hatte, warf er die Broschüre auf den Tisch, sprang auf, griff nach seinem Hute und sagte zu Beinling: „Verzeihen Sie, ich muß Sie allein lassen, ich muß fort, zu Strolph, adieu!" — damit stürzte er zum Zimmer hinaus.

„O, er hatte wol recht!" — rief er unterwegs mit aufrichtiger Reue und Bekümmerniß — „Ich werde auf dem Wege, welchen ich wandle, trotz allen guten Vorsätzen, moralisch zu Grunde gehn! Schon bin ich corrumpirt! Hab ich nicht erst vor einer halben Stunde über Dinge gespottet, die mir ehedem so wichtig, so ernst erschienen, und um derentwillen er jetzt leidet, so stolz und hochherzig leidet? Hab ich seine Freundschaft nicht beängstigend und drückend genannt, weil, weil" — und er zögerte die nackte Wahrheit auszusprechen.

Er trat in Strolphs Dachstube, ohne anzuklopfen. Strolph, welcher neben Moll auf dem Sopha saß, erhob sich und kam ihm mit den Worten entgegen: „Was verschafft mir die Ehre Ihres Besuchs?"

Robert seufzte schwer auf und versetzte dann: „Es ist wahr, Ihre Frage ist nur gerecht, Herr Strolph. Ich habe Sie in der letzten Zeit gemieden, weil ich mich in Ihrer Gegenwart nicht mehr so wohl als früher fühlte, weil mich Ihre Worte stets in eine fieberhafte Unruhe und Spannung versetzten. Ich konnte mir die wahre Ursache davon nicht erklären, und so erfand ich eine falsche. Ich bildete mir ein, Sie jagten blos Hirngespinnsten nach, Sie verfolgten Zwecke, die jetzt gar noch nicht ausführbar wären. Ihre Vertheidigungsrede oder nur deren Einleitung hat mir heute bewiesen, daß ich unrecht hatte. Und so bin ich gekommen, Ihnen dies zu sagen. Außerdem aber trieb mich ein dunkles Gefühl, ein plötzlicher unbegreiflicher Drang, hierherzugehn, und Sie wieder um Ihre Freundschaft zu bitten."

„Sie wissen wol," — entgegnete Strolph, ihn streng anblickend — „daß sich Freundschaft nicht geben läßt; sie muß genommen, muß erzwungen, erobert werden. Außerdem wäre eine Freundschaft zwischen einem politisch und religiös und wol gar moralisch Anrüchigen, wie ich bin, und dem zukünftigen Millionär, dem zukünftigen Chef des ersten Handelshauses von B. etwas ganz Unhaltbares, Unmögliches. Und diejenigen, welche Mittel gefunden haben, ein armes Mädchen des Volkes aus seiner Heimat zu verbannen, weil es das Unglück hatte, mit Ihrer Liebe beehrt zu werden, würden jedenfalls auch Mittel finden, einen armen unzufriedenen Teufel, dessen Umgang Ihnen zur Unehre gereichte, aus Ihrer Nähe zu entfernen."

Robert stand da wie eine bronzene Statue, starr, sprachlos, bewegungslos.

„Strolph, Strolph, Du thust ihm unrecht, er weiß nichts davon!" — rief Moll warnend dem Freunde zu — „Lieber Robert," — fuhr er dann zu diesem tretend und seine Hand drückend fort — „Strolph ist nur so streng gegen Sie, weil er Sie liebt, tief und innig liebt."

„Liebt, tief und innig liebt,“ — wiederholte Robert fast tonlos — „tief und innig liebt! Und ein armes Mädchen des Volkes verbannt man, weil ich sie mit meiner Liebe beehre“ —

„Er meint Helene, Helene Salzer, welche noch heut das Trenkmannsche Haus verläßt und nach einem polnischen Dorfe reist“ — erklärte Moll.

„Und nach einem polnischen Dorfe reist“ — wiederholte Robert, wie im Traume — „Leben Sie wohl, meine Herrn!“ — fuhr er nach einer Pause im Flüstertone fort — „mir ist ganz nebelig um meinen Kopf. Die frische Luft wird mir gut thun. Leben Sie wohl!“ — Und damit entriß er sich der Hand Molls, welche ihn zurückzuhalten suchte, und ging, wie taumelnd, aus dem Zimmer.

„Weißt Du, Strolph,“ — begann der Assessor zu dem hastig auf und abschreitenden Freunde — „Molly sagte einmal, sie traue dir nur wenig Gefühl und wenig Gemüth zu. Ich fange jetzt an, zu glauben, daß die Frauen in diesen Dingen wunderliche Ahnungen oder Instincte haben.

Strolph zuckte ungeduldig mit der rechten Schulter und schwieg.

„Dieser brave Robert“ — fuhr Moll ungestört fort — „erfährt, daß man dich für deine Verwegenheit ein wenig einsperren will. (Hierbei muß ich bemerken, daß du zwar in deinem Rechte bist, aber deine Richter sind auch in dem ihrigen, die Wahrheit liegt in der Mitte zwischen euch.) Robert folgt nun einem schönen, in der That ganz herrlichen Impulse und kommt hastig hierhergelaufen, um den glorreichen Märtyrer zu bewundern und nebenbei sich wieder mit ihm zu versöhnen. Du behandelst ihn, wie der Herr Jesus auf dem großen Berge den Satan nicht einmal behandelt hat, so unbarmherzig grausam, so diabolisch höhnisch. Der arme Mensch steht ganz vernichtet, versteinert vor dir. Du weidest ich, wie ein Mephisto, an seiner Qual und läßt ihn dann von hinnen gehn ohne ein einziges freundliches Wort, ohne einen Blick der Theilnahme. Und dieser Robert war doch ehedem dein Augapfel, dein Telemach."

„Ebendarum hab ich ihn jetzt mit dem Blicke der Verachtung zermalmt!" — rief Strolph mit funkelnden, rollenden Augen — „Just weil er früher mein Augapfel war, kann ich ihm jetzt nicht verzeihen, daß er sich mit Schmach beladen, mit Infamie. Und selbst, was du schönen, herrlichen Impuls an ihm nanntest, nenne ich nur knabenhaftes, feiges Mitleid. Ich brauche sein Mitleid nicht!"

„Schweig, Mann! Deine Vernunft ist dir wieder

davongelaufen!" — donnerte Moll, ernstlich entrüstet — „Schmach — Infamie — beim ewigen Himmel, du lügst in deinen Hals hinein, wenn du Robert der Infamie beschuldigst! Er ist mein Freund, sag ich dir, so wie er der deinige sein würde, wenn du nicht der unumgänglichste Mensch zwischen beiden Polen wärst! Würde aber einen Schuft nicht Freund nennen, sag ich dir, würde die Zunge nicht rühren für ihn, wenn auch nur das kleinste Fleckchen, das allerunmerklichste Pünktchen auf seiner Ehre sichtbar wäre! Ist aber kein Fleckchen, kein Pünktchen auf seiner Ehre sichtbar, und ist der gewaltig zu tadeln, welcher einem rechtschaffenen Manne Uebles nachredet. Muß dir das sagen, Strolph, kann mir nicht helfen."

„Und ich muß dir sagen, Moll, daß derjenige, welcher um materieller Vortheile willen seiner besten Ueberzeugung zuwiderhandelt, das edelste Gefühl seines Herzens unterdrückt, meiner unmaßgeblichen Meinung nach ein Schurke ist, ein Schurke, sag ich dir! Allerdings keiner eurer Schurken, welche man in Eisen schließt und in Kerker sperrt, sondern ein Schurke, vor dem rechtschaffene Leute den Hut ziehen und sich achtungsvoll verneigen."

„Redensarten das, gebe keinen Pfifferling darauf!" — grollte Moll dagegen — „Beweise erst, daß

Robert seiner innersten, besten Ueberzeugung zuwidergehandelt; — deiner wol, aber nicht seiner. — Das ist ja eben dein unausstehlicher Fehler, daß du die Handlungen jedes deiner Freunde ganz nach deiner individuellen, strengen Gesinnung und Denkungsart beurtheilst. Darum ist dein Urtheil immer so herb, so kaustisch, so verletzend. Darum stößest du so leicht zurück und verscheuchst durch deine Unduldsamkeit diejenigen, welche sich deinen Ideen mit Begeisterung hingaben.

Roberts Natur ist eine ganz andre, als die deinige. Folglich äußert sie sich auch ganz anders, folglich kann sie auch dasselbe Ziel, wie die deinige, obwol auf andrem Wege, verfolgen. Roberts Natur braucht Ruhm, Ehre und Anerkennung zu ihrer Anregung; der deinigen genügt das Bewußtsein, die eigne Ueberzeugung. Robert wirkt mit Geräusch, du wirkest im Stillen. Robert wird die Millionärin heirathen; du wirst im Gefängniß über neuen Ideen brüten. Robert wird die Menschheit mit materiellen Kräften unterstützen, du wirst ihr nach wie vor mit deinem Geiste zu Gebote stehn, so steuert ihr, obwol in ganz verschiedenen Fahrwassern, demselben Lande zu und werdet hoffentlich beide glücklich dahin gelangen. Aber du hast kein Recht, Mann, ihn der Infamie zu beschuldigen, weil er nicht in deinem Fahrwasser schwimmt!“

Strolph, der sich inzwischen auf das Sopha gesetzt hatte, schien durch die Worte seines Freundes, wenngleich nicht völlig überzeugt, so doch gerührt. — „Ich nehme diese Beschuldigung zurück," — versetzte er nach einer Weile gedankenvollen Hinstarrens — „der Gram und die Aufregung haben sie mir ausgepreßt. Aber glaube mir, Moll, es ist bitter, entsetzlich bitter, sich in einem Menschen so zu täuschen, wie ich mich in Robert getäuscht habe!"

Moll entgegnete: „Man täuscht sich immer in den Menschen, wenn man sie wie einen Teig behandelt, welchem man nach Belieben eine Form geben kann."

Achtes Capitel.

Es war zehn Uhr Morgens. Amandus Salzer streckte den Kopf aus seinem Bette, wie eine Fischotter aus dem Wasser, hervor und starrte nach dem alten Seiger an der Wand.

Er war erst spät in der Nacht oder besser des Morgens zeitig aus dem Bierkeller nach Hause zurückgekehrt und hatte darum bis jetzt deliciös geschlafen.

„Mein geliebtes Weib ist schon wieder ausgegangen“ — sagte er laut, wiewol er allein war — „diese thätige Seele verdient in der That das heitere Loos, welches ihr durch die Verheirathung mit mir zugefallen. Denn, beim Brahma! ihr Loos soll von Stund an ein heiteres sein!“

Mit diesem höchst liebreichen Beschlusse entstieg er seinem Lager und hüllte sich in seinen Schlafrock von himmelblauem Kattun. Darauf trat er aus der Kammer in das Wohnzimmer, setzte sich an den trümmerhaften Tisch, auf welchem eine Maschine mit Wasser und Kaffee stand, zündete das Spirituslämpchen unter der Maschine an und fuhr dann in seinem Selbstgespräche fort: „Es ist mir ganz unbegreiflich, warum mein geliebtes Weib heut nicht daheim geblieben ist. Meine lakonischen, aber bedeutungsvollen Zeilen von gestern dürften sie doch auf die Stellung aufmerksam gemacht haben, welche sie von jetzt an in der menschlichen Gesellschaft einzunehmen das Recht und die Verpflichtung hat. Die Zeiten des Servilismus und des Wäschewaschens und Plättens sind für sie jetzt vorüber, sunt tempora praeterita, dem Himmel sei Dank!" — Und gleichsam um einen sicht- und greifbaren Beweis dieses seines Satzes vor Augen zu haben, trat er an den wurmstichigen eichnen Schrank, öffnete eine Schublade, nahm die goldnen Füchse daraus und breitete sie mit den Worten vor sich hin:

„„Seid mir gegrüßt, befreundte Scharen
— — — — — — — — — —
Zum guten Zeichen nehm ich euch —
Mein Loos, es ist dem euren gleich!""

„O, es ist süß, es ist köstlich," — rief er dann, in den Anblick des Goldes verloren — „beim anbrechenden Morgen," — die Sonne stand bereits sechs gute Stunden am Himmel — „beim Erwachen aus dem Bruder des Todes, dem Schlafe, das Bewußtsein in sich zu finden: Dein Tagewerk wird nicht von den Schatten der Noth und des Kummers verdunkelt sein!"

Und in einem Anfalle von Verzückung fuhr er, die Hände gen Himmel streckend, fort:

„„Wer nie sein Brot mit Thränen aß,
Wer nie die kummervollen Nächte
Auf seinem Bette weinend saß,
Der kennt euch nicht, ihr —""

Das Wort stockte ihm im Munde, die Arme fielen ihm schlaff herab, und seine Züge nahmen den Ausdruck einer Todesangst an; denn eine Stimme, eine zornige Stimme, die Stimme seiner Tochter, welche wie die Posaune des jüngsten Gerichts in sein Ohr tönte, sagte die vernichtenden Worte: „Das also ist das Verkaufsgeld für dein Kind, Rabenvater!"

„Ich dich verkaufen, Helene — O, nein!" — versetzte er kleinlaut und die Augen flehend auf sie richtend — „Du weißt es wol, daß du mir Unrecht thust."

Diese Antwort ist charakteristisch. Hätte ihm irgend ein andrer Sterblicher einen ähnlichen Vorwurf gemacht, so würde er sich in Positur gesetzt und ungefähr geantwortet haben: „Beim Brahma, beim Wischnu! Das ist stark! — Zeus, hast du keine Blitze mehr, um

Lästerzungen in das Nichts zu schleudern?" — Seiner Tochter gegenüber verlor dieser Mensch alles Pathos, sein Wesen wurde einfach, kleinlaut, seine Sprache wurde natürlich, von allem Bombast frei; ihr durchbohrender, strenger Blick verwandelte ihn ganz.

„Sie ist gestern hier gewesen. Dies Gold kommt von ihr, du hast mich an meine Todfeindin verkauft. Ich weiß alles, auch die Geschichte von der alten Tante in dem kleinen, polnischen Dörfchen," — fuhr Helene mit einem Blicke zermalmender Verachtung fort.

„Du thust mir großes Unrecht, Helene" — entgegnete er schüchtern — „Ich wollte dir noch gestern alles erklären; aber es war mir nicht möglich, einen Brief an dich gelangen zu lassen. Höre mir zu." — Und er erzählte ihr Wort für Wort seine Unterredung mit Selma. — „Du siehst, daß ich nur in deinem Interesse gehandelt, daß ich dich nicht an sie verkauft habe," — fuhr er dann fort — „ich werde dir hier irgendwo eine kleine, hübsche, abgelegene Wohnung miethen. Die Mutter wird zu dir ziehen. Und dann ist sie die Betrogene; dann kannst du thun und ich werde thun, was du fürs Beste hältst."

Helene setzte sich schweigend in den alten Großvaterstuhl, wo Selma gestern gesessen hatte, und verlor sich in tiefes Nachsinnen.

Salzer stand verlegen vor dem eichnen Schranke und hatte weder den Muth, die glänzenden Goldstücke anzurühren und wieder zu verschließen, noch an den Tisch zu treten, wo sein Morgenkaffee überwallte und die Spirituslampe verlöschte.

Das eintönige, regelmäßige Picken des alten Seigers in der Kammer verlieh dem unheimlichen Schweigen zwischen Vater und Tochter etwas noch Unheimlicheres.

Endlich begann Helene, während sie noch immer sinnend vor sich hinstarrte: „Es läßt sich in dieser Sache nun nichts mehr ändern. Sie hat die Geschichte von der alten Tante bereits ihrem Vater mitgetheilt und aus seinem Munde hab ich sie vernommen. Sie hat mir also durch deine Vermittlung den Weg des Betrugs und vielleicht der Schande angebahnt; ich muß auf ihm wandeln!

Gehe nun und miethe für mich und die Mutter eine Wohnung. Darauf setze dich mit Trenkmann auseinander und enthalte dich dabei, wo möglich, jeder Lächerlichkeit, so wie jeder — Gemeinheit“ — das letzte Wort flüsterte sie nur, so daß ers eher von ihren Lippen lesen, als hören konnte. — „Was mich anbetrifft, so werd ich hier warten, bis die Mutter zurückkehrt, um sie zu vermögen, daß sie auf unsren Plan eingeht.

Auch das habt ihr, sie und du, zu verantworten, daß diese edle, gute Frau, welche durch kein Geschick, durch keine Noth von dem Wege der Tugend abgeleitet werden konnte, jetzt durch ihre Mutterliebe zum Betruge verleitet wird.“ — Ihre Stimme zitterte, als sie von der Mutter sprach, und als sie geendet hatte schwammen ihre schönen Augen in Thränen.

O, Helene, Helene, warum folgtest du denn nicht den edlen Regungen, welche in diesem Augenblicke dein Herz durchbebten? Es war ja noch nicht zu spät und alles wäre noch gut geworden. Warum ließest du denn den Haß triumphiren?“

Denn der Haß war es, welcher sie also weiter sprechen ließ: „O, Selma, Selma, du sollst mir diese Thränen, diese Gewissensbisse büßen, diese Schande tausendfach bezahlen! Du sollst ihn besitzen; aber erst — — warum gehst du denn nicht, da ich dich doch bat zu gehen?“ — Die letzten Worte sprach sie mit einem Blicke stolzen Befehls gegen ihren Vater.

„Darf ich ihm, wenn ich ihm heute begegnen sollte, vertrauen, daß du hier bleibst?“ — fragte er mit niedergeschlagnen Augen.

Mit einem Blicke, welcher deutlich ausdrückte: Was begreifst du, armseliger Mensch, denn von meinen Gefühlen gegen ihn? — versetzte sie: „Davon später. Für jetzt wünschte ich, daß du gingest.“

Und er schloß die Goldstücke wieder in den Schrank, ging in die Kammer, kleidete sich an und verließ dann seine Tochter und seine Wohnung wie ein zurechtgewiesener, unterwürfiger Knabe.

„Du sollst ihn besitzen, ihn dein nennen,“ — fuhr sie, sobald sie allein war, fort — „aber erst nachdem ich ihn zuvor besessen, ihn mein genannt habe; erst nachdem ich den Rahm seiner Liebe völlig abgeschöpft. Damit er dir dann sagen möge, was ich ihm gewesen, und was du ihm nur sein kannst, damit er dich durch die tägliche Erinnerung an mich elend, wahnsinnig mache. O, ich werde dich und ihn und mich selbst elend und wahnsinnig machen, und du sollst dich mit all deinem Golde von dem Geschicke nicht loskaufen können!“

Sie sprang auf und schritt mit glühenden Wangen und wogendem Busen in dem kleinen Zimmer auf und nieder. Um ihren Mund kämpfte ein bitterlicher Schmerz mit einer unerschütterlichen Entschlossenheit. Aus ihrem Auge leuchteten Haß, Liebe und wollüstiges, begehrliches Schmachten. Ihr Gesicht lockte und drohte zugleich. Es lag etwas Medusenartiges darin.

Nach einer Weile aber veränderte sich dieser Aus-

11*

druck plötzlich. Aus ihren Zügen sprachen nur noch kindliche Liebe und unbeschreiblicher Gram. Und aufs neue in bittre, heiße Thränen ausbrechend, sank sie in den alten, gebrechlichen Stuhl, ein Bild namenlosen Schmerzes.

Da beugte sich eine sanfte, ernste Gestalt über sie, und eine liebe, sanfte Stimme sagte: „Meine Tochter, schütte deinen Kummer in das mütterliche Herz und dir wird Trost und vielleicht auch Frieden werden.“

Inzwischen hatte sich Amandus Salzer ein paar hundert Schritte von seiner Wohnung und demnach auch von seiner Tochter entfernt, und mit jedem Schritte war ein kleiner Kieselstein, deren die Ankunft Helenens eine ganze Schachtruthe auf seine Seele geladen hatte, von derselben herabgefallen, so daß er sich in dem Augenblicke, wo wir ihn einholen, wieder vollkommen leicht und wohl befand und dies auch in seinem Aeußern entsprechend ausdrückte. Wie er so auf dem Trottoir dahinstolzirte, das unternehmende Haupt stolz gegen die Wolken reckend, mit seinem Rohrstocke allerlei Linien, als: Curven, Ellypsen, Hyperbeln, Parabeln und Cykloiden in der Luft beschreibend und die Vorübergehenden und von ihm Angestoßenen keines Blickes würdigend, lieferte er einen lebendigen Beweis, daß der Mensch nicht zur Sklaverei und zur Unterdrückung geboren ist, sintemal derjenige, welcher sich zu der einen Zeit und von einer Seite her Unterdrückung und Tyrannei gefallen läßt, seine Schmach und Entehrung recht gut fühlt und die Selbstachtung dadurch wiederherzustellen sucht, daß er zu einer andern Zeit und gegen eine andere Seite hin selbst wieder Tyrannei und Unterdrückung ausübt. — Herr Salzer war soeben durch seine Tochter geknechtet und tyrannisirt worden, und jetzt bemühte er sich mit dem besten Erfolge, seinerseits die Vorübergehenden durch Armstöße, Stockschwingungen und sonstige Rücksichtslosigkeiten zu tyrannisiren.

Um ihm gerecht zu werden, müssen wir aber eingestehen, daß seine Tyrannei immer noch erträglich und mit Toleranz und Milde gepaart war, insofern er den Unterdrückten Redefreiheit, und was damit verbunden ist, in reichlichem Maße gestattete.

Als er in der angegebenen Weise bereits durch mehre Straßen dahinstolzirt war, stand er plötzlich still und verfolgte mit seinem Blicke einen Herrn, welcher eben, ein Dutzend Schritte vor ihm, in ein Weinhaus trat.

„Ich bin heut um meinen Kaffee gekommen,“ — sagte er bei sich — „es ist nicht mehr als billig, wenn ich mich dafür ein wenig entschädige. Außerdem möchte ich diesem Herrn die Wahrheit des berühmten Satzes beweisen: „„tempora mutantur et nos mutamur in illis!““ — Hierbei betrachtete er seinen Anzug, welcher, wie wir wissen, ganz mylordmäßig war. „Endlich braucht dieser Herr vielleicht Geld — ein armer Assessor hat immer Ueberfluß an Geldmangel — und ich will ihm darthun, daß ich nicht der Mann bin, welcher, wie manche Leute zu thun pflegen, einen armen Teufel in der Brenne stecken läßt. Beim Brahma, ich bins nicht!“ — Und zur Bekräftigung dessen, was er gesagt, klopfte er auf diejenige Stelle seines Pantalons, wo er die goldnen Füchse verwahrt hielt, und ging dann mit dem gemeßnen und gravitätischen Schritte eines Mannes von Gewicht dem Herrn in das Weinhaus nach.

Als er in die Weinstube trat, saß Moll — denn er war der Herr, welchem Herr Salzer nachging, und welchem er Geld leihen wollte — schon an einem Tische und las die Zeitung. Herr Salzer, der es nicht wagte, ihn zu stören, und doch von ihm bemerkt sein wollte, bestellte in einem Tone, welcher etwas lauter, als nöthig war, eine Flasche Lafitte mit dem Beifügen: „aber von meinem Jahrgange, Sie wissen schon!“ — Der Kellner, welcher sich nicht erinnern konnte, diesem Herrn jemals eine Flasche Wein aufgetragen zu haben, also keineswegs „schon wußte" und auch mit den „Jahrgängen" des Lafitte nicht recht vertraut war, verwünschte im Innern sein schlechtes Gedächtniß und holte dann aufs gerathewohl eine Flasche bester Qualität.

Inzwischen hatte Moll aufgeblickt und das kleine Individuum, welches den Lord spielte, erkannt. „Ei, mein kleiner Mann," — sagte er, die ehrerbietigen Verbeugungen Salzers mit einem leichten Kopfnicken erwiedernd — „man sitzt also auf hohem Pferde?" —

„O, mein Gott, ja!" — versetzte der ehemalige Schreiber, nachdem er eine gewisse Beklommenheit glücklich überwunden hatte — „Krankheit meines Vetters — Tod — Erbschaft — nicht von Bedeutung, aber zufrieden."

Moll, welcher seinen Mann vortrefflich kannte, merkte an seiner Ausdrucksweise sogleich, daß er ein wenig aus dem Concepte herausgerathen war und demnach seine Lüge in mangelhaftem Stile vorgetragen hatte. Er war daher eben im Begriff, ihm ein wenig auf den Zahn zu fühlen, als Salzer, jedenfalls um den Strom der Unterhaltung in ein günstigeres Terrain zu leiten, rasch fortfuhr: „Hinten, vorn, rechts, links, fabelhaft! überall Familienangelegenheiten! Ich gehe soeben auch in Familienangelegenheiten zu Herrn Trenkmann."

„Ei, Sie gehen in Familienangelegenheiten zu Herrn Trenkmann" — wiederholte Moll mit einer Ironie, welche die dahintersteckende Neugierde nicht ganz verbarg.

„Allerdings, allerdings!" — versetzte Salzer mit Sicherheit. — „Die Bande des Bluts dürften metallner, will sagen, gehaltvoller und fester sein, als die Bande gesellschaftlicher Uebereinkunft. Es dürfte undankbar scheinen, daß ich mein geliebtes Kind dem achtbaren Familienkreise, in welchem es geschätzt und geliebt wurde, entziehe. Indeß die Wünsche einer Schwester überwiegen conventionelle Rücksichten."

„Ei, Sie haben eine Schwester, Herr Salzer?" — fragte Moll, und brach in ein ziemlich gezwungenes Lachen aus.

Herr Salzer, welchem diese unabänderlichen, inquisitorischen „Ei!" nicht recht gefallen wollten, entgegnete mit jener strengen Würde, durch welche der Ehrenmann jeden Zweifel an seinen Worten und an seiner Wahrheitsliebe zurückweist: „Ich habe der Schwestern sieben gehabt, Herr Assessor. Ein verhängnißvolles Geschick hat mir sie alle bis auf eine entrissen, alle bis auf eine!" — Er schwieg einige Secunden, gleichsam als müßte er sich von dem Schmerze, welchen diese düstern Erinnerungen in ihm aufgeweckt hatten, erst wieder erholen, und starrte mit gramerfülltem Blicke auf das Weinglas vor ihm. Darauf aber fuhr er mit melancholischer Miene fort: „Sie werden mir eingestehen, Herr Assessor, daß ich die Bitte meiner einzigen noch lebenden Schwester, die Bitte, ihr meine Tochter als Trost ihres einbrechenden Alters zu überlassen, nicht abschlagen darf. Nein, ich darf es nicht; das fühle ich. Und nach dem Grundsatze: multum dat, qui cito dat werde ich noch heute meine geliebte Helene von hier abreisen lassen, wiewol — mit traurigem — Herzen.“ — Die letzten Worte brachte er nur mit höchster Anstrengung und kaum hörbar heraus; denn Moll maß ihn mit einem so durchbohrenden, inquisitorischen Folterblicke, daß ihm die Sprache fast versagte und er innerlich wünschte, der gütige Himmel möchte diese abscheulich stechenden Augen doch gleich mit Blindheit schlagen.

„Und darf man wol wissen, wo diese gütige Schwester sich aufhält?“ — fragte Moll mit einem Tone, in welchem etwas Drohendes, Warnendes lag.

„O, sehr bescheidner Aufenthalt!“ — versetzte Salzer aus dem Glase nippend, wiewol ihm der Wein wie Tinte schmeckte — „kleines, polnisches Dörfchen, weit von hier. Mein armes Kind wird mangelhaften Umgang haben. Wenige Gutsbesitzer in der Umgegend. Weiter nichts.“

Moll hatte inzwischen Hut und Stock ergriffen, jetzt stand er auf, regalirte Herrn Salzer noch mit einem seiner abscheulich zu- und eindringlichen Blicke und sagte: „Sie sind ein höchst merkwürdiger Glückspilz, lieber Salzer; Ihre „Familienangelegenheiten“ scheinen eine wahre Goldquelle für Sie zu sein. Sorgen Sie nur dafür, daß diese Quelle nicht einmal von unberufener Hand verstopft wird!“ — Damit ging er weg und ließ Herrn Salzer sehr kleinlaut und verdrießlich und nachdenkend bei seinem Lafitte zurück.

„Querer Kopf, unbequemer, naseweiser Mensch, unbehaglicher Umgang — angehender Polizeiminister“ — dies waren die Prädicate und Titel, womit Amandus Salzer den Weggehenden im Flüstertone beehrte, während er Glas auf Glas von seinem Weine hinunterstürzte, und während der ihn beobachtende Kellner sich bittre Vorwürfe machte, daß er einen Mann von so offenbar rohem, ungeschultem Gaumen mit einer Flasche bester Qualität bedient hatte.

Als die Flasche endlich leer und sein Gesicht durch die so lebhaften spirituösen Tinten verschönt war, bezahlte er den Kellner mit dem Bemerken, daß die Bordeauxweine, bevor man sie trinke, immer erst ein wenig in warmes Wasser gestellt werden müßten, weil dadurch die Blume hervorgehoben würde, fragte dann, zu welcher Stunde der Berliner Zug abginge, und ging dann selbst ab.

Er ging aber nach demjenigen Stadttheile, welcher der ödeste und am wenigsten besuchte und bewohnte von ganz B. war, und sah sich dort nach öden und entlegenen Häusern um. Gleich an dem ersten, welches ihm, so wie er es wünschte, beschaffen schien, hing auch zu seiner Freude eine Vermiethstafel neben der Thür. Er drückte demnach ohne weiteres auf die Thürklinke, fand aber, daß die Thür von innen verschlossen war. „Lächerlich! Fabelhaft! Verschlossene Thüren an hellem Tage!“ — Nach diesem höchst begründeten und gerechten Ausrufe der Verwunderung und des Mitleids zog er mit dem gehörigen Nachdrucke an der Klingelschnur. Und da sich auch darauf die Thür noch nicht gleich öffnete, hielt er für angemessen, eine Cigarre anzurauchen, und handelte demgemäß.

Grade als seine Cigarre im gehörigen Brande war, nahten sich leichte, sanfte Schritte von innen der Thür, und diese that sich auf. Eine Dame von edlem, religiös-würdevollem Anstande, aber etwas dünn und mager, im Alter von 40 Jahren (nach Herrn Salzers blitzschneller Schätzung), ganz schwarz gekleidet, mit Ausnahme einer schneeweißen Matronenhaube, stand vor Herrn Salzer und fragte in mildem Tone nach seinem Begehr.

„Bitte gehorsamst; von Begehr gar nicht die Rede" — versetzte unser geehrter Freund mit der Miene des Cavaliers — „Ich las nur, en passant, die kleine Tafel hier neben der Thür, auf welcher von zwei Zimmern die Rede, und zweifle nicht, daß sie mir conveniren werden."

Die frömmigkeitsmatten Augen der Dame hafteten einige Secunden mit einer ganz sanften, milden Neugier auf Herrn Salzer; darauf sagte sie: „Wollen Sie gefälligst eintreten!" — und als Salzer dies gethan, schloß sie die Hausthür wieder ab — was ihm sehr verfänglich und geheimnißvoll schien — und führte ihn in die beiden zu vermiethenden Zimmer.

Die Zimmer waren zwar einfach, aber ganz anständig ausgestattet und convenirten Herrn Salzer ganz und gar. „Nicht übel, ganz geeignet zu unsrem Zwecke" — äußerte er sich. — „Ich wünsche die beiden Zimmer für zwei Damen, Mutter und Tochter, zu miethen" — fügte er gegen die Dame des Hauses hinzu.

Die Dame heftete wieder jenen sanft neugierigen Blick auf ihn und versetzte: „Erlauben Sie, mein Herr, daß ich Sie, bevor wir weitere Schritte thun, von einer Verfügung in Kenntniß setze, welche der verblichene Besitzer dieses Hauses in seinem Testamente getroffen hat. Es steht mir nicht zu, ein Urtheil über diese Verfügung weder abzugeben, noch anzuhören; ich bin nur berufen und verpflichtet, darauf zu halten, daß der Wille des Verstorbenen getreulich erfüllt werde. In diesem Hause — sagt das Testament — dürfen nur Katholiken aufgenommen werden." — Der Blick, mit welchem sie diese Worte begleitete, war schon ganz anders, als ihre früheren Blicke. Es lag etwas Lauerndes, Katzenartiges darin.

Unser geehrter Freund, welcher diesen Blick recht gut bemerkt hatte, blies nichtsdestoweniger ganz unbefangen und gleichgiltig den Rauch gegen die Decke und versetzte darauf: „Was die Mutter betrifft, so geht sie des Monats regelmäßig zweimal zur Beichte. Die Tochter aber, wiewol sie nur zweimal des Jahres geht, dürfte dennoch eine echte Tochter der Gracchen, will sagen, eine gute Römerin, sein. Ist dies genügend?"

„Vollkommen, mein Herr" — antwortete die Dame des Hauses mit frommem, liebevollem Lächeln — „Wollen Sie jetzt noch die Güte haben, mir Stand und Namen der beiden Damen anzugeben?"

Das war gleichsam das Stichwort, nach welchem der wahre Amandus Salzer auf die Bühne treten und seine Rolle beginnen sollte. Er warf sich in seine imposanteste Attitude, nahm seine stolzeste und abweisendste Miene an, drückte den Rohrstock unter den linken Arm, und steckte die rechte Hand zwischen Weste und Vorhemdchen. Darauf aber entgegnete er in fast verweisendem Tone: „Würde ich für sie — ich meine namentlich die Tochter — würde ich für sie" — aus der Betonung des letzten Wortes mußte man schließen, daß diese Tochter wenigstens die Nichte des Papstes wäre — „eine Wohnung in dem ödesten Stadtviertel, in dem abgelegensten Hause mit kleinen Fenstern und lichtscheuer Treppe miethen, wenn ich Lust hätte, Stand und Namen anzugeben? Das dürfte denn doch luce clarius, will sagen, einleuchtend sein."

„Aber, mein Herr, ich muß Stand und Namen bei dem Polizeicommissarius des Viertels angeben" — wandte die Dame mit liebenswürdigem und halb nachgebendem Lächeln ein.

„Polizeicommissarius!" — rief Salzer in unnachahmlichem Tone, in einem Tone, welcher euch felsenfest überzeugen mußte, daß unser Freund niemals ein solch unwürdiges Individuum nur eines Wortes gewürdigt hatte — „Beim Wischnu! meine schöne Frau", — die Dame bekreuzte sich, sei es wegen Nennung der heidnischen Gottheit, oder weil sie in dem

Prädicat „schön" eine Schlinge des Teufels argwöhnte — die Polizei ist vortrefflich gegen Vagabunden und gegen das zunehmende Proletariat; aber für uns" — hierbei wies er mit dem Zeigefinger auf seine Brust — „für uns ist sie wahrlich! nicht organisirt. Uebrigens" — fuhr er in nachgiebigerem Tone fort — „dürfte diese Schwierigkeit leicht zu heben sein. Nennen sie die Damen Madame Sulzer nebst Tochter — ja wol, Sulzer — sapienti sat."

Die Hauptschwierigkeiten waren nun in der That gehoben. Ueber den Preis wurde man leicht einig; Salzer erklärte ihn für annehmbar und solid. Nachdem er daher die Stunde des Einzugs angekündigt hatte, bezahlte er unaufgefordert ein anständiges Angeld (wobei er, vergebens nach Silbergeld in der Tasche suchend, alles Gold, welches er bei sich trug, zum Vorschein brachte) und empfahl sich. — Die Dame des Hauses begleitete ihn bis zur Hausthür, öffnete, verbeugte sich schweigend, und schloß hinter ihm wieder zu.

Da es bereits spät war, und Herr Salzer sein Geschäft bei Trenkmann gern noch vor Mittag beendigt wissen wollte, miethete er eine Droschke, welche zufällig an ihm vorüberfuhr. — Der Raum gestattet uns nicht, dem Leser alle die Gedanken, welche unser geehrter Freund unterwegs halblaut äußerte, mitzutheilen. Nur des einen wollen wir erwähnen, daß er sich schmeichelte, seine Geistesgegenwart und unvergleichliche Schlauheit dadurch an den Tag gelegt zu haben, daß er grade den Namen „Sulzer“ angegeben hatte. „Schlimmsten Falls“ — argumentirte er — „kann man sich durch die Erklärung aus der Schlinge ziehn, daß die ehrwürdige Dame falsch gehört haben müsse.“

Schlag 12 Uhr trat er in das Trenkmannsche Comptoir, woselbst nur noch Beinling anwesend und mit Rechnen an seinem Pulte beschäftigt war.

„Verzeihn Sie, mein Herr,“ — begann Salzer in jenem höflichen aber ernsten Tone, welcher gleichsam um Entschuldigung wegen seines Inhalts bittet — „Eventualitäten machen es mir unabweisbar“ —

„5367 Thaler netto“ — sagte Beinling, die Feder bei Seite legend und die Brille aufsetzend. Darauf betrachtete er Herrn Salzer mit einer sehr vornehmen und sehr geringschätzigen Miene und fuhr fort: „Ich bin von dem, was Sie hierherführt, in Kenntniß gesetzt. Es bedarf nicht erst Ihrer Expectoration. Herr Trenkmann hat durchaus nichts gegen Ihr Anliegen einzuwenden. Da er jedoch, aus welchem Grunde, brauche ich nicht anzugeben, mancherlei Befürchtungen in Betreff der Zukunft Ihrer Fräulein Tochter und deren Frau Mutter hegt, so bittet er die beiden Damen, eine jährliche Unterstützung von 100 Thalern für jede von ihm anzunehmen. Ich selbst werde Sorge dafür tragen, daß die vierteljährigen Raten dieser Unterstützung jedesmal richtig zu Händen der beiden Damen gelangen.

Ich habe die Ehre, Ihnen gesegnete Mahlzeit zu wünschen." — Damit legte Herr Beinling die Brille wieder auf das Pult und fuhr fort zu rechnen.

Neuntes Capitel.

Durch einen sonderbaren Zufall geschieht es nicht selten, daß wir eine Reihe von Thorheiten oder Sünden begehn, ohne von dem Tadel der Welt getroffen zu werden, daß aber grade um einer wackern Handlung willen, durch welche wir jene Thorheiten oder Sünden einigermaßen gut zu machen beabsichtigen, der Tadel uns trifft.

Diese Bemerkung machte Robert, als er von Moll und Strolph weggegangen und wieder zur Besinnung gekommen war. Er hatte einmal dem Drange seines Herzens gehorcht, war, voll Reue darüber, daß er sich den, wenn auch strengen und etwas sonderbaren, doch redlichen und ehrenhaften Freund in der jüngsten Zeit entfremdet hatte, und voll neu erwachter Theilnahme gegen ihn und sein Geschick, zu ihm gelaufen, und erntete dafür eine so bittre und verletzende Anrede, daß es ihm noch jetzt davon in den Ohren schwirrte.

Allerdings hatte Strolph schon seit einiger Zeit Roberts Thun und Lassen getadelt; jedoch war dies nur im Tone eines eng befreundeten Rathgebers geschehn. Heut aber, wo sich Robert grade bewußt war, einem edlen Impulse gehorcht und wenigstens eine freundliche Aufnahme verdient zu haben, ließ ihm Strolph eine tiefkränkende Zurücksetzung widerfahren. „Im Grunde darf ich mich darüber nicht beklagen“ — sagte Robert nach kurzem Nachdenken bei sich. — „Ich habe Tadel verdient. Daß er nun zur unrechten Zeit und von der unrechten Seite mich trifft, ist unwesentlich. Ich nehme ihn hin als ein begründetes und gerechtes Mißtrauensvotum. — Vielleicht ist es auch gut, daß das Band zwischen Strolph und mir jetzt gänzlich zerrissen ist. Unser Weg ist einmal nicht derselbe, wiewol unser Ziel, glaub ich, nicht gar weit auseinanderliegt. Die Zeit wird, wie über viele Dinge, auch darüber Aufklärung bringen.

Aber eins ist sicher: Ich werde fortan nicht mehr schwanken! Ich habe gewählt und werde der Wahl treu bleiben. Das Schicksal feuert zuweilen seine Warnungsschüsse ab, wenn wir uns Untiefen oder Strudeln und Wirbeln nahen. Vielleicht hat es heut für mich einen abgefeuert. Gleichviel! Ich habe gewählt und werde der Wahl treu bleiben. — Ich habe dem Glücke der Liebe, dem Glücke stillen, fried- und freudevollen Familienlebens entsagt. Ich weihe mich ganz der Menschheit! Ich weihe mich ihr, indem ich nach den Mitteln greife, durch welche allein ich im Stande bin, ihr zu dienen."

Mit diesem neuen Selbsttäuschungstränklein schläferte Robert sein ohnedies schon schlafsüchtiges Gewissen ein und fühlte sich darauf ganz beruhigt und voll Selbstachtung.

„Aber was hat es denn für eine Bewandtniß mit Helenens plötzlicher Abreise?" — fuhr er nach kurzer Pause in seinem Selbstgespräche fort — „Beinling, der doch jedenfalls darum wissen muß, hat davon kein Wort gegen mich erwähnt. Und Helene selbst — unbegreiflich!" —

Noch in tiefes Nachdenken wegen dieses unbegreiflichen Umstandes versunken, langte er zu Hause an und ging, da zwei Uhr längst vorüber war, sogleich in das Comptoir.

Bei seinem Eintreten fand er Herrn Beinling, wie immer, an seinem Schreibpulte sitzend, aber keineswegs, wie immer, emsig arbeitend (rechnend oder schreibend), sondern — horribile dictu! — mit seinem Federmesser, welches er sonst stets so scharf wie ein Rasirmesser zu halten pflegte, an dem Stahlfederhalter mechanisch schnitzend. Dieser Umstand war so außerordentlich, daß Robert betroffen stehen blieb und Herrn Beinling verwundert anstarrte. — Sobald Herr Beinling Roberts Anwesenheit gewahr wurde, sprang er sogleich von seinem Reitschemel in die Höhe, ging mit leisen, zögernden Schritten nach der Thür, welche in das zweite Comptoirzimmer führte, und machte sie vorsichtig zu. Hierauf trat er dicht vor den zweiten Commis, ergriff seine Hand, drückte sie und fragte im leisen, fast ängstlichen Tone: „Wie befindet sich Strolph? Ist keine Aussicht vorhanden, daß man ihm die Gefängnißstrafe in Betracht seiner Unschuld erlasse?"

„O, darauf rechnet Herr Strolph gar nicht," — erwiderte Robert in kühlem Tone. — „Außerdem leidet er auch nicht unschuldig, wie denn meines Erachtens nur mittelmäßige, unbedeutende Menschen „„unschuldig leiden."" Er hat einem inwendigen Gesetze gehorcht und hat dabei ein äußeres Gesetz des Staates übertreten. Er war in seinem Rechte, aber der ihn verurtheilende Staat war es auch. Dergleichen Conflicte sind tägliche und nothwendige Erscheinungen unsrer Zeit". — Die Bitterkeit, mit welcher Robert die letzten Worte sprach, ließ fast darauf schließen, daß er in diesem Augenblicke sich selbst für das Opfer eines ähnlichen Conflictes hielt.

Aber auch Beinling schien Roberts Worte in irgend einer Art auf sich zu beziehen. Denn er schlug die Augen nieder, nickte, wie beipflichtend, einige Male mit dem blonden Haupte und sagte dann im Flüstertone: „Ja wol, eine merkwürdige, sonderbare Zeit, eine Zeit voll Conflicte."

Robert betrachtete ihn wieder, verwundert, fast erschrocken. — Beinling sprach von Conflicten; er, der so sanfte, ruhige, friedfertige, harmlose Mensch, der stets mit sich selbst und allen Menschen einig lebte, schien heut so aufgeregt, so erschüttert, so unruhig, so verstört, daß Robert unwillkürlich auf den Gedanken gerieth, es müsse noch etwas ganz Anderes, als die Verurtheilung Strolphs, auf seiner Seele lasten.

Da Beinling aber weiter nichts sagte, sondern unruhig und grübelnd im Zimmer auf und nieder zu schreiten begann, setzte sich Robert an sein Pult und fing an zu schreiben. — Nach einigen Minuten stand Beinling plötzlich mitten im Zimmer still, warf einen forschenden Blick auf Robert und sagte: „Ueber der Strolph'schen Angelegenheit hab ich ganz vergessen, Ihnen eine Neuigkeit mitzutheilen, welche Sie ebensosehr überraschen dürfte, wie sie uns alle in diesem Hause überrascht hat.

Salzer war hier und hat uns angekündigt, daß seine Tochter noch heute unser Haus verlassen und zu seiner Schwester reisen müsse. Diese Schwester besitzt ein kleines Bauergut in einem polnischen Dorfe, und da sie alt und schwach und kränklich ist, so bedarf sie einer Haushälterin und Pflegerin."

„Und beides soll Fräulein Helene vorstellen, ich begreife;" — fiel Robert mit zweideutigem Lächeln ein.

Beinling stand da, wie vom Blitze getroffen. Von den furchtbarsten Gewissensbissen gemartert, — weil er sich für den Hehler des an Robert und Helene verübten Betrugs hielt — hatte er schon die ganze vorige Nacht und den ganzen darauffolgenden Morgen darüber nachgegrübelt, wie er sein Verbrechen, seinen abscheulichen Verrath am besten zu sühnen vermöchte. Eine aufrichtige und reuevolle Beichte gegen Robert hätte ihn unbedingt außerordentlich erleichtert; allein durch eine solche Beichte wäre er wieder zum Verräther an Selma geworden, welche ihm ihren Contract mit Salzer unter dem Siegel der tiefsten Verschwiegenheit anvertraut hatte. Wie sollte er sich aus diesem unseligen Dilemma herauswickeln?

Hierzu kam noch das Bewußtsein, seine Unruhe und Angst und Qual nicht gehörig und nicht auf die

Dauer verbergen zu können, und die Furcht vor den Folgen für den Fall, daß er sich verrieth. In dieser entsetzlichen Lage kam ihm eine unerwartete Hilfe, nämlich Strolphs Verurtheilung. Da war doch Stoff zu Lamentationen und Veranlassung zu allerlei Aeußerungen von Unruhe, Schmerz und Verwirrung. Mit fieberhafter Hast ergriff er diese Gelegenheit, seine Seelenangst in Worten und Geberden auszudrücken, ohne sich zu verrathen; und wir haben gesehn, wie er, in Roberts Zimmer stürzend, sie ausdrückte. — Die Angst und Sorge um Strolph lenkten seine Gedanken auch in Wirklichkeit für kurze Zeit von seinem größeren Kummer ab; denn er war dem „schroffen und überspannten, aber geistreichen und rechtlichen Manne" herzlich zugethan, und obendrein hielt er die Gefängnißstrafe für etwas so Schreckliches und Furchtbares, daß er den größten Theil seiner „Sparpfennige" darum gegeben hätte, wenn es möglich gewesen wäre, Strolph von derselben loszukaufen. Indeß der tiefere Kummer trat doch bald wieder in den Vordergrund, und das um so eher, als derselbe seine Quelle in Gewissensbissen hatte.

Als Robert in das Zimmer trat, hatte Beinling noch keinen Ausweg aus dem Labyrinthe seiner Verlegenheit zu entdecken vermocht. Indeß so viel leuchtete ihm ein, daß er vor allen Dingen Robert von der nahe bevorstehenden Abreise Helenens in Kenntniß setzen müsse. „Es ist ein schwerer, schrecklich schwerer Schritt;" — dachte er bei sich — „jedoch er muß gethan werden. Seine Bestürzung und Betrübniß werden mir ins Herz schneiden; demnach kann ich den Kelch nicht von mir weisen." — Und so that er diesen Schritt in der Weise, wie wir geschildert, und nun wird es begreiflich sein, wie ihn die Ruhe und die Antwort und das zweideutige Lächeln Roberts in so unbeschreibliches Erstaunen versetzen und so fürchterlich erschüttern konnten.

„Gütiger Himmel!" — sagte er bei sich — „Er weiß alles! — Seine Ruhe ist die Ruhe der Verzweiflung, und sein Lächeln bedeutet Hohn und bittre Ironie!" — Unter diesen Umständen verschmähte der ehrliche Buchhalter jede kluge und bedachtsame Erwägung. Er folgte dem blitzschnellen Antriebe seines vortrefflichen Herzens, eilte hin zu Robert, ergriff seine Hand, drückte sie warm und sagte mit bewegter Stimme und niedergeschlagenen Augen: „Jedes Uebel trägt einen Keim zu künftigem Glücke in sich. Verzweifeln Sie nicht! was Sie heute in düstre Trostlosigkeit stürzt kann möglicherweise der Grundstein zu Ihrer zukünftigen Größe sein. Man meint es gut mit Ihnen!" — Darauf ging er langsam zu seinem Pulte zurück und stützte dort das ehrliche und sehr sorgenvolle Haupt auf die linke Hand; mit der rechten aber ergriff er mechanisch die Feder, und mechanisch schrieb er eine lange, lange Reihe von Zahlen auf ein leeres Blatt, welches vor ihm lag.

Robert empfand zunächst das Gefühl einer tiefen Rührung. Beinlings Wesen, seine Stimme, seine Worte, das alles hatte eine so warme Theilnahme, ein so starkes Wohlwollen, und eine so innige Liebe ausgedrückt, daß Robert die Wirkung davon empfand, bevor er einen Gedanken darüber fassen konnte. Als er aber darauf über Beinlings Worte nachdachte, trat ihm die Schamröthe ins Gesicht. „Du bist seiner innigen Liebe, seiner fast zärtlichen Theilnahme nicht würdig!“ — mußte er sich sagen. — „Was er für ein wahres, starkes Gefühl hält, war im Grunde weiter nichts, als Eitelkeit, Sinnenrausch und Selbstverblendung. Der gute Mensch wähnt, ihre Abreise werde mich in Verzweiflung stürzen, während ich dieselbe nur als einen glücklichen Zufall betrachten kann.“

Hätte Robert diese Gedanken laut ausgesprochen, so würde er dem wackren Buchhalter nicht nur großen Kummer und viele bittre Selbstvorwürfe erspart, sondern auch eine große, unverhoffte Freude bereitet haben. Aber er äußerte sie nicht laut, sondern fand im Gegentheil eine gewisse Genugthuung darin, daß Beinling keine Ahnung von ihnen haben konnte.

Gegen fünf Uhr gingen sie miteinander hinauf in das Familienzimmer. Und als sie dort eintraten, drückte Beinlings Miene Angst, Trauer und Befangenheit aus, während in Roberts Zügen eine kalte Entschlossenheit und eine erzwungene Ruhe unverkennbar waren.

Sie fanden bei ihrem Eintreten nur Selma im Zimmer, Selma, welche in ihrem unvermeidlichen schwarzseidnen Kleide auf dem Sopha von dunkelblauem Damaste saß. Ihre Augen flammten heute von einem Feuer fieberhafter Aufregung, ihre Wangen waren leicht geröthet, — eine Erscheinung, welche Robert heut zum ersten Male an ihr bemerkte — und ihr Busen wogte stürmisch.

Als sie von Robert angeredet wurde, schlug sie die Augen scheu und schüchtern zu Boden und die Röthe ihrer Wangen wurde noch lebhafter. Beides, das schüchterne Niederschlagen der Augen, so wie das Erröthen, verlieh ihr einen eigenthümlichen, an ihr ganz ungewöhnlichen Reiz. — Von jenem abstoßenden, anfröstelnden Hochmuthe, welcher früher ihre Züge entstellte, war in diesem Augenblicke keine Spur zu entdecken. Die Liebe hatte ihn gebrochen, Roberts Anwesenheit verwandelte dieses stolze, kalte Weib in ein schüchternes, schmachtendes Mädchen.

Während noch Robert, der dies alles scharf beobachtet hatte, stolz und triumphirend lächelte, und Beinling ihn mit starrem Auge und geöffnetem Munde betrachtete, trat Helene ins Zimmer.

Zwei oder drei Secunden stand sie still bei der Thür und blickte die Gruppe am Kaffeetische mit funkelnden Augen an. Darauf aber, als aller Blicke auf sie gerichtet waren, näherte sie sich, hoch aufgerichtet, mit stolzem und wieder graziösem Gange, während die innere Aufregung die classische Schönheit ihrer Gestalt, ihrer Formen und ihres Gesichts bis ins Wunderbare, Zauberhafte erhob. All ihre Muskel- und Nervenfasern schienen sich im Zustande einer Vibration zu befinden, ihre Augen funkelten, flammten und schienen die Farbe zu wechseln, so wie ihre Züge den Ausdruck wechselten, sie preßte die Lippen zusammen und warf sie dann wieder auf — so näherte sie sich dem Kaffeetische, und Robert und Beinling schnellten sich gleichzeitig und wie elektrisirt von ihren Stühlen empor, während Selma todtenbleich wurde.

„Leben Sie wohl!“ — sagte sie zu Selma, und der Ton ihrer Stimme drang Robert durch Mark und Bein — „Ich wage die Bitte nicht, meiner manchmal zu gedenken, wiewol ich meinerseits Ihrer nie vergessen werde, nie! — Leben Sie wohl meine Herren!" — Sie warf Beinling, welcher karmoisinroth wurde und sich zwei oder dreimal tief verneigte, einen freundlichen, lächelnden Blick zu, und darauf heftete sie einen stolzen, durchdringenden, flammenden Blick auf Robert, einen Blick, welchen er alle Zeit seines Lebens nicht wieder vergessen sollte — „Sie waren beide immer sehr gütig gegen mich; ich werde dies nie vergessen! Leben Sie wohl!" — Und nach einer Verbeugung voll Grazie und Zauber ging sie weg; und Robert, wie von einer unsichtbaren Hand gezogen, folgte ihr, schweigend und wie in einem Traume befangen, und stützte sie, als sie in den Wagen stieg, und vermochte auf ihr letztes Lebewohl kein Wort zu antworten und starrte dem Wagen nach, bis endlich Beinling, der ihm nachgegangen war, ihn sanft auf die Schulter klopfte und ihm zuflüsterte: „Kommen Sie, kommen Sie! Seien Sie ein Mann! Die Zeit heilt alle Wunden!"

Da aber brach er in ein so hohles, dumpfes und krampfhaftes Gelächter aus und blickte so wild, so scheu und so irr, daß Beinling, sich entsetzend, erblaßte und ihn mit verzweifelter Gewalt ins Haus und dann in das Comptoirzimmer zog.

„Sahen Sie ihre Augen, hörten Sie ihre Stimme,

berührten Sie ihren Leib?“ — fragte Robert in dumpfem Tone, und immer noch wild vor sich hinstarrend — „Das war Hexerei, mein Guter, veritable Hexerei!“

„Beruhigen Sie sich, mein Gott, beruhigen Sie sich doch! Es ist ja vorüber!“ — flehte Beinling, ihm die Hand drückend.

Sie glauben wol gar, Mann, daß ich sie liebe? — Ha, ha, ha! — Ich liebe niemand, als mich selbst; und das hat sie durchschaut, und das sagte sie mir durch ihren Blick, und noch manches Andere sagte sie mir durch diesen Blick, diesen — diesen Hexenblick!“

„Wenn Sie sich nicht beherrschen, so werden Sie noch wahnsinnig werden!“ — rief Beinling, dessen Angst jetzt den höchsten Grad erreicht hatte — „Es ist ja alles ganz natürlich. Zuerst diese Aufregung wegen Strolph; darauf“ —

„Richtig, richtig“ — fiel Robert flüsternd ein — „Strolph hat mir mit Worten dasselbe gesagt, was sie mir durch ihren Blick sagte — ganz richtig!“

In diesem Augenblicke ward die Thür, welche Beinling nicht lange vorher zugemacht hatte, ganz leise geöffnet, und ein Kopf mit schwarz und weiß gesprenkelten Haaren und rothem, etwas aufgedunsenem Gesichte kam zum Vorschein, und eine Herrn Beinling wohlbekannte Stimme fragte: „Bitte ergebenst um

Verzeihung, ich bemerke, daß ich leicht stören dürfte; — ist mein geliebtes Kind noch hier, oder" —

„Ihr geliebtes Kind ist nicht mehr hier, Herr, und außerdem ist dies nicht der rechte Ort für solche Fragen!" — rief Beinling mit einer so grimmigen Miene, als er nur auftreiben konnte — „Ein bischen Mutterwitz würde Ihnen sagen, daß Sie am besten thäten, sich in diesem Hause überhaupt gar nicht mehr sehn zu lassen!" — Damit schlug er dem Fragesteller die Thür vor der Nase zu und blieb vor derselben, hoch aufgerichtet, für alle Fälle gerüstet, stehn, während der andre mit den Worten: „Mutterwitz, Herr? — Das ist eine Familieninjurie! Ich werde mir Satisfaction zu verschaffen wissen!" — von dannen ging.

Dieser Auftritt bewirkte, was Beinlings Bitten, Ermahnungen und Trostgründe nicht hatten bewirken können. Robert kehrte zur Besinnung zurück. Er rieb sich die Stirn, seufzte und sagte dann: „Ich besitze nicht die nöthige Ruhe, um heut noch arbeiten zu können. Sollte Herr Trenkmann nach mir fragen, so theilen Sie ihm doch mit, daß ich mich wegen einer plötzlichen Unpäßlichkeit auf mein Zimmer zurückgezogen habe." — Damit ging er hinaus.

Als Beinling allein war, promenirte er zunächst mehre Minuten in dem Zimmer auf und ab, abwechselnd seufzend und leise, unverständliche Worte murmelnd. Darauf zog er einen kleinen Spiegel aus der Tasche, blickte hinein, kämmte sein Haar glatt, rückte die Brille zurecht und zupfte an den Vatermördern. Hierauf steckte er den Spiegel wieder ein, richtete seine Gestalt und besonders den Kopf stolz und würdevoll in die Höhe, schritt bis zu der Thür, welche in das zweite Comptoirzimmer führte, stand einige Secunden zögernd vor derselben still und dann öffnete er sie.

„Wenn dieser impertinente Mensch, dieser Tagedieb, dieser Bummler und Spieler, es wagen sollte, noch einmal hierherzukommen, so weisen Sie ihm die Thür, meine Herren!" — Mit diesen Worten, welche in dem Tone eines wahrhaft ersten Buchhalters und zeitweiligen Disponenten gesprochen wurden, trat Herr Beinling drei Schritte in das zweite Comptoirzimmer und warf dabei einen durchdringenden, forschenden Blick auf die daselbst beschäftigten fünf jungen Leute.

Da dieselben alle fünf sehr ernsthaft und respectvoll seinen Befehl anhörten, so verwandelte sich des ersten Buchhalters forschender Blick sogleich in einen gönnerhaften und huldvollen; worauf er, Herr Beinling nämlich, eine Prise nahm, sich umdrehte, zurück in sein Arbeitszimmer ging, an sein Pult trat und, sich die Hände reibend, murmelte: „Dem Himmel sei Dank, sie haben keine Ahnung von dem, was heut in diesem Hause vorgegangen ist! Wir wollen hoffen, daß alles noch gut werden wird!"

Robert blieb den Nachmittag und den Abend über auf seinem Zimmer.

„Die Zeit warnt uns, kurz zu sein!" — wie manche Herren in der Deputirtenkammer zu sagen pflegen, wenn sie beabsichtigen, eine recht wortreiche, weitschweifige Rede zu halten. — Ganz entgegengesetzt der Sitte dieser Herren führen wir diese Worte an, weil wir uns in der That kurz fassen wollen, d. h. weil wir die tausend Gedanken und Vorsätze übergehen wollen, mit welchen sich Robert an diesem Nachmittage und Abende auf seinem Zimmer die Zeit vertrieb. Roberts spätere Handlungen werden uns weit besser, als Worte darüber aufklären.

Am andern Tage erfüllte Robert die Pflichten seines Berufes mit einem Fleiße, einem Eifer, ja sogar mit einem Interesse, wie sie Beinling bisher noch niemals an ihm bemerkt hatte. Es schien seit dem gestrigen „verhängnißvollen" Tage — Herr Beinling hat dem erwähnten Tage besagtes Beiwort gegeben — ein ganz andrer Geist über ihn gekommen zu sein, welcher Umstand Herrn Beinling veranlaßte, etliche Male von seiner Arbeit auszuruhen, außergewöhnlich große Massen Schnupftabak in seine Nase einzuschlürfen, und dabei über das Pult hinweg Robert anzustarren.

Bei Tische war Robert ernst und schweigsam, aber weder traurig noch zerstreut. In seinem Benehmen Selma gegenüber legte er eine männliche Höflichkeit und Ehrerbietung an den Tag, wobei sich weder Kälte noch Zuneigung erkennen ließ.

Seine Musestunden brachte er fast nur auf seinem Zimmer zu, indem er die Geschichte des Handels studirte und sich überhaupt diejenigen Kenntnisse erwarb, ohne welche ein Kaufmann allein dem Zufall preisgegeben ist.

Einmal besuchte er Moll, um Nachrichten über Strolph einzuziehn. Er war aufs höchste erstaunt, den sonst so offnen, heitern Freund bleich, düster und verschlossen zu finden. Anfangs fürchtete er schon, Strolph habe ihm durch seine Einflüsterungen auch Molls Liebe und Achtung entzogen; indeß, als er den Assessor schärfer beobachtete, entdeckte er bald, daß er an einem Kummer litte, welcher auf ihn keinen Bezug hatte. Moll liebkoste seine „Jungen" nicht mehr, wie früher; ihr fröhliches Geschrei schien ihm unangenehm zu sein. Er wies sie mehr als einmal mit rauher Stimme zur Ruhe; und wenn ihn dann von seiner stillen, sanften Molly ein fragender, ängstlicher Blick traf, erröthete er, schlug die Augen nieder und versank in düstres Nachsinnen.

Als Robert von Moll nach Hause ging, sagte er bei sich: „Die Liebe vermag es also auch nicht, das eheliche Glück auf die Dauer zu sichern! Nun dann verdient sie auch nicht, daß man ihr gar zu große Opfer bringe!" — Und nach einer Weile fügte er hinzu: „Auch die Liebe ist wandelbar; es ist alles wandelbar!"

„Ja, es ist alles wandelbar in der Welt!" — sagte Beinling am nächsten Sonntage zu Robert, als sie allein und schweigsam in dem Weinhause an ihrem Stammtische saßen, und als die Niersteiner ihnen nicht schmecken und die Zeit nicht verstreichen wollte. — „Noch vor acht Tagen saßen an diesem Tische vier Männer, welche, wiewol zwei davon, nämlich Strolph und Sie, etwas fremd gegeneinander thaten, im ganzen doch fest aneinanderhingen und sich gegenseitig trotz mancherlei heftigen „Controversen" ermunterten, trösteten und aufheiterten; — und heut sitzt der arme Strolph, dieser ungeschliffene Diamant, im Gefängniß, und Moll zieht sich von seinen Freunden zurück, und wir beide — wir beide — kurz, es ist alles wandelbar! Und das ist vielleicht ein großes Glück;

— wer weiß? Jedenfalls brauchen wir nicht vor Scham zu vergehen und können unser Haupt immer wieder kühn aufrichten, wenn auch wir einmal dem allgemeinen Gesetze der Wandelbarkeit unterlegen sind."

„Meinen Sie aber nicht, daß es Gefühle, Gesinnungen und Grundsätze gibt, in denen wir uns niemals wankelmüthig zeigen dürfen, ohne uns zu entehren?" — fragte Robert, welcher die hinter Beinlings Worten versteckte Absicht, ihm Muth und Trost zuzusprechen, recht gut durchschaute.

„Je nun — allerdings!" — versetzte Beinling mit erkünstelt leichtfertigem Wesen — „Indeß der Ausdruck „entehren" ist ein wenig stark. Hauptsache ist: Wir sind allzumal Sünder! u. s. w. Und der ist schon ein Held, welcher seine Schwächen und Fehler erkennt und sich bestrebt besser zu werden."

Nach diesen Worten leerte Beinling sein Glas, schaute nach der Uhr, nahm eine reichliche Prise und dann gingen sie miteinander schweigend nach Hause. — 14 Tage nach Helenens angeblicher Abreise wurde Robert eines Nachmittags aufgefordert, in dem Zimmer seines Principals zu erscheinen.

„Sie müssen sogleich nach London reisen, lieber Hübler" — begann Herr Trenkmann, als Robert vor ihm stand — „Ich muß eine sehr wichtige Geschäftsangelegenheit in Ihre Hand legen, da meine persönliche Anwesenheit wo anders dringend nöthig ist."

In Roberts Zügen zeigte sich der Ausdruck einer freudigen Ueberraschung, aber er sagte kein Wort.

Trenkmann hatte ihn scharf beobachtet und jenen Ausdruck bemerkt. Er fuhr fort: „Ich wünsche auch, daß Sie sich in London ein wenig umsehn. Sie werden das Geschäft in höchstens zwei oder drei Tagen abzumachen im Stande sein, dann haben Sie freie Zeit. Für einen Kaufmann ist die Hauptstadt von England, dem Lande des Handels und der Industrie, ein wichtiger Punkt. An Empfehlungen wird es Ihnen nicht fehlen. Sie werden demnach Gelegenheit haben, sich über alles aufzuklären, was Ihnen wissenswerth erscheint. — Vielleicht geschieht es, daß Sie mit ganz andern Begriffen über den Handelsstand, als Sie bisher gehegt haben, von dort zurückkehren."

„Ich habe den Kaufmannsstand von jeher als einen sehr bedeutsamen und achtungswerthen betrachtet;" — versetzte Robert mit offenem Blicke — „nur die Neigung dazu fehlte mir, und demgemäß fürchtete ich, daß mir auch die Fähigkeit dazu abgehen dürfte. In der jüngsten Zeit aber hat sich diese Neigung bei mir eingestellt und gleichzeitig damit hat sich auch einiges Zutrauen zu meiner Befähigung gefunden."

„Das macht mir viel Freude, sehr viel Freude, lieber Robert!“ — Trenkmann bediente sich dieser vertraulichen Anrede zum ersten Male — „An ihrer Fähigkeit hab ich nie gezweifelt, ganz das Gegentheil davon, eigentlich auch an Ihrer Neigung nicht; aber ob Sie die Vorurtheile, welche man in Ihnen angeregt, überwinden würden, daran habe ich lange gezweifelt. — Sie brauchen nicht zu erröthen. Die Vorurtheile, von denen ich spreche, sind ganz ehrenhafter Natur. Ich bin stolz darauf, daß ich sie einst auch mit Liebe gehegt habe. Auch ich habe mich einst, wiewol damals die Zeit noch eine ganz andre war, für berufen gehalten, nur auf dem Felde des Geistes, der Wissenschaft zu wirken und zu schaffen. Auch ich war arm, ein Sohn des Volkes, mit seinen Leiden bekannt, und glaubte es zu verrathen, wenn ich mein Schicksal an einen Stand knüpfte, welcher so gern und so leicht Reichthümer aufhäuft und dann nicht selten theilnimmt an jener so entsetzlichen und doch gesetzlichen Ausbeutung der Armen, Mittellosen nach dem Grundsatze: Die großen Fische fressen die kleinen! Auch ich war beseelt von dem Geiste der Gemeinnützigkeit und der Humanität und bildete mir ein. — darin lag das Vorurtheil — es gäbe nur eine Form, denselben auszudrücken, geltend zu machen. — Es liegt in dergleichen Vorurtheilen ein bedeutsamer Instinct. Aber wir Menschen dürfen nicht blind einem Instinct folgen, sondern müssen uns aufklären darüber, die Spreu von den Körnern der Wahrheit sichten. — Der Besitz des Goldes hat mein Herz nicht verhärtet, meinen Geist nicht getrübt, verfinstert; und ich hege die felsenfeste Ueberzeugung, der Mensch gestaltet seine Verhältnisse, nicht die Verhältnisse ihn!"

Zehntes Capitel.

Es ist dabei gar nichts zu lachen, versichre ich Euch, ist eine verteufelt kitzlige, scharfrichterlich-ernsthafte Sache die Stimme der Welt, die öffentliche Meinung! Ist damit gar nicht zu spaßen, schwör es Euch; ist diese Stimme des Volkes aller Orten eine Art Gottesurthel; ist aber hundertfach, tausendfach wichtig und über Leben und Tod entscheidend in einer kleinen Stadt, wie D., und repräsentirt durch Persönlichkeiten gleich Diakonus Schön, Ritter v. Pedell, seiner Gemahlin und ähnlichen Größen.

„Wohl dem, der frei von Schuld und Fehle
Bewahrt die kindlich reine Seele!
Ihm dürfen sie nicht rächend nahn!" —

Arme, unglückliche Rechnungsräthin! Du hast sie kennen gelernt diese Stimme der Welt seit jenem verhängnißvollen Tage, welchen du so glücklich und so stolz begonnen, und welchen du so verzweifelnd und so gedemüthigt beendet hast!

Wir wissen, die gute Räthin machte Opposition gegen das Sittentribunal von D. — das war eine Todsünde!

Ferner liebte sie die Thiere mehr, denn die Menschen. — Darin wäre zwar nichts Anstößiges, Beleidigendes zu finden gewesen; aber der Umstand, daß sie gegen gewisse Menschen sehr streng und gegen alle Thiere sehr mild und nachsichtig war, daß sie gewisse Menschen gern angriff — natürlich nur mit Worten — und alle Thiere mit Leidenschaft vertheidigte — dieser Umstand machte sie verdächtig, unliebsam. — Endlich war sie Christkatholikin gewesen! — Schrecklicher Thatbestand! — Zwar hatte sie sich, nachdem sie die schnöde Maskerei des Christkatholicismus und die hinter der Maske entsetzlich hervorlauernden anarchischen Züge entdeckt, sogleich wieder mit Schauder und Grauen in die evangelische Kirche zurückgezogen; aber sie blieb immer ein verirrtes Lamm, auch nachdem sie sich bei der Herde wiedereingefunden.

Sie war also nicht „frei von Schuld und Fehle" und hätte sich sollen recht still und demüthig halten. Aber das gestattete ihr Charakter nicht. Sie sprach gern und richtete sich gern stolz in die Höhe. Und einmal in einer schwachen Stunde geschah es ihr, daß sie über die Predigten des Diakonus sprach — wie sie sich denn überhaupt gern als gelehrte Theologin geltend machte — und daß sie an denselben mancherlei zu tadeln fand. Das war nun allerdings ein crimen laesae majestatis. Die empörte öffentliche Meinung begann sich dumpf grollend aufzurichten, drohend mit dem Schwanze zu wedeln und sie mit flammenden, giftigen Feueraugen anzustarren.

Hätte sie sich nur jetzt wenigstens still und, wo möglich, jedes Unglück von sich fern gehalten, so wäre sie vielleicht noch zu retten gewesen. Denn das Ungethüm, öffentliche Meinung genannt, greift nur im allerhöchsten Zorne oder wenn einem ein Unglück zugestoßen ist, an. — Aber an jenem entsetzenreichen Abende, an welchen wir den Leser nur mit Widerstreben erinnern, schloß sie sich in unseliger oppositioneller Verblendung von der Kleinkinderbewahranstaltscommission aus, und gleich darauf hatte sie das Malheur, zu erfahren, daß ihr Neffe, auf welchen sie so stolz war, eine Millionärin abseits liegen lasse und einem armen Dinge, dessen Vater ein nichtsnütziger Schreiber oder so etwas war, nachlaufe. Und endlich behandelte sie diesen Neffen, der sie zu besuchen kam, so abscheulich, daß derselbe bei Nacht und Nebel ihr Haus verließ. —

Nun wars um sie geschehn! — Der Brief, welchen Olga an Robert schrieb, gibt uns eine ganz ungenügende, nur leise andeutende Schilderung von dem, was auf jenen Abend folgte. Die Hüblersche Familie wurde von dem Sittentribunal nicht blos in die Acht erklärt, mit dem Interdicte belegt, sondern Herr v. Pedell rückte des andern Tages dem armen, unschuldigen Rechnungsrathe in eigner Person zu Leibe und erklärte: „Die Räthin habe die gerechte Entrüstung der ganzen Einwohnerschaft von D. erregt. Sie habe mit schonungsloser Zunge den Ruf der ersten und angesehensten Familien angetastet. Sie taste ihn noch täglich an (mit der schonungslosen Zunge). Er, der Rechnungsrath, sei verantwortlich dafür. Als Edelmann — welchen er übrigens hier gar nicht hervorheben wolle — sei er, Herr v. Pedell, verpflichtet, diesem Unwesen Einhalt zu thun. Er fordere demnach kategorisch von dem Rechnungsrathe, der Zunge seiner Gemahlin einen Zügel anzulegen, widrigenfalls man wol wissen werde, was man zu thun habe!"

Sprachs, strich sich den unbeschreiblich blonden Bart und ging weg. — Der gute Rechnungsrath! Er hatte kein Wort der Entgegnung gefunden, solange Herr v. Pedell anwesend war. Jetzt, als dieser Herr ihn nicht mehr so nachtfinster anstarrte, fand er mehre:

„Es ist wahr," — sagte er bei sich — „Henriette besitzt die üble Eigenschaft, einem jeden, den sie nicht leiden mag, etwas am Zeuge zu flicken. Aber thun dies die Herren Tribunalsräthe denn nicht auch? — Nur daß sie ihre Nackenschläge in Glacéhandschuhen austheilen, während Henriette dieselben mit nackter, also ein wenig harter Hand spendet!"

Für ein paar Minuten hielt dieser humoristische Trostgrund an. Darauf aber, als sich der sanfte Mann bedachte, daß durch diese so klar ausgesprochne Eröffnung der Feindseligkeiten seine Bahnhofsfreuden in Frage gestellt seien, daß seine loci memoriales keine Zuhörer oder nur kalte, frostige, vielleicht gar ironisch lächelnde finden würden; als er an Robert dachte, den geliebten Robert, der so beleidigt und kalt von ihm weggegangen war, bei Nacht und Nebel weggegangen — da gerieth sein ruhiges, sanftes Blut in Wallung und er trat mit gefurchter Stirn in Henriettens Zimmer und sprach ernste, warnende, ermahnende, drohende Worte, und somit war auch der Hausfrieden gestört, und alle Gemüthlichkeit hatte ein Ende.

Hiob hat viel gelitten, es ist wahr. Aber er besang seine Leiden, besang das Kampfroß, den wilden Esel, den Leviathan, das Behemoth — und damit tröstete er sich. Der Rechnungsrath erfreute sich solchen

Trostes nicht. Er saß meist allein, in trübseliges Nachdenken versunken auf seinem Zimmer, krank an Leib und Seele, und lächelte nur dann einmal traurig vor sich hin, wenn Olga, dieser gute Engel des Hauses, leise zu ihm trat, ihm traulich und liebevoll ins Auge blickte und zuflüsterte: „Es wird alles wieder gut werden! Und Robert liebt Sie, wie er Sie immer geliebt hat! Fassen Sie nur Muth, lieber, guter Onkel!"

Und wenn sie dann wieder leise hinausgegangen war, das seelenvolle, engelgute Lächeln im Auge, dann schüttelte der alte Mann wehmüthig den Kopf und flüsterte: „Sie bildet sich ein, mich zu täuschen! Sie glaubt, ich sehe den Gram nicht, der an ihrem Herzen, ihrem engelguten Herzen nagt! — O, Robert, Robert, welche Perle hast du von dir geworfen! Du wirst es alle Zeit deines Lebens bitter bereuen!"

Olga aber ging vom Onkel hinüber zur Tante, welche jetzt stundenlang kalt und schroff am Fenster saß und kalt und zürnend hinab auf den Ring blickte und nach dem alten Rathhause und nach dem alten Raththurmseiger, der immer falsch ging. — Streng war ihre Miene, streng ihre Haltung und streng und rauh waren ihre Worte, welche sie absatzweise sprach, bald zu Olga, bald zu sich selbst.

Olga ertrug alles mit Engelsgeduld, der Tante

böse Launen, ihre verzweiflungsvollen und die ganze Welt verdammenden Reden, ihre Rauheiten und rücksichtslosen Kränkungen, ihre Ungeduld und ihren unbegründeten selbstsüchtigen Tadel — sie ertrug dies alles still und sanft und sprach nur hin und wieder einige milde Worte des Trostes, aber so besänftigend, so rührend und so zum Herzen dringend, daß selbst die Tante, fast wider Willen gerührt, einige Male an sie herantrat, ihr das wie Rabenschwingen glänzende Haar streichelte und zu ihr sagte: „Du bist gut, Kind; Gott segne dich für alles das, was du für unsre zerrüttete, unglückliche Familie gethan und geduldet hast!“

So gingen drei lange und bange Wochen über die zerrüttete, unglückliche, in die Acht erklärte Familie dahin, wie Gewitterwolken über ein Thal dahingehen, alles trübend, verfinsternd, bald Sturm, bald Regen, bald Donner und Blitz herabschleudernd und nur selten — ach, so selten einmal einen Sonnenstrahl hindurchlassend.

Gegen das Ende der dritten Woche kam ein Brief von Robert an. Ach, mit welchem Ausdrucke in Zügen und Stimme rief Olga, in das Zimmer tretend und den Brief in der Hand haltend (krampfhaft drückend): „Ein Brief von Robert!“ — Die wunderschönen

Gazellenaugen schauten so hoffnungs-sehnsuchtsvoll und wieder so bang, schüchtern, traurig. Die Wangen erglühten so feurig und erblaßten wieder so marmorartig, je nachdem eine süße Zuversicht oder eine düstre Ahnung den sprossenden Busen schwellte oder bedrückte.

„Ein Brief von Robert?“ — wiederholte die Tante, kalt und in gedehntem Tone — „An wen schreibt er?“ — fügte sie nachlässig hinzu.

„An — an — an den Onkel“ — versetzte Olga, mit purpurrothen Wangen auf die Aufschrift blickend.

„So gib ihn doch dem Onkel!“ — sagte die Tante kalt und streng und schaute wieder zürnend durch das Fenster.

Und Olga ging mit dem Briefe zum Onkel und gab ihm denselben; und der Onkel öffnete ihn mit fast zitternder Hand und mit einem ahnungsvollen Seufzer, welcher scharf in Olgas Seele schnitt.

Aus der geöffneten Umhüllung aber fielen der Briefe zwei heraus. — „Zwei!“ — hauchte Olga — und „zwei!“ — flüsterte der Onkel und reichte dem erbleichten Mädchen den einen davon mit den Worten: „An dich, mein Kind!“

Olga verbarg, erglühend, den Brief im Busen und blieb erwartungsvoll neben dem Stuhle des Onkels stehen. Der gute Onkel aber verstand sie, reichte ihr seinen Brief, und darauf las sie mit vor Bewegung zitternder Stimme:

„Theurer Onkel!

Soeben habe ich von Herrn Trenkmann den Auftrag erhalten, in einer wichtigen Geschäftsangelegenheit schleunigst nach London zu reisen. Wiewol mir nur noch drittehalb Stunden bis zur Abfahrt übrig bleiben, kann ich doch eine so große Reise nicht antreten, ohne von Ihnen, von der Tante und von Olga Abschied zu nehmen, ohne Ihnen zu sagen, daß alle Bitterkeit, aller Groll, kurz jedes unfreundliche Gefühl, welches jener unglückselige Abend vielleicht in mir aufgeregt haben könnte, aus meinem Herzen verschwunden ist. Lassen Sie mich hoffen, daß auch Sie alle drei, wofern in Ihnen ähnliche Gefühle gegen mich wach geworden sein sollten, dieselben unterdrückt und mir Ihre Liebe und Ihr Wohlwollen wiedergeschenkt haben.

Die liebwerthe Fama, welche in Ihrem kleinen D., wie allerwärts, so unermüdlich geschäftig und geschwätzig ist, wird Ihnen wahrscheinlich schon zugeraunt haben, daß Fräulein Helene Salzer nach dem Willen ihres Vaters die Familie Trenkmann verlassen hat, um die Wirthschaftsführung und Pflege einer alten Tante, welche weit weg von hier in einem polnischen

Dorfe lebt, zu übernehmen. Vielleicht dürfte der Umstand, daß ich nach diesem Ereigniß noch lebe und gesund bin, dazu beitragen, mich in der Achtung Ihrer vornehmen Welt wieder einigermaßen zu heben, was, wie ich nicht zu leugnen wage, mich unaussprechlich beglücken würde.

Nach meiner Rückkehr von London werde ich sogleich zu Ihnen eilen, um mich persönlich zu überzeugen, ob meine eben ausgesprochene Hoffnung mich nicht getäuscht hat. Gleichzeitig werde ich alsdann Veranlassung nehmen, Ihnen meinen braven Freund Beinling, von welchem ich Ihnen schon früher so viel Gutes und Liebes mitgetheilt habe, vorzustellen. Er wird sich Ihre ganze Zuneigung, das versichre ich Ihnen, im Sturmschritt erobern; er ist der beste Mensch, den ich kenne. — Mit ehrfurchtsvoller Liebe empfiehlt sich Ihnen und der Tante

Ihr

ergebener Neffe Robert."

„Nun, Gott segne ihn, den braven Jungen! Er hat mir eine schwere Last von dem Herzen gewälzt!" — sagte der gute Onkel, indem er einen sanften, heitern Blick auf die Nichte warf.

Aber Olga schaute gedankenvoll und fast traurig auf Roberts Brief, den sie noch immer in der Hand hielt, und welcher auf sie einen ganz andern Eindruck, als auf den Onkel, gemacht zu haben schien. Nach einer Weile fragte sie dann mit unsicherer Stimme und zu Boden geschlagenen Augen: „Geschieht es auf Ihren Wunsch, lieber Onkel, daß er uns seinen Freund, Herrn Beinling, vorstellen will?“

„Allerdings, allerdings“ — versicherte er eifrig — „wiewol ich diesen Wunsch nicht grade deutlich ausgesprochen habe. Er hat ihn errathen — er hat ihn errathen, der liebe, gute Junge.“

Olga seufzte schwer auf und schaute so trübselig, so kummervoll drein, daß der gute alte Mann betroffen aufblickte und eine Weile nachsann; darauf aber, als ob er entdeckt hätte, was ihr fehlte, — nämlich ein bischen Einsamkeit und Ungestörtheit, um den im Busen verborgnen Brief zu lesen — sprang er plötzlich in die Höhe, nahm ihr den an ihn gerichteten Brief aus der Hand und ging mit den Worten: „Ich will ihn Henrietten nur selbst vorlesen!“ aus dem Zimmer.

Und in der That zog sie, sobald sie allein war, hastig ihren Brief aus dem Busen, brach ihn hastig auf und las, abwechselnd erröthend und erblassend:

„Liebe, gute Olga!

Selbst auf die Gefahr hin, Dir eine tiefe Betrübniß zu verursachen, muß ich, um vor Deinen lieben, schönen Augen nicht besser und edler zu erscheinen, als ich in Wirklichkeit bin, Dir bekennen: Ich habe jenes arme Mädchen, für welches Du so große Theilnahme hegtest, nicht geliebt! Dieses „neuen schönen Charakterzuges“, welchen Du an jenem Abende gegenüber einer böswilligen, verleumderischen Gesellschaft an mir rühmtest, muß ich mich um der Wahrheit willen entkleiden!

Es ist wahr, es gab eine Zeit, wo ich Helene mit jenem glühenden, leidenschaftlichen Blicke betrachtete, welchen man der Liebe zuschreibt. Aber es war dies eine kranke, fieberhafte Glut, die Blickesglut eines Menschen, der sich, um zu vergessen, berauscht hat. — Was ich vergessen wollte, mußte, brauch ich Dir wol nicht erst zu sagen. Es steht schwarz auf weiß geschrieben von einer Hand, welche Dir nicht unbekannt sein kann!

Mögest Du, liebe Olga, in diesen Zeilen auch nicht die leiseste Spur eines Vorwurfs erblicken; es wäre ja abgeschmackt, wenn ich dergleichen hätte hineinlegen wollen. Erkenne darin vielmehr einen Versuch, einen Wunsch, mich zu rechtfertigen, zu rechtfertigen für die Zukunft! Von Dir der Selbstsucht und des Ehrgeizes angeklagt, dürfte ich später einmal leicht in den Fall kommen, dieser Rechtfertigung zu bedürfen.

14 *

Lebe wohl, liebe Olga, und gewähre wenigstens Deine Schwesterliebe immerdar

Deinem

getreuen Vetter Robert."

Olga knitterte den Brief mechanisch in der Hand zusammen und starrte vor sich hin. Sonderbar zuckte es um ihre Augen, ihre halbgeöffneten Lippen, ihre Grübchen — sehr sonderbar! Es war nicht Spott, nicht Verachtung, nicht Hohn, nicht Entrüstung, auch nicht Schmerz, was so sonderbar um ihre Lippen, ihre Grübchen, ihre Augen herumzuckte; es war aber etwas alledem ganz Aehnliches, täuschend Aehnliches. Zugleich oder vielmehr blitzschnell darauf schien eine fürchterliche Beklommenheit über sie zu kommen. Ihr Athem stockte, ihre Brust schien zusammengeschnürt zu werden, sie war dem Ersticken nahe. Sie rang wie mit dem Tode.

Endlich traten ihr Thränen in die Augen und mit dem Ausdrucke des allerhöchsten Schmerzes flüsterte sie: „Lebe wohl! Lebe wohl!"

Darauf wischte sie die Thränen aus den Augen und von den Wangen, verbannte vermittelst einer heroischen Anstrengung den Ausdruck des Schmerzes aus ihren Zügen, schob den zerknitterten Brief wieder in den Busen und ging dann langsam hinüber nach dem Zimmer der Tante.

„Ich verzeihe ihm, ich verzeihe ihm!" — sagte grade die Tante, als Olga eintrat — „Ich sagt es ja immer, daß er von jedem Falle sich wiedererheben, daß er nimmermehr untergehen würde. O, ich kenne ihn! Er ist ja von unsrem Geschlecht, unser Blut fließt in seinen Adern, unser gutes, gesundes Blut! Er weiß, was er sich, was er diesem Blute schuldig ist; ja er weiß es.

Die Tochter eines liederlichen Schreibers heirathen, ein armes Ding, das von der Gnade reicher Leute leben muß! Lieber hätt ich ihn todt, als so entehrt, so gebrandmarkt gesehn! Man hätte sich schämen müssen, unter die Leute zu gehn — o, diese Giftmäuler! Wie werden sie sich kränken und vor Neid vergehn, wenn sie hören, daß er sich nicht vergangen, nicht entehrt hat, daß er weiß, was er sich und unsrem Blute schuldig ist!"

Nach diesem erbaulichen Monologe streichelte sie, ganz vergnügt und erhoben, den schläfrigen Bibi, welcher sich von den Anstrengungen des Tages auf dem Sopha erholte, und versicherte ihm, daß sie ihm gut, sehr gut, und daß er ein artiges, sehr artiges Hündchen sei — wogegen er nicht den geringsten Widerspruch (etwa durch Knurren oder Bellen) erhob.

Der gute Onkel hatte sich den Monolog mit schicklichem Stillschweigen und gebührender Aufmerksamkeit angehört und das interessante und lehrreiche Schauspiel, welches mit Bibi aufgeführt worden, mit ernster, theilnehmender Miene angeschaut. Darauf aber ging er mit der Miene einer wagehalsigen Entschlossenheit nach seinem Zimmer, zog dort den naturellfarbnen Rock an, nahm den riesigen, äußerst durablen Regenschirm unter den Arm, — wiewol am ganzen Himmel kein Wölkchen sichtbar war — steckte drei Zettel aus einem gewissen Fache seines Schreibpultes zu sich und pilgerte sodann wieder zum ersten Male seit langer, grausam langer Zeit nach dem Bahnhofe.

Es ist sehr wunderbar, aber thatsächlich, daß das gestrenge Sittentribunal von D. an demselben Tage, an welchem Roberts Brief ankam, das Interdict, so über die Familie Hübler ausgesprochen worden, (ohne vorhergegangne Plenarsitzung und Abstimmung und Beschlußnahme) aufhob. Es ist noch wunderbarer, aber gleichfalls thatsächlich, daß besagtes Tribunal an dem nämlichen Tage schon von den Neuigkeiten, welche Roberts Brief an den Onkel enthielt, vollständig in Kenntniß gesetzt war.

Seitdem die Eisenbahnen und die kleinen Städte und die v. Pedells (männliche und weibliche) erfunden worden, gibt es kein Geheimniß mehr; und es wäre lächerlich, wenn jetzt noch ein Schriftsteller daran dächte „mystères“ zu schreiben.

Als der Rechnungsrath auf den Bahnhof kam, trat ihm sogleich Herr v. Pedell, nebst Anhang, höchst freundlich und cordial entgegen und gratulirte ihm.

Wiewol nun der gute, sanfte Onkel durchaus nicht wußte, wozu oder weshalb oder inwiefern man ihm Glück wünschte, so dankte er doch sehr warm und glückselig und versicherte, er habe ohne Zweifel am meisten unter den Mißverständnissen und Zerwürfnissen, welche kürzlich eine so bedeutsame Rolle in D. gespielt, gelitten, und er erlaube sich, der geehrten Gesellschaft die Neuigkeit mitzutheilen, daß sein Neffe, Robert, sich sehr wohl befinde und auf dem Wege nach London sei.

Worauf die Gesellschaft versicherte, daß sie „von allem“ in Kenntniß gesetzt sei, und daß sich ihre Gratulation eben darauf bezogen habe.

Als der Rechnungsrath gegen Abend wieder nach Hause ging, war er äußerst zufrieden mit seinem Tagewerke, lächelte sanft gegen den Mond hinauf — welcher zeitig aufgegangen war — redete liebreich zu den Hunden, welche ihn prahlerisch anbellten, und fand das Leben wieder erträglich. — Daheim erzählte er natürlich von dem huldvollen und liebenswürdigen Empfange, der ihm auf dem Bahnhofe zu Theil geworden war, worauf die Räthin, ein vornehmes „air“ annehmend, bemerkte: „Ah, also haben sie sich doch endlich entschlossen, uns Avancen zu machen! Ei, sehr verbunden! — Nun, ich hätte ihnen keine Avancen gemacht, lieber wäre ich aus diesem Neste fortgezogen! — Aber wir wollen sie immer noch ein wenig zappeln lassen!“

In der Nacht erfreuten sich die Hüblerschen Eheleute seit langer Zeit wieder einmal eines gesegneten Schlafes, blieben auch von Alpdrücken frei. Olga hingegen hatte viel mit bösen Träumen zu schaffen und war recht bleich, als sie am andern Morgen aufstand.

Als sie aber des Mittags alle drei bei Tische saßen, erging an die beiden Damen (die Räthin und Olga) von Seiten der Tribunalsräthe eine Einladung zum Gartenkaffee für den Nachmittag. Ein solcher Gartenkaffee bestand darin, daß die Gesellschaft vier Stunden hintereinander in einer Gartenlaube vor mehren Kaffeekrügen und Kaffeetassen (leer und voll, wie es grade kam) und vor einer Menge Butterschnitte und Zwieback und Semmel — geschmierter und ungeschmierter — saß und aß und trank und strickte und eine stets lebhafte und stets geistreiche Unterhaltung führte.

In der Regel bestand die Gesellschaft nur aus Damen; ausnahmsweise aber nahmen auch Diakonus

Schön und Herr v. Pedell daran theil, weil diese beiden sehr zart und fein im Umgange waren und also vollkommen zu der Gesellschaft paßten.

„Ich kann noch nicht bestimmen, ob ich theilnehmen werde;“ ließ die Räthin den Einladenden als Antwort sagen, wiewol sie bereits fest entschlossen war, theilzunehmen — „ich befinde mich nicht ganz wohl, und muß erst abwarten, ob mir besser werden wird.“ — „Man muß ihnen zeigen, mit wem sie es zu thun haben, da sie dies noch gar nicht zu wissen scheinen“ — fügte sie zur Erklärung gegen den Rechnungsrath und gegen Olga hinzu.

Die Tante ging also zum Gartenkaffee, und Olga mußte mit, wiewol das arme Mädchen lieber hätte Bäume fällen mögen, was ihr doch bei ihrer körperlichen Zartheit ungemein schwer geworden wäre.

Sie wurden beide mit holder Freundlichkeit und zarter Zuvorkommenheit empfangen. Auch der scharfsichtigste Zuschauer hätte nicht zu entdecken vermocht, daß es eine Zeit gegeben, wo die Räthin nicht die angesehnste und geachtetste und beliebteste Dame in ganz D. gewesen war.

Das Thema, worüber man bei diesem Gartenkaffee mit wirklich genialer Mannigfaltigkeit variirte, war: „Ihr Neffe wird also doch die Millionärin heirathen!“ — Nur eine einzige Person, nämlich die Landräthin, stimmte nicht mit in dies Thema ein; wie gewöhnlich spielte sie ihre Rolle als „Freudendämpfer“ mit außergewöhnlicher Fertigkeit. „Wenn nur der zehnte Theil unsrer Wünsche in Erfüllung ginge, dann bedürften wir keines Jenseits! Nicht wahr, liebe Räthin?“ — Durch solche und ähnliche Bemerkungen brachte sie Abwechslung in die meist stolzen und glückseligen Empfindungen der guten Räthin.

In solcher Weise also wurde das zerrissene Band der Freundschaft zwischen den Häuptern der beiden Parteien wieder zusammengeknüpft, und von jenem Tage an lebte man in süßer und liebenswürdiger Eintracht. Man unternahm gemeinschaftliche Spazirgänge und brachte solenne Gartenkaffees zu Stande; und damit bei solchen Gelegenheiten sich der „Ton“ der höchst exclusiven Gesellschaft nicht etwa „in spießbürgerliche Manier verflache“, pflegte Herr v. Pedell Saphirsche und zuweilen auch eigne Gedichte vorzutragen und geistreiche Gesellschaftsspiele (bei welchen gereimt und gedichtet und gesungen werden mußte) in Gang zu bringen, während Diakonus Schön mit der Räthin und seiner Mutter theologische Gespräche führte und die geistreichsten Ideen über das Schulwesen zu Tage förderte.

„Ich habe nichts dagegen," — sagte bei einer solchen Gelegenheit die Räthin einmal — „ich habe durchaus nichts dagegen, daß man für die Lehrer und Schüler Uniformen anschaffe, im Gegentheil ich liebe solche Abzeichen des Standes und wünschte, auch die Bäcker und Fleischer und die Schneider und Müller müßten gewisse Abzeichen ihres Standes tragen; ja ich fände es ganz in der Ordnung, wenn auch die Frauen durch Bänder oder Tücher oder dergleichen den Rang und Stand ihrer Männer zu erkennen geben müßten, — denn es wird heutzutage ein ganz erschrecklicher Unfug mit Sammet und Seide getrieben, und ich kenne eine Müllersfrau, welche sich ganz ebenso wie eine Gräfin kleidet — ich habe also durchaus nichts gegen die Uniformen; aber für viel wichtiger halte ich die Einführung von Wasch- und Reinigungstagen in der Schule. Man sieht entsetzlich beschmuzte Kinder herumlaufen, und ich glaube, es mag auch viel Ungeziefer unter ihnen geben. Wie soll aber ein Kind zum guten Menschen heranwachsen, wenn es immer unreine Hände hat und Schmuz im Gesichte und auf dem Kopfe vielleicht etwas noch Schlimmeres?"

Hierauf bewies der Diakonus mit der ihm eigenthümlichen Beredtsamkeit und Schärfe, daß der von der Räthin berührte Uebelstand schon durch die Einführung von Uniformen radical abgeschafft werden würde; denn man könne sich durch einen Blick auf das Militär leicht und deutlich davon überzeugen, daß sich die Uniform mit Unreinlichkeit und Ungeziefer absolut nicht vertrage.

Die Räthin gestand dies ein; und so ging man, vollkommen einig über den Gegenstand, auseinander.

Während aber der Onkel und die Tante seit dem Eintreffen von Roberts Briefe wieder höchst glücklich und zufrieden lebten und sich wieder in ihrer Weise der haute volée von D. anschlossen, schien Olga sich recht traurig und unglücklich zu fühlen, und suchte die Einsamkeit. Sie schloß sich sogar einige Male von den Spazirgängen und Gartenkaffees aus und stahl sich, wenn Gäste kamen, gern aus dem Zimmer unter dem Vorwande von Geschäften.

So war sie eines Morgens, als grade die Mutter des Diakonus einen Besuch abstattete, auch in die Küche gegangen, hatte dort allerlei Geschäfte besorgt und war ungemein erstaunt, als sie nach langer, langer Zeit wieder ins Zimmer trat, die angesehene, hochgeachtete und ehrwürdige Dame noch anzutreffen.

Indeß da sich dieselbe gleich darauf empfahl und wegging, so machte Olga weiter keine Bemerkung über ihre ungewöhnlich lange Morgenvisite, sondern setzte sich schweigend ans Fenster und begann zu nähen.

Währenddem ging die Tante sehr gedankenvoll im Zimmer auf und nieder, nickte und schüttelte abwechselnd mit dem Kopfe, murmelte abgebrochene, unverständliche Worte, warf gelegentlich einen schrägen, verstohlenen Blick nach dem Fenster, wo Olga saß, kurz sie benahm sich ganz unbegreiflich sonderbar.

Endlich setzte sie sich auf das Sopha nieder, schränkte die Arme über der Brust und rief mit einer gewissen Feierlichkeit in Ton und Miene: „Olga, mein Kind!“

Olga legte das Nähzeug aus der Hand, stand auf, näherte sich dem Sopha und fragte: „Liebe Tante?“

„Setze dich neben mich, liebes Kind;“ — versetzte die Tante — „ich habe dir etwas sehr Wichtiges und sehr Freudiges mitzutheilen.“ — Und als Olga neben ihr saß, fuhr sie fort: „Ich schätze mich recht glücklich, daß ich endlich im Stande bin, deine Anhänglichkeit an mich zu belohnen. Schon oft habe ich mit Angst und Sorge an deine Zukunft gedacht. Jetzt ist dieselbe gesichert: Der Diakonus hat um deine Hand angehalten, und ich habe sie ihm versprochen.“

Da Olga hierauf keine Silbe erwiderte, fuhr die

Tante mit sichtbarer Genugthuung fort: „Es berührt mich sehr angenehm, daß du diese Mittheilung nicht mit unpassender, stürmischer Freude entgegennimmst. Deine Verwandtschaft mit uns und mit Robert, welcher bald ein angesehner und sehr reicher Mann sein wird, berechtigt dich zu Ansprüchen, welche außer dir kein einziges Mädchen in ganz D. machen darf. Daher ist es sehr natürlich, daß der Diakonus grade dich und keine andere gewählt hat; und du bist es dir und unsrem Blute schuldig, durch dein Benehmen an den Tag zu legen, daß du dich durch seine Wahl weder außerordentlich geschmeichelt noch überrascht fühlest."

Hier hielt die gute Tante ein wenig inne und wartete auf eine entsprechende Danksagung der Nichte. Da aber durchaus nichts Derartiges erfolgte, so drehte sie, befremdet und fast unwillig, den Kopf nach der Seite und gewahrte mit unbeschreiblicher Verwunderung, daß Olga mit starrem Blicke und regungslos, wie eine bronzene oder marmorne Statue, neben ihr saß. — „Nun, Olga, was fällt dir denn ein? Hat dich denn die Freude närrisch gemacht?" Mit diesen Worten sprang die alte Dame von dem Sopha in die Höhe, und heftete ihre großen, stahlblauen Augen angstvoll auf die Nichte.

Die aber schlug jetzt ihre Augen flehend zu der Tante auf und sagte: „Verzeihn Sie, mir ist nicht wohl. Ich bin so erschrocken. Mir ist stets unheimlich in seiner Nähe; und jetzt will er mich gar zu seiner Gattin machen. Sonderbar!"

„Unheimlich in seiner Nähe — sonderbar!" — wiederholte die Räthin, die Hände in die Seiten stemmend und in dieser Positur einem großen, ungeheuern Kruge mit doppeltem Henkel ähnlich — „Hab ich dir nicht gesagt, daß ich, ich, deine Tante, seinen Antrag bereits angenommen habe, und willst du mich denn etwa zur Lügnerin machen? Einfältiges Ding! Deinetwegen also soll ich mich aufs neue mit aller Welt verfeinden? Soll wieder jenes Höllenleben führen, welches mich dem Grabe nahe gebracht hat? — Und eher sollst du mein Haus verlassen, mir nie wieder vor Augen kommen" —

„Schweig!" — sagte eine feste, männliche Stimme; und als die Tante sich umdrehte, stand der Rechnungsrath vor ihr und betrachtete sie mit jener ernsten, strengen und entschlossenen Miene, welche, wie sie wohl wußte, der Vorbote eines unerschütterlichen, eisernen Willens bei dem sonst so sanften Manne war — „Schweig!" sagte er fest und streng und dann gab er Olga ein Zeichen mit der Hand, aus dem Zimmer zu gehen.

Und als Olga weinend hinausgegangen war, fuhr er in festem und strengem Tone fort: „Sie wird dieses Haus, dessen guter Engel sie ist, nie wider ihren Willen verlassen, nie! Sie wird auch wider ihren Willen nie vor den Altar treten, nie! Sie hat es nicht um dich verdient, daß du sie erbarmungslos opfern willst, opfern aus conventionellen Rücksichten! Sie hat es nicht um dich verdient, daß du sie peinigst und marterst! Du bist selbstsüchtig, grausam, herzlos!" — Und als sie hierauf antworten wollte, fuhr er in lauterem und noch strengerem Tone fort: „Ich will Ruhe! Ruhe um jeden Preis! Darum laß ich dich schalten und walten, lasse dir deine Grillen und Launen, deine Rauheiten und Thorheiten, — du bist Herrin im Hause! Ich lasse alles geschehn, ich schweige zu allem; nur wenn es sich um das Schicksal von Robert und Olga handelt, da spreche ich, da befehle ich! Und wenn du nur einige Klugheit besitzest, so respectire diese Befehle!" — Sprachs und ging ruhig und gelassen aus dem Zimmer und suchte Olga auf.

Elftes Capitel.

Amandus Salzer saß an seinem trümmerhaften Tische und schrieb. Er schrieb einen Brief, einen Brief an sich selbst!

Die Sache hing aber so zusammen. —

Die goldnen Füchse, welche er so treffend mit den Kranichen des Ibikus verglichen hatte, waren nach Art echter Zugvögel nach kurzem Aufenthalte in seinem Schrank und in seiner Tasche wieder weggezogen. Fast die Hälfte davon hatte er seiner Tochter gegeben; denn er liebte diese Tochter unaussprechlich, er betete sie an. Und wenn diese Vaterliebe auch mit ein wenig Furcht verbunden war, so fehlte es ihr andrerseits auch nicht an Aufopferungsfähigkeit. Für Helene war dieser sinnliche, faule und selbstsüchtige Mensch im Stande, jedes Opfer zu bringen; nur vor der Hand hatte er ihr die Hälfte seiner goldnen Füchse geopfert. — Die andre Hälfte aber war eben — fortgezogen, vermuthlich in ein wärmeres Land! Nun gibt es aber Menschen, welche ohne Geld durchaus ungenießbar oder wenigstens schal und unerquicklich sind, — so wie Austern ohne Zitronensaft — und unter diese sonderbare, wiewol nicht so seltene Classe von Menschen gehörte auch Amandus. Da er sich dessen vollkommen bewußt und zu billig und rücksichtsvoll war, als daß er seinen Mitmenschen die Auster ohne Zitronensäure hätte aufdringen wollen, so beschloß er, sich um jeden Preis (außer um baares Geld, woran er eben Mangel litt) Geld zu verschaffen. Und bei dieser Gelegenheit hielt er folgende Rede:

„Wenn ich im Stande bin, einen Brief von meinem geliebten Kinde mit dem Poststempel irgend eines kleinen obscuren Städtchens von Oberschlesien, adressirt an den Actuarius F. A. Salzer zu B., an eine gewisse, fabelhaft reiche Dame zu übersenden, so ist gar nicht zu bezweifeln, daß mir dafür **250** Thaler in Gold baar und richtig ausgezahlt werden — quod inter omnes constat! Ein solcher Brief kann aber nur dann an mich gelangen und jener Dame übersendet werden, wenn er wirklich geschrieben und in besagtem obscuren Städtchen auf die Post gegeben wird — hic haeret aqua! —

Da ich aber meinem geliebten Kinde nicht zumuthen kann, solch einen fingirten Brief aufzusetzen, so muß ich mich dieser Arbeit eigenhändig unterziehen — dem Himmel sei Dank, daß er mich mit der unschätzbaren facultas ausgestattet, eine Handschrift erträglich nachzuahmen! — Quo facto, muß ich nolens volens die süße Gewohnheit der Civilisation abstreifen und nach Oberschlesien reisen, dort den besagten Brief auf die Post geben, hierher zurückkehren, ihn in Empfang nehmen — und — und die Früchte meiner Intelligenz, die goldnen, herrlichen Früchte, abpflücken! Dixi!“ — Nach dieser Rede belebten sich wieder seine Augen, welche in den letzten Tagen (wegen Mangel an Zitronensäure) ein mattes, glasartiges Aussehen angenommen hatten, und seine etwas fahlen Wangen färbten sich bläulich roth; und darnach zündete er eine Cigarre an — die letzte, die er aus der Quelle seines Credits geschöpft hatte — und schrieb den Brief.

Da seine Hand, so wie sein Kopf und seine ganze Person, zur Intrigue sehr geschickt und wie geschaffen war, so gelang ihm der Brief über die Maßen gut, und sein joviales Antlitz leuchtete vor innerer Befriedigung, als er denselben versiegelte und couvertirte. —

Hierauf erhob er sich, kreuzte die Arme über die Brust, senkte den Kopf gedankenvoll herab, ging in

15*

dem kleinen Zimmer auf und nieder und begann mit feierlichem Tone: Des Menschen erstes Recht ist das Recht zu existiren! Garantie der Arbeit ist zum Sprichwort geworden! Wehe dem Staate, welcher dem Individuum dieses Recht bestreitet, diese Garantie vorenthält! Wehe ihm, dreimal Wehe! Er beschwört dadurch einen moralischen, universellen Bankrott herauf, er zwingt das Individuum, seine Zahlungen einzustellen, die moralischen wie materiellen, und vernichtet die Grundsätze der Ehre und Ritterlichkeit! — Als ich noch ein Knabe war, scheute ich mich, meine geliebte (etwas einfältige) Mutter um ein winziges Stück Zucker zu betrügen. Warum? — Weil mir mein Vater das Recht der Existenz sicherte, und mein Schulmeister die Garantie der Arbeit übernahm. — O, süße unschuldsvolle Tage der Jugend! Und jetzt? — O, daß ich nie geboren wäre! Geboren, um von socialen Krebsschäden angefressen, von der nothwendig gewordenen Sittenlosigkeit der Zeit corrumpirt zu werden! Welt, dein Name ist Trug! Tyrannei, dein Name ist Capital! — Nun, so sei es denn! — ich wandle den Weg, welchen mir die Zeit und das Schicksal vorgezeichnet! —

Sprachs, kleidete sich an und wandelte, ein großes Paquet unter dem Arm, zu einem Juden, mit welchem er sehr bekannt und befreundet war. Nach einer langen und inhaltsreichen Unterhaltung mit demselben, empfing er gegen Ueberlieferung des besagten Paquetes zwei Fünfthalerscheine, welche er mit verachtungsvollen Blicken zu sich steckte. Ueberhaupt ging in dem Augenblicke, wo er die beiden Scheine in seiner Hand fühlte, eine vollkommene Verwandlung an ihm vor. Seine Gestalt richtete sich auf, seine Haltung wurde stolz und würdevoll, seine Augen fingen Feuer, und um seine Mundwinkel zuckte Verachtung, welche zum Theil dem Juden, zum Theil den schmuzigen „Papierfetzen" galt. — Hierauf stolzirte er, indem er mit seinem Stocke seine beliebten mathematischen Linien in der Luft beschrieb, nach dem oberschlesischen Bahnhofe und verlangte an der Kasse ein Billet dritter Classe „nach — nach — gleichgiltig, wohin!" —

„Wohin, mein Herr?" — fragte verwundert der Mann an der Kasse. —

„Gleichgiltig, wohin, sagte ich schon — sechszehn bis achtzehn Meilen weit — bin nicht bekannt in dem Lande hyperboräischer Barbarei!" —

Der Mann an der Kasse schüttelte mit dem Kopfe und schien einige Secunden lang unschlüssig; darauf aber gab er ein Billet „18 Meilen weit" und forderte Geld.

Amandus Salzer bezahlte, ging nach dem Passagierzimmer No. 1, verzehrte eine Buttersemmel mit

Caviar, trank einen Liqueur dazu, fragte eine Dame, welche grade in seiner Nähe saß, ob sie vielleicht auch nach Italien reise und benahm sich überhaupt verbindlich gegen jedermann. Indeß trotz seinen geselligen Talenten, seiner Höflichkeit und Gesprächigkeit machte er nur geringe Fortschritte in der Gunst und Freundlichkeit der Passagiere erster Classe. Man behandelte ihn ein wenig von oben herab, maß ihn mit nicht grade achtungsvollen Blicken und drehte ihm gelegentlich mit impertinentem Lächeln den Rücken.

Dagegen erwarb er sich schnell und leicht die Achtung und Aufmerksamkeit einiger Reisenden der dritten Classe, als er mit ihnen in dem Wagen saß. Man bewunderte sein Sprachtalent, seinen Witz, seine Haltung, seine sonore Stimme; und als er gar seinem Nachbar im Vertrauen entdeckte, daß er erster Komiker am Burgtheater zu Wien sei, und dieser Herr das Vertrauen insoweit belohnte, daß er das Geheimniß augenblicklich seinen Nachbarn zur Weiterbeförderung mittheilte, da erdrückte man ihn förmlich mit Artigkeiten, bot ihm Cigarren an, welche er mit liebenswürdiger Herablassung auch wirklich annahm und rauchte, studirte sein Mienenspiel, welches in der That sehr seltsam zu schauen war, und wollte sich ausschütten vor Lachen über seinen Humor, seine Komik und seine originelle Weise.

Auf jeder Station stieg er ab und nahm etwas Flüssiges zu sich, wobei er mehre Male die Bemerkung machte, daß man nirgends so angenehm reise, als in Rußland. „Denn —“ sagte er — „dieses ewige Absteigen und Fordern und Bezahlen ist gar zu langweilig. In Rußland bekommt man unterwegs nichts, absolut nichts. Daher führt man alles bei sich und braucht nicht abzusteigen, zu fordern und zu bezahlen.

Zudem sind die Postchaisen in Rußland größtentheils von Juchten gebaut, also sehr bequem, sehr comfortabel zum Reisen.“

Auf der letzten Station, d. h. auf derjenigen, welche das Ziel seiner Reise war, und wo er, wie er seinen Reisegefährten anvertraute, einen sehr vornehmen und hochgestellten Verwandten hatte, bat sich sein Nachbar zur Linken die Ehre aus, zum Abschiede noch ein Glas Wein mit ihm zu trinken. Amandus zögerte ein wenig, grade nur solange, daß sein Zögern noch nicht ganz für eine abschlägliche Antwort gehalten werden konnte, und darauf bewilligte er dem andern die Ehre und trank mit ihm ein Glas Wein.

Als der Reisegefährte nach Beendigung dieses Geschäfts ihm zum letzten Male die Hand gedrückt hatte und wieder in den Wagen gestiegen war, nickte ihm

Salzer noch einmal herablassend zu, drehte sich um und sagte bei sich: „mundus vult decipi, ergo decipiatur!“ Dem Mächtigen gehört die Welt! — aber nur scheinbar, nur scheinbar; in Wirklichkeit gehört sie dem Klugen! Es gibt eine Garantie der Schlauheit, wenn es auch keine Garantie der Arbeit gibt! Siehe die Acten der Diplomatie.“ —

Nachdem er in dieser Weise seine etwas schwanke Selbstachtung einigermaßen wieder befestigt hatte, ging er nach der Post. Grade als er den Brief, welcher ihm zur Goldquelle dienen sollte, dem Postbeamten durch das Fenster reichte, drängte sich ein bleicher junger Mensch neben ihn und warf einen raschen, spähenden Blick auf die Adresse des Briefes.

Die Sache war sehr auffallend und sehr verdächtig, und der Postbeamte hatte unsrem geehrten Freunde den Brief und das Porto dafür kaum abgenommen, als sich dieser mit echter Raufboldsmiene umkehrte, um das bleiche, jugendliche Individuum ein wenig näher in Augenschein zu nehmen.

Allein das Individuum war verschwunden, spurlos verschwunden, wie ein Irrlicht.

Da Herr Salzer aber keineswegs in der Stimmung war, Irrlichtern nachzujagen, so zuckte er nur ein wenig mit der rechten Schulter, wodurch er in gewissen Fällen seine Indignation auszudrücken pflegte, murmelte die Worte: „hyperboräische Manierlichkeit“ und ging dann zufriedengestellt nach dem Bahnhofe zurück, woselbst er sich durch Billardspielen, so wie durch verschiedentliche Schnäpse und Biere die Zeit solange vertrieb, bis er keines Zeitvertreibs mehr bedurfte d. h. bis er matt und steif auf den Beinen wurde, sich niedersetzen mußte und einschlief.

Er schlief aber bis spät am Nachmittag, wo der Zug kam und ihn wieder mit nach B. zurücknahm. Da er von dem langen Schlafen erst ordentlich schläfrig geworden war, so können wir von seiner Rückreise nichts Besonderes mittheilen, als daß er sie verschlief, und daß das blasse Individuum, welches wie ein Irrlicht im Postgebäude verschwunden war, mit ihm in demselben Wagen nach B. zurückfuhr, ohne daß er eine Ahnung davon hatte.

Was er am nächsten Tage unternahm und erlebte, werden wir aufs genaueste erfahren, wenn wir uns an diesem nächsten Tage, Nachmittags gegen 4 Uhr, hinaus in die Vorstadt zu der sanften, schwarzen, religiös-würdevollen Dame bemühn, bei welcher Herr Salzer die zwei Zimmer für seine Tochter und deren Mutter gemiethet hatte.

Diese ehrenwerthe Dame, in welcher wir dem Leser Frau Doctorin Hanke vorstellen — was für ein Doctor ihr verstorbener Gatte gewesen, und wo er gelebt und sie geliebt und geheirathet hat, ist bis jetzt noch nicht genau ermittelt worden — saß zu besagter Tageszeit in einem alten, großmächtigen Lehnsessel, brach mit unverkennbarer Hast und Neugierde einen Brief auf, welchen ihr der Briefträger soeben überbracht hatte und las wie folgt:

„Gestern morgen frühzeitig ging er mit einem Paquet unter dem Arm zu einem Juden. Von da ging er, ohne das Paquet, nach dem oberschlesischen Bahnhofe und löste ein Billet dritter Classe nach K.... Unterwegs gab er sich für einen Schauspieler aus Wien aus und behauptete, zu einem vornehmen, hochgestellten Verwandten nach K.... zu reisen. In K.... gab er einen Brief mit seiner eignen Adresse auf die Post. Die Abgabe dieses Briefes war der einzige Zweck seiner Reise, da er nach derselben nur getrunken und geschlafen hat und mit dem Abendzuge wieder hierher zurückgekehrt ist.

Heut morgen verließ er um 8 Uhr seine Wohnung und trug wieder einen Brief auf die Post mit der Adresse: „Fräulein Selma Trenkmann.“ — Als ich mich in dem Augenblicke, wo er den Brief dem Postbeamten überreichte, plötzlich an ihn herandrängte, um die Adresse zu lesen — ganz so wie ichs in K.... gemacht hatte — erkannte er mich. Wiewol ich ihm aber zum zweiten Male entwischt bin, so wage ich doch nicht, heut zu Ihnen hinauszukommen. Er könnte draußen mit mir zusammentreffen, und dann wäre das Geheimniß verrathen.

Der Brief an Selma Trenkmann war ziemlich dick, so daß ich vermuthe, der Brief, welchen er gestern von K.... aus an sich selbst abgeschickt, müsse drinnen gelegen haben, wiewol mirs nicht gelungen ist, zu entdecken, ob er den letzteren selbst von der Post abgeholt, (es müßte dies noch gestern Abend geschehn sein) oder ob ihm der Briefträger denselben überbracht hat. (Dies könnte nur heut früh, bald nach sieben, geschehen sein.)

Von der Post aus ging er wieder nach Hause. Gegen 12 Uhr fuhr ein eleganter Wagen vor seinem Hause vor. Eine vornehme Dame (jedenfalls Fräulein Trenkmann) stieg aus und ging in seine Wohnung, woselbst sie ungefähr zehn Minuten blieb. Einige Minuten nach der Abfahrt der Dame ging auch er aus. Zuerst in einen Cigarrenladen, und ich sah, daß er mit Gold bezahlte; darauf ging er in ein Weinhaus, woselbst er sich noch jetzt — Nachmittags 2 Uhr — befindet. N. N."

Diesen höchst ausführlichen und geheimnißvollen Brief, welcher dem ersten und größten Polizeicommissarius von ganz Deutschland Ehre gemacht hätte — wegen seiner Ausführlichkeit und der Präcision seines Stils — las die ehrenwerthe Dame zweimal hintereinander mit ernster Miene durch. Darauf starrte sie eine Weile sinnend auf den Fußboden, darauf las sie ihn zum dritten Male; aber diesmal mit jenem lauernden, perfiden Blicke einer Katze, welche die Maus vor sich sieht und sich zum Sprunge anschickt.

„Und jetzt wollen wir doch sehn, ob dieses Jüngferchen nicht mittheilsamer und fügsamer werden wird," — flüsterte sie mit einer herausfordernden, trotzigen Bewegung ihres edlen Hauptes — „jetzt wollen wir sehn!"

In diesem Augenblicke wurde dreimal stark an der Hausklingel gezogen.

„Das ist er!" — murmelte die Frau Doctorin mit der Miene des Triumphs; und darauf ging sie mit fast unhörbaren Schritten hinaus und öffnete.

„Ganz gehorsamster servus, schöne Frau; ich komme zu sehn, ob es meinen Schützlingen, den geliebten, an etwas fehlt."

Mit diesen Worten und mit strahlender, männlich-würdevoller und edelstolzer Miene trat Amandus Salzer in das Haus, blies der keuschen Pförtnerin einen Stoß Cigarrendampf ins Gesicht und war eben im Begriff, seines Weges weiterzugehen, als er einen sanften Arm auf dem seinen fühlte, und eine leise, zögernde Stimme die Worte sagen hörte: „Darf ich bitten, mir für einige Secunden Gehör zu schenken?"

„Tage, Nächte, Monate, Jahrhunderte lang meine Süßeste!" versetzte Herr Salzer unbedenklich und warf ihr einen Blick zu, vor welchem sie verschämt die Augen niederschlug, als wollte sie sagen: „O, schonen Sie meiner Unschuld!"

Hierauf verschloß sie leise und fast unhörbar — sie machte alles leise und fast unhörbar, die schüchterne Doctorin — die Hausthür und führte Herrn Salzer in ihr Gemach, wies ihm auf dem Sopha einen Platz an und nahm dann selbst in möglichst großer Entfernung von ihm und mit ernster, wiewol sehr sanfter Miene Platz.

Amandus seinerseits brachte nicht ohne Mühe seinen Körper in diejenige Lage und in seine Züge denjenigen Ausdruck, in welcher und mit welchem ein mächtiger Mann einen armen Teufel von Bittsteller anhört. Darauf sagte er: „Womit kann ich dienen, schöne Frau? Fassen Sie Zutrauen zu mir; ich bin nicht der Grausamste unter den Grausamen."

„Sie haben gestern eine Geschäftsreise gemacht, Herr Salzer?“ — fragte sie mit lispelnder Stimme.

„Sulzer, Sulzer — hab ich Ihnen, glaub ich, als meinen Namen angegeben.“ Er brachte diese Worte nicht ohne Anstrengung hervor und warf einen Blick auf sie, in welchem diesmal durchaus nichts lag, was ihre Verschämtheit hätte beleidigen können.

„O, der Name thut ja nichts zur Sache;“ — versetzte sie mild — „ich dachte nicht, daß eine solche Kleinigkeit, wie die Verwechslung zweier Namen Sie unangenehm berühren könnte. Doch um wieder zur Sache zu kommen, haben Sie gestern ein glückliches Geschäft gemacht? Oder eigentlich müßte ich fragen, heute, da —

„Was kümmern Sie meine Geschäfte?“ — platzte Salzer heraus, sprang mit ungewöhnlich blassem Gesicht und verstörter Miene von dem Sopha in die Höhe und wußte nicht recht, ob er ohne weiteres zum Zimmer hinauslaufen und dieses finstre, inquisitorische Haus auf ewig verlassen, oder ob er bleiben und diese unausstehlich neugierige Frau durch Haltung, Miene, Geberdenspiel und Worte einschüchtern, oder ob er gar klein zugeben und sich in sanfter, höflicher Weise mit ihr verständigen sollte.

Die Milch der Sanftmuth, welche stets seinen

Busen schwellte, bewog ihn, sich für das letztere zu entscheiden. Demgemäß legte er in seine Züge den Ausdruck milder Nachsicht und ehrlicher Freundlichkeit, näherte sich der keuschen Pförtnerin, bis er sich in der üblichen Distance eines vertraulichen tête-à-tête mit ihr befand, und sagte dann mit gutmüthigem, offenem Lächeln: „Sie sind eine kleine Schlange, mon coeur, und man muß Sie wol liebkosen und streicheln, um sich vor Ihrem“ — er wollte sagen: „„Bisse““, verbesserte sich aber und sagte: — „um sich vor Ihrem Zorne zu schützen.“

Sie schlug ihre Augen trübe zu der Decke auf und murmelte: „O!“ — Darauf schlug sie dieselben auf den Boden nieder und fuhr in unbeschreiblich sanftem und gewinnendem Tone fort: „Ich habe Sie keineswegs kränken wollen, als ich Bezug auf Ihr glückliches Geschäft von heute nahm. Jeder Mensch hat seine Geheimnisse, welche wir respectiren müssen. Und was kümmert mich auch Ihre Reise nach K....? Was der Umstand, daß Sie Briefe an sich selbst und an reiche, vornehme Damen schreiben? Was kümmert es mich, wenn solche reiche Damen Ihnen Besuche abstatten und Gold um sich herstreuen?“

Bei jedem Worte, welches sie lispelte, hatte Salzer das Gefühl, als ob er eine große Pille von Asa foetida hinunterwürgte. Demgemäß drückten seine Züge außer Verwunderung und Schrecken noch jämmerliches körperliches Uebelbefinden aus, so daß er wirklich einen recht merkwürdigen, mitleidswerthen Anblick bot.

Dessenungeachtet fuhr die Frau Doctorin unbekümmert fort:

„Ich weiß, daß Ihre gestrigen und heutigen Schritte nur im Interesse Ihrer Tochter geschehen sind. Und da auch ich mich lebhaft für das schöne Mädchen interessire, und da ich Ihnen in Betreff desselben einige Vorschläge zu machen habe, so nahm ich Bezug auf jene Schritte.

Nur aus diesem Grunde, das betheure ich Ihnen.“

Herr Salzer athmete erleichtert auf, setzte sich dann dicht neben die spröde Wittwe und sagte: „O, ich glaub es; o, ich glaub es wol!

Steht es doch auf Ihrer Stirn geschrieben,
Daß Sie die ganze Menschheit zärtlich lieben!“

Wiewol nun besonders das letzte Wort wieder etwas grell in die schüchternen Ohren der Dame tönte, so ermannte sie sich doch und begann wieder: „Ich habe große Pläne für die Zukunft Ihrer Tochter, wie Sie bald hören werden. Und wahrlich! Der gütige Himmel hat sie körperlich und geistig so reich und herrlich ausgestattet, daß es eine Todsünde wäre, wenn sie gleich einem duftigen Veilchen an finstrem, öden Orte blühen, verblühen und absterben sollte. Sie muß in die Welt, in die große Welt, muß sich einen Platz unter den Hohen und Bevorzugten der Erde erringen; sie darf ihr Licht nicht unter den Scheffel stellen.

„O, edle Rednerin!" — rief Herr Salzer, wie in Verzückung, und küßte ihr, der sich Sträubenden, die edle (wiewol ein wenig magre) Hand — „O, herrlich! divin! fabelhaft!"

Sie schüttelte aber sanft ablehnend das Haupt, als wollte sie sagen: „Mein Reich ist nicht von dieser Welt!" — und fuhr dann fort: „Leider besitzt Fräulein Helene eine Zurückhaltung, welche fast der Ihrigen gleichkommt. Und da ich doch nun ihrer Zukunft willen mit ihrer Vergangenheit einigermaßen vertraut sein muß, so blieb mir nichts übrig, als daß ich mir die nöthigen Aufklärungen, da ich dieselben weder von Ihnen noch von Ihrer Tochter zu erhalten vermochte, auf einem Wege verschaffte, den ich Ihnen vielleicht später einmal angeben werde, jetzt aber vor der Hand verschweigen muß. Ich kenne Ihre Beziehung zu Fräulein Selma Trenkmann, Ihren wahren Namen, Ihre Verhältnisse; nur wünschte ich die Umstände, welche mit der Verbergung und Geheimhaltung Ihrer

Tochter verknüpft sind, einmal recht ausführlich aus Ihrem Munde zu vernehmen, da ich nicht leugnen will, daß mir noch einiges davon dunkel und unklar ist. Ich werde sodann Ihr Vertrauen dadurch erwidern, daß ich Ihnen in Bezug auf Helene Aussichten eröffne, welche Sie ohne Zweifel mit Stolz und Freude erfüllen werden."

Herr Salzer, welchen die angedeuteten schönen Aussichten seiner Tochter, ohne daß er noch eine Silbe davon wußte, schon in die höchste Begeisterung versetzten — weil er ein warmer Freund guter Aussichten war, und die größte Zeit seines Lebens davon gelebt und sich durch dieselben stets aufrechterhalten hatte — und welcher vermittelst jenes Scharfblickes, der ihm in allen Dilemmen, Alternativen und Krisen des Lebens eigen war, augenblicklich entdeckte, daß er im Bunde mit dieser sanften, züchtigen und frommen Dame eher 100 Thaler gewinnen würde, als einen, wenn er sie zur Gegnerin hätte, entschloß sich unbedenklich zu vollkommner Offenheit und begann: „Der Himmel gewährt uns armen Sterblichen zuweilen eine Stunde der Seligkeit, damit wir darüber die Fatiguen des Lebens vergessen mögen. Solch eine Stunde feire ich jetzt, indem ich Ihnen, herrliche Frau, mein Herz mit allen Muskeln, Fasern und Nerven nackt vor Augen lege.“ — Bei dem Worte „nackt“ zuckte ein leichter Schauder durch die Glieder der Doctorin, weshalb er wartete, bis sie sich von dem Schreck erholt hatte, und dann also fortfuhr: „Sie sind die vollendetste Diplomatie, welche mir in meiner langen Praxis — wiewol vita nostra brevis est — vorgekommen ist. Sie haben meine kleinen Geheimnisse auf wahrhaft geniale Weise erlauscht; und ich entsinne mich jetzt eines blassen, jungen Mannes, der mir nach K.... gefolgt ist, mir auf dem Postamte neugierig über die Schulter geblickt hat 2c. 2c. Weit entfernt — longum abest — Ihnen deshalb zu zürnen, werde ich Ihnen vielmehr, wie schon erwähnt, grade deshalb mein ganzes Herz erschließen.“

Und er erschloß ihr sein Herz und erzählte ihr, der Wahrheit getreu, (wiewol mit einigen unerheblichen Ausschmückungen) was der Leser schon weiß und darum nicht noch einmal zu hören braucht.

Es ist leider unmöglich, zu erklären, welchen Eindruck die Erzählung auf die Dame gemacht hat, insofern sie dieselbe mit sanftem, milden Blicke anhörte und auch nach deren Beendigung weiter nichts äußerte, sondern mit würdevoller und dabei sanfter, milder Miene zu Boden schaute.

Endlich, nachdem Herr Salzer die Cigarre, welche

ihm während des Erzählens ausgegangen war, wieder angebrannt hatte, — er trug stets ein wasserdichtes Feuerzeug (ohne Phosphorgeruch) von A. M. Pollak in Wien bei sich — räusperte sie sich ein klein wenig, faltete die Hände über dem Schoße und begann: „Hören Sie mir aufmerksam zu, Herr Salzer!

Es lebt hier in B. eine reiche, gräfliche Familie — der Name thut vor der Hand nichts zur Sache. — Der Graf ist Katholik, wiewol leider nicht ein so guter, als er sein sollte. Die Gräfin aber ist Protestantin! Ihre Kinder — zwei Knaben und zwei Mädchen — sind verschiedener Religion; die Knaben (nach dem Vater) katholisch, die Mädchen (nach der Mutter) protestantisch. Die Welt behauptet, die beiden Eheleute leben glücklich miteinander; ich glaube es nicht, denn die heilige Jungfrau hat ihre Ehe nicht eingesegnet. Wie dem auch sei, zum Heile unsres Glaubens, welcher sich besonders in dieser sündigen, ungläubigen Zeit rein und unvermischt erhalten muß, ist es wünschenswerth und als ein segensreiches, frommes Werk anzusehn, diese gemischte Ehe, welche in Zukunft doch nur Unheil herbeiführen kann, aufzulösen und die unglücklichen Mädchen in den Schoß unsrer Kirche überzuführen.

Dieses schöne, heilige Werk soll Ihre Tochter übernehmen.

Amandus Salzer erschrack sichtlich vor diesen Worten. Auf eine so ernste Sache war er nicht gefaßt. Wiewol er ohne Gewissensbisse und mit Vergnügen einen „Geniestreich" ausübte und gar oft ausgeübt hatte, — er nannte diese Lust an Geniestreichen eine noble Passion und verstand unter Geniestreich die Manier, aus den Tyrannen der Erde, den reichen Leuten, etwas Geld vermittelst List und Pfiffigkeit „herauszuschlagen" — so war er doch frei von aller Bosheit und Tücke, und wenn er einen Bösewicht und Schurken ins Gefängniß schleppen sah, so schlug er an seine Brust und sagte: „Herr ich danke dir, daß ich nicht bin wie dieser da!" — Was aber seine Tochter betraf, so war er noch viel strenger und gewissenhafter, indem er ihr nicht einmal einen Geniestreich zumuthete und in Bezug auf sie stets behauptete, Erbsünde sei Narrheit; denn wie käme seine Tochter dazu, daß sie für die Gelüstigkeit der Eva büßen sollte.

Demgemäß erschreckte ihn der etwas kühne Vorschlag der Frau Doctorin — zumal da er in Glaubenssachen sehr aufgeklärt und tolerant war — und nach kurzem Nachdenken fragte er ein wenig kleinlaut: „Aber wie sollte Helene, mein geliebtes Kind?" —

„Hören Sie nur weiter!“ — versetzte die gottesfürchtige Dame mit gewinnendem Lächeln — „die gräfliche Familie sucht eine junge, gebildete Dame zur Erzieherin der beiden Mädchen. Da ich einiges Zutrauen in der Familie besitze, so würde ich leicht im Stande sein, ihrer Tochter diese Stellung als Erzieherin zu verschaffen.

Und wer möchte sich zu einer solchen Stellung auch besser eignen, als Helene? Sagen Sie selbst!“

Herr Salzer konnte nicht umhin, diese Frage durch ein nachdrucksvolles Nicken mit dem Kopfe zu bejahen, worauf die Dame fortfuhr: „Helene ist schön — ich habe nie ein so schönes, herrliches Mädchen gesehn“ —

„Beim Jupiter, beim Wischnu! auch ich nicht!“ — fiel Herr Salzer mit feierlicher Stimme ein.

„Sie ist außerdem gewandt, geistreich, kühn und eine echte katholische Christin. Mit diesen Eigenschaften ausgerüstet, wird sie die Rolle, welche man ihr zugedacht, vollkommen durchführen; und wenn irgend jemand fähig sein sollte, den Grafen zu der Einsicht zu bringen, was er sich, seinen Kindern und seinem Glauben schuldig ist, so wird es Helene sein!“

Bei seiner väterlichen Eitelkeit, seiner schwächsten Seite, angegriffen, war Herr Salzer leicht besiegt und nickte abermals bejahend mit dem Haupte, worauf die

Rednerin, sichtlich befriedigt, wieder also zu reden anhob: „Es wird dann ganz Ihrer Tochter überlassen sein, ihre Bestimmung zu erfüllen, sich zur vornehmen, hochgestellten Dame, vielleicht zur Gräfin zu machen. Ich meinerseits bezweifle keinen Augenblick, daß sie ihre Bestimmung erfüllen wird."

Da Herr Salzer nach diesen Worten einen leichten Schwindel empfand, welcher seiner Ansicht nach von Congestionen nach dem Kopfe herrührte, so erhob er sich, kreuzte die Arme über der Brust und schritt hastig im Zimmer auf und nieder, in der Absicht, dadurch eine regelmäßige Circulation des Blutes wiederherzustellen. Dabei glitten ihm unwillkürlich die Worte über die Lippen: „Eine Gräfin! — mein Kind eine Gräfin! — beim Brahma! sie verdients! — me Hercule! sie ist dessen würdig! — süßer, seliger Gedanke! — holder Traum eines verzückten Vaterherzens!" — Und nach diesen Worten verging ihm der Schwindel, dafür aber stellte sich eine fürchterliche, ihn fast erstickende Brustbeklemmung ein.

Die ehrwürdige Dame ihrerseits blieb unbeweglich wie zuvor auf ihrem Stuhle sitzen. Nur betrachtete sie Herrn Salzer jetzt, wo sie wußte, daß sie nicht betrachtet wurde, wieder mit jenem lauernden, katzenartigen Blicke, welcher ihr in gewissen Augenblicken und Situationen eigenthümlich war, und welcher mit ihrem Aeußern und mit ihrem Innern am besten im Einklang stand.

Plötzlich pflanzte sich Amandus Salzer, gleichsam wie eine unübersteigbare, eine chinesische Mauer, mit den Worten vor sie hin: „Aber sie wird nicht wollen! sie wird nicht wollen! Und ich werde sie niemals zwingen, beim Weltall, nie!“

Die Frau Doctorin lächelte demuthsvoll und bescheiden und versetzte dann mit dem Ausdrucke frommer Zuversicht: „O, sie wird schon wollen! Ueberlassen Sie das mir. Wir Frauen begreifen einander besser, als uns die Männer begreifen. Sie wird schon wollen, besonders wenn sie hören wird, daß ihre eigne Mutter, an welcher sie mit inniger Zärtlichkeit hängt, es wünscht und darum bittet, daß sie das Gott wohlgefällige Werk unternehme!“

„Meine Frau?“ — fragte Herr Salzer überrascht.

„Ihre Frau“ — erwiderte die Dame mit frommem Eifer — „ist eine zu gute katholische Christin, als daß sie es nicht wünschen, nicht darum bitten sollte.“

„Unwiderstehliche!“ — rief Herr Salzer, sie mit aufrichtiger Bewunderung betrachtend, während sie züchtig und scheu die Augen zu Boden schlug — „Was ist Talleyrand, Macchiavell neben Ihnen? — Ein Nichts — ein Vacuum!"

Wir beschließen hier unsre Mittheilung über dies tête-à-tête, weil zwischen den beiden têtes nichts weiter von Wichtigkeit verhandelt wurde.

Als Herr Salzer die fromme Wittwe verlassen hatte, (ohne nachzusehn, ob es seinen Geliebten an etwas fehle) ging er nach der Stadt zurück, machte dann einen Spazirgang um die Promenade, um seine wild durcheinanderstürmenden Gedanken zu ordnen, und kehrte darauf in einem Weinhause ein, um zu Abend zu speisen. (Den Bierkeller verschmähte er jetzt, als wahrscheinlicher Vater einer Gräfin, als welcher er gewisse Rücksichten zu nehmen hatte).

Was die Frau Doctorin betrifft, so rückte sie nach Salzers Entfernung vor dem Spiegel ihre Haube zurecht, entfernte das boshafte, tückische Lächeln aus ihrem Gesicht, legte wieder Sanftmuth, Milde, Züchtigkeit und Frömmigkeit hinein und verfügte sich sodann mit leisen, unhörbaren Schritten nach den Zimmern, welche Helene mit ihrer Mutter bewohnte.

Helene war allein — was die fromme Dame natürlich recht gut wußte — und las in einem jener französischen Romane, welche die Phantasie eines jungen Mädchens, besonders eines Mädchens wie Helene war, im höchsten Grade entzünden und auf Irrwege leiten.

Helene befand sich offenbar in einem Zustande großer Aufregung. Ihre Augen flammten, ihre Wangen glühten. Sie nahm die Störung, welche ihr der unwillkommene Besuch verursachte, mit allen Zeichen des Aergers und Unwillens auf.

Nichtsdestoweniger setzte sich die fromme Dame sanftlächelnd neben sie und begann in liebevollem, zärtlichen Tone:

„Ich merke wol, daß ich Sie störe, liebes Fräulein. Indeß Sie werden mir bald Dank wissen, daß ich Sie gestört habe. Denn vielleicht werde ich im Stande sein, die stillen Wünsche und Träume, welche ich soeben bei Ihnen unterbrochen habe und welche durch Ihre Lectüre angeregt worden, in volle Wirklichkeit umzuwandeln. Wenigstens werde ich Ihnen die Mittel an die Hand geben, dies zu thun.

Vor allen Dingen muß ich bitten, Ihre strenge, allzustrenge Zurückhaltung gegen mich abzulegen. Ich bin mit all Ihren Verhältnissen bekannt und werde Sie sogleich davon überzeugen."

Und nachdem sie Helene vollkommen davon überzeugt hatte, gab sie ihr die Mittel an die Hand, ihre stillen Wünsche und Träume zu verwirklichen. „Es ist der Wunsch Ihres Vaters," — so schloß sie — „es ist der Wunsch Ihrer frommen und verehrungswürdigen Mutter, daß Sie dies schöne und heilige Werk beginnen und vollenden. Es wird Ihnen zum Heil und zum Ruhme diesseits und jenseits gereichen."

Helene starrte sinnend vor sich hin und man konnte auf ihrem Gesichte die stürmischen Gefühle erkennen, welche durch ihr Inneres brausten. Plötzlich legte sie ihre brennende Hand auf den Arm ihres Gastes und sagte mit einer Stimme, welche vor Bewegung zitterte: „Morgen, morgen werd ich Ihnen Antwort sagen!"

Zwölftes Capitel

Herr Beinling fand gar kein Vergnügen mehr an der Welt und ihrem Getreibe. Er war ein zweiter Hamlet geworden — nur daß er viel magerer als Hamlet war und keine Rachepläne, ja überhaupt gar keine Pläne mehr hegte. Er hielt gern lange Monologe, indem er Betrachtungen über die Eitelkeit, Narrheit, Verkehrtheit und Bosheit der Menschen anstellte und er beschloß seine Reflexionen in der Regel mit dem Hamletschen Gedanken: „Welt? — Was noch sonst? — Nenn ich die Hölle mit?"

Zwar besuchte er keine Kirchhöfe und nahm nie einen Todtenschädel in die Hand; — sein immer noch reger Sinn für Sauberkeit und Reinlichkeit widerstrebte solchem Thun, und trotz allem Kummer und aller Melancholie hielt er nach wie vor auf feine, reine Wäsche und steife, wohlgeplättete Vatermörder — aber er fand andre Gegenstände genug, an welche er seine trüben, düstern Betrachtungen anknüpfen konnte. So z. B. schrieb er nie eine große Zahl nieder, ohne daß er bei sich sagte: „Was für ein Sinn liegt in dieser Zahl? — Gar keiner! Denn wenn ich nichts dahinter schreibe — (Pfennige, Silbergroschen, Thaler) — so bedeutet sie nichts, gar nichts. Ja, auch dann bin ich noch keineswegs im Klaren; denn ich muß erst nachsehn, ob sie unter die Rubrik Ausgabe oder Einnahme, Haben oder Sollen, Activa oder Passiva gehört. — Und so, wie diese Zahl, hat kein Ding im Leben an sich eine Bedeutung; erst das Dahinter und das Darüber gibt sie ihm!“

Man sieht, er fing schon an die Realität, das Ansichsein der Dinge zu bezweifeln; — wohin konnte er sich nicht noch verirren, wenn er nicht bald einen Wegweiser fand? — Es war aber auch eine fatale, widerwärtige Lage, in welcher er sich befand. — Alles was er liebte, hochschätzte, verehrte, hatte ihn verlassen. — Robert war fort, sein Principal war abwesend, Moll ließ sich nirgends sehn und Strolph saß im Gefängniß. Selma aber, mit welcher er des Tages wol ein paar Mal zusammenkam, war so einsilbig, so melancholisch wie er, und schien sich in seiner Gesellschaft und unter seinem ernsten, fast vorwurfsvollem Blicke höchst unbehaglich zu fühlen. — Nun bedurfte aber Herr Beinling des Wohlwollens, der Liebe, der Freundschaft und des Lächelns wenigstens einiger Menschen so dringend nothwendig zu seiner geistigen Existenz, als er des Essens und Trinkens zu seiner körperlichen Erhaltung bedurfte. Demgemäß lag sein hungerndes Herz wegen Mangel an der nothdürftigsten Nahrung matt und krank darnieder und drohte, wenn nicht bald Hilfe käme, gänzlich zu verscheiden.

Hierzu kam noch, daß ihm jetzt, da er allein und noch dazu melancholisch war, die Geschäfte so über den Kopf wuchsen, daß er sie gar nicht mehr übersehn, geschweige denn überwältigen konnte. Welchen Eindruck dies auf den fleißigen, pflichttreuen, pünktlichen Geschäftsmann machte, kann man sich denken, und es half ihm zu nichts, daß er des Tages einige Loth Schnupftabak mehr als sonst verbrauchte, umsoweniger als er auch auf die stärkste Prise nicht niesen durfte, also keine heilsame Erschütterung der Kopfnerven und keine damit verbundene Erleichterung zu erwarten hatte.

Endlich noch das Schuldbewußtsein in seiner Brust, die Gewissensbisse wegen seiner Theilnahme an der Intrigue gegen Robert und Helene! — War er nicht in der That der unglückseligste aller Buchhalter und Disponenten?

Manchmal freilich, wenn er eine schöne Oper anhörte, — denn das that er trotz seiner Schwermuth — und wenn sein Herz, das matte, kranke, von der süßen Speise erquickt, sich von dem Krankenlager ein wenig aufrichtete, dann sagte wol eine Stimme in seinem Innern: „Undankbarer! Was hast du für Ursache, unzufrieden und unglücklich zu sein? Hast du einen Freund verloren? Ist dir eine Geliebte untreu geworden? Steht dein guter Ruf auf dem Spiel? Hast du Nahrungssorgen? Oder worüber beschwerst du dich denn? Auf Trennung folgt Wiedersehn; Entbehrung würzt den darauf folgenden Genuß. Also sei ein Mann, thu deine Schuldigkeit und richte den Kopf in die Höhe!“

Nach solchen Mahnungen that er denn auch wirklich seine Schuldigkeit und richtete den Kopf in die Höhe; aber daheim, daheim an dem alten wurmstichigen Pulte begann das kranke Herz wieder zu jammern und der Kopf senkte sich wieder schwer auf die Brust hernieder.

Eines Sonntags früh — er war den Abend vorher wieder in der Oper gewesen und die innere Stimme hatte sich stärker als jemals hören lassen —

warf er sich mit ernster, entschlossener Miene in seinen Sonntagsstaat (er bestand, wie wir wissen, in: schwarzem Frack, weißer Piquéweste, schwarzer Hose, glanzledernen Stiefeln und gelben Glacéhandschuhen) und ging aus.

Er lustwandelte aber ungefähr eine halbe Stunde auf der Promenade umher, indem er sich gelegentlich die Schwäne und Enten in dem Stadtgraben betrachtete und dabei leise den Wunsch aussprach, gleich diesen lieben Thieren Flügel zu besitzen. Darauf stand er plötzlich still, sann eine Weile nach und sagte: „Es wird mir gut thun; es wird mir ganz gewiß gut thun. Es sind liebe Leute, er und sie, sehr liebe Leute!" — worauf er die Promenade verließ und in die Stadt zum Assessor Moll ging.

Als er an Molls Thüre geklopft hatte, etwas leise und zögernd, hörte er drinnen im Zimmer ein herzhaftes Gelächter, worüber er sich ausnehmend wunderte, und gleich darauf rief Molls Baßstimme das übliche „Herein!"

Als Herr Beinling eingetreten war, blieb er fürs erste, aufs höchste überrascht und vor Ueberraschung ganz sprachlos, einige Secunden bei der Thür stehn. — Der Anblick, der sich ihm darbot, war aber auch in der That höchst seltsam und überraschend.

Auf dem Sopha, einem alten, mit schwarzem Zeuge überzogenen Sopha saß Moll, seine Frau in zärtlicher Umarmung haltend, welcher sie sich bei dem Eintreten Beinlings vergeblich zu entziehen bemühte. — Ihre Wangen waren leicht geröthet, ihre Augen verschämt niedergeschlagen. Sein Gesicht strahlte von heiterer Laune und gutmüthiger Schadenfreude.

Auf ihrem Schoße kniete ein Knabe, auf seinen Knien ein zweiter; und beide waren dem lachenden Vater nach Kräften behilflich, die widerstrebende Mutter in der Umarmung festzuhalten. Ein dritter Knabe, der älteste, stand, sich mit den Armen auf die Sophalehne stützend, daneben und schaute, Thränen der Lust und Freude in den Augen, dem lustigen, fröhlichen Spiele zu.

So etwas hatte Herr Beinling in seinem Leben noch nicht gesehn. Daher können wir ihm auch nicht verargen, daß er, wie vom Blitze getroffen, mit offenem Munde und starren Augen einige Secunden bei der Thür stehen blieb, bis Moll lachend aufsprang, zu ihm trat, ihm die Hand drückte und wieder lachte, während Molly nach einer freundlichen Verbeugung gegen den Gast die Kinder bei der Hand nahm und mit ihnen ins Nebenzimmer ging.

„Verzeihen Sie, wenn ich" — stotterte Herr Beinling.

„Keine Redensarten, alter Freund!“ — versetzte Moll, den Befangenen nach dem Sopha ziehend — „Wir haben einander nichts zu verzeihen. Ich meinerseits freue mich herzlich, daß Sie zu mir kommen; und Sie werden sich über die Scene, welche wir aus der Komödie „Eheglück“ soeben aufgeführt, hoffe ich, auch gefreut haben. Zum genaueren Verständniß muß ich Ihnen noch mittheilen, daß Molly, mein Weib, wiewol sie stündlich drei lärmende Bengel, also drei schon ziemlich reife Früchte unsrer Liebe, um sich sieht, dennoch zuweilen schrecklich spröde gegen mich thut. Und dafür hatt ich mir längst vorgenommen, sie zu bestrafen. Heut ist mir dies endlich gelungen; und nun nach dieser im Grunde ganz überflüssigen Erklärung heiß ich Sie noch einmal willkommen.“

Molls Worte, seine Stimme, seine Miene, sein ganzes Wesen übte auf Herrn Beinling einen sehr gewaltigen Einfluß aus. Denn er fühlte sich mit einem Male wieder ganz wohl, ganz muthig, heiter, lebenslustig, aller Melancholie baar und ledig. Auch seine Befangenheit war plötzlich verschwunden; und so drückte er dem theuern Freunde mit Wärme die Hand und sagte: „Sie sind ein glücklicher Mensch und das Glück steckt an; denn seit ich bei Ihnen bin, fühle ich mich auch glücklich.“

Moll machte eine Miene, welche deutlich ausdrückte: „Um das Glück ist es eine eigne Sache; und wenn Sie mich gleich heut ganz glücklich sehn, so ist damit noch keineswegs bewiesen, daß ichs z. B. auch vorgestern war.“ — Hierauf entgegnete er, ernst vor sich hinschauend: „Da sie grade von meinem Glücke sprechen, so muß ich Ihnen doch sagen, daß dasselbe erst gestern, plötzlich und wie ein Dieb in der Nacht, über mich gekommen oder vielmehr zu mir zurückgekehrt ist. Ich war einige Wochen krank, krank am Gemüthe. Ist das aber eine abscheuliche Krankheit, die des Gemüths. Macht uns finster, düster, ungerecht, rücksichtslos, unausstehlich. So bin ich einige Wochen finster, düster, ungerecht, rücksichtslos, unausstehlich, ein wahrer Plagegeist, ein Alp für meine Familie gewesen. Das macht mir keine Ehre; sag es auch nicht der Ehre wegen, sondern sag es, weil es Wahrheit, nackte Wahrheit ist. Bin kein Herrgott, hab meine guten und bösen Stunden, wie alles, was Mensch heißt. Punktum!

Nun sehen Sie, die ganze Zeit über, wo ich so gemüthskrank und unausstehlich war, hat mir meine Molly keine böse, zürnende oder nur schmollende Miene gezeigt, wozu sie doch offenbar ein Recht gehabt hätte, da die Gemüthskrankheit eines Ehegatten entweder eine Narrheit oder etwas noch Schlimmeres ist. Sie hat mir vielmehr alles aus dem Wege geräumt, was Aergerniß hätte verursachen können, sie hat mich so zart, so sanft, so rücksichts-, so liebevoll behandelt, daß die ganze Herzlosigkeit eines halb närrischen Mannes dazu gehörte, um ihr drei ganze Wochen lang zu widerstehn. Gestern endlich bin ich wieder zur Besinnung gekommen; gestern endlich hab ich die Spukgestalten aus meinem Kopfe gejagt und bin wieder ein glücklicher Mann geworden. Und was Sie bei Ihrem Eintreten hier auf diesem Sopha gesehn haben, hängt offen gestanden, mehr mit dem zusammen, was ich jetzt eben gesagt habe, als mit dem, was ich Ihnen zu sagen im ersten Augenblicke für gut fand."

Es lag etwas so Wahres, Ehrliches, tief Gefühltes in Molls Worten, daß Herr Beinling davon bis ins Innerste bewegt wurde. Und diese Bewegung wußte er nicht anders auszudrücken, als dadurch, daß er den Kopf noch ein wenig mehr in die Höhe richtete, an den Vatermördern zupfte und dann stillschweigend eine reichliche Prise nahm. — Da auch Moll weiter nichts sagte, so herrschte vollkommne Stille im Zimmer, und man hörte deutlich, wie die „lärmenden Bengel" im Nebenzimmer darüber jubelten, daß der Vater viel stärker, als die Mutter sei, und daß die Männer überhaupt stärker, als die Frauen seien, und daß auch sie einst Männer werden würden.

Durch dieses Geplauder der Kinder ward Herrn Beinlings innere Bewegung noch bedeutend verstärkt, so daß er sie nicht länger mehr in sich tragen konnte, sondern sie wenigstens zum Theil, in Form von Worten, von sich geben mußte. Daher sagte er, indem er sehr ernst nach dem Stern oben an der Stubendecke schaute: „Bei alledem, ich wiederhole es, sind Sie ein beneidenswerth glücklicher Mann!“ — Und darauf seufzte er schwer und tief, gleichsam als hätte er die richtige Anwendung des Beiwortes „beneidenswerth“ darthun wollen.

Moll lachte — es ist unbestimmt, ob über den Seufzer oder über die Worte seines Freundes — und versetzte sodann:

„Wie man sich bettet, so liegt man. Ein Mann wie Sie, müßte nicht blos ein trautes, liebes Weib, sondern einen großen Haufen Kinder obendrein besitzen. Das Alter wird Sie überraschen, und Sie werden einsam und verlassen in der Welt stehn, wenn Sie nicht bald meinem Rathe folgen und sich über Hals und Kopf in den Schoß der heiligen Ehe flüchten.“

Beinlings Miene drückte eine Art ehrfurchtsvollen

Schreckens aus, als Moll seinen ersten Satz beendet hatte. Bei den Worten „einsam und verlassen" lächelte er wehmüthig, fast traurig; als aber Moll mit ernster, ehrlicher Miene und fester Stimme die letzten Worte gesprochen, da überflog plötzlich ein lebhaftes Roth das Gesicht Beinlings, und seine Augen nahmen einen eigenthümlichen Glanz an, jenen Glanz, welchen ein feuriger Wunsch, ein kühner Entschluß dem Auge verleiht.

Indeß dieser Glanz verschwand wieder so schnell, als er gekommen, und indem seine Züge den Ausdruck einer gewissen Zaghaftigkeit annahmen (jener Zaghaftigkeit, welche keineswegs alles oder nur etwas aufgibt, sondern auf Ermunterung wartet, darum bittet) sagte er: „In meinem Alter heirathet man nicht mehr! Und thut man es dennoch, so setzt man sich nur dem herzlosen Gespött der Leute aus."

„Setzt man sich nur dem herzlosen Gespött der Leute aus?" — wiederholte Moll, indem ihm, so zu sagen, der Kamm schwoll — „Lernen Sie die Stimme der Welt verachten, Freund; sie zu achten haben Sie längst gelernt. Und für unser Gedeihn ist eins so nöthig, als das andere. — Ihr Herz ist voll von Liebe, Zärtlichkeit, Theilnahme, Hingebung, kurz, voll von einer Legion warmer, inniger Gefühle. Ich kenne keinen Mann, der sich in Bezug auf Liebenswürdigkeit (wohlverstanden auf jene echte Liebenswürdigkeit, welche aus dem Herzen kommt und zum Herzen dringt) mit Ihnen messen könnte."

„O, bitte!" — stotterte Herr Beinling, verschämt und erröthend.

„Ich kenne keinen Mann," — fuhr Moll ungestört und eifrig fort — „mich natürlich mit eingeschlossen, welcher alle Eigenschaften eines vortrefflichen Ehegatten in solchem Grade besäße, als Sie dieselben besitzen. Und Sie wollen diesen Schatz von Gefühlen und edlen Eigenschaften wie ein unnützes Pfund vergraben, nur weil Sie 40 Jahr alt sind, und weil es Mode ist, mit 20—30 Jahren zu heirathen? Sie wollen lieber in Zukunft ein verfehltes Leben betrauern, als jetzt den Muth fassen, nach eignem Ermessen und Dafürhalten, ohne die Stimme der Welt zu fragen, den wichtigsten und feierlichsten Schritt Ihres Lebens zu thun? — Gehn Sie, Freund, das kann Ihr Ernst nicht sein!"

Nein, es war nicht sein Ernst, oder vielmehr das hatte er nicht sagen wollen; wahrlich nicht! Wozu ihn das Herz trieb, das that er, ohne die Stimme der Welt zu fragen. Und hätte er Neigung zu einem Mädchen gehabt, und hätte das Mädchen seine Neigung offen erwiedert, so würde er sich keinen Pfifferling um die Stimme der Welt gekümmert, so würde er nöthigenfalls den Muth eines Helden durch Ueberwindung aller etwaigen Hindernisse zwischen ihm und seiner Liebe an den Tag gelegt haben. — Aber er war so bescheiden, der gute Buchhalter, er hatte eine so geringe Meinung von seiner Persönlichkeit, daß er der festen Ueberzeugung lebte, im ganzen Weltall existire kein Mädchen unter 40, das sich aus wirklicher Neigung entschließen werde, mit ihm vor den Traualtar zu treten. Ueber 40 wollte er keines, aus angeborner Abneigung gegen alte Jungfrauen; und unter 40, aber ohne Neigung, wollte er auch keins, weil seiner Meinung nach eine solche Ehe, ohne beiderseitige Neigung, mit Recht zur Zielscheibe des öffentlichen Witzes und Spottes werde. — Und dies meinte er, als er seinem Freunde den Einwurf machte: „In meinen Jahren heirathet man nicht mehr; und thut man es dennoch, so setzt man sich dem herzlosen Gespött der Leute aus.“

Daher versetzte er auf Molls derbe, mit Lobsprüchen untermischte Vorwürfe, die Augen niederschlagend und mit dem Kopfe schüttelnd: „Es ist nicht das; es ist nicht das, was ich sagen wollte. Aber glauben Sie mir, ich bin zu alt und zu steif, um noch auf Freiersfüßen einherzugehen. Des Lebens Mai blüht nur einmal und nie wieder; mir hat er abgeblüht!"

Es lag etwas unendlich Komisches und wieder tief Rührendes in der Art, wie Beinling diesen Vers citirte, (den einzigen, welchen er, ominöserweise, von der Schule her im Gedächtniß behalten hatte). — Seine Stimme und seine Miene drückten Entsagung aus, aber nur die Entsagung des Verstandes, nicht die des Herzens. In seinem Herzen, das sah man ihm an, gab es noch einen Schimmer, einen matten Schimmer von Hoffnung.

Und daher lächelte Moll, welcher ihn verstohlen beobachtet hatte, klopfte ihm vertraulich, fast zärtlich, auf die Schulter und sagte: „Wenn ich eine Schwester oder Muhme hätte, etwa in den Jahren von 20—24, und wenn dieselbe gut geartet wäre, etwa wie meine Molly; — denn unter uns gesagt, Molly ist ein ganz vortreffliches, der höchsten Achtung und Liebe werthes Weib — dann wüßt ich wol, wem unter allen Männern ich sie am liebsten in die Arme führen möchte. Geb Ihnen mein Wort darauf, ich wüßt es! Und Sie wissen es auch, denk ich. Und darum fassen Sie sich ein Herz und werfen Sie für eine Weile Ihre Zaghaftigkeit als unnützen, ja gefährlichen Ballast über Bord; — und ich stehe Ihnen mit meinem Kopfe dafür, daß ich Sie binnen Jahr und Tag bei einer ähnlichen Scene (die Kinder abgerechnet, denn das geht nicht so schnell) überrascht haben werde, als Sie mich heut überrascht haben!"

Herr Beinling erröthete bis unter die Augen und lächelte glückselig und beschloß bei sich felsenfest, wenn je dieser undenkbare und unmögliche Fall — seiner Verheirathung nämlich — eintreten sollte, sein Dienstmädchen dann streng anzuweisen, keinen Menschen ohne vorhergegangene Anmeldung bei ihm einzulassen.

Nach diesem Beschlusse fühlte er sich sehr beruhigt und rauchte eine Cigarre an, welche ihm Moll überreicht hatte, und dabei erzählte er Moll, daß dies seit drei Wochen wieder die erste Cigarre sei, die er rauche, da ihm in dieser entsetzlichen Zeit aller Appetit sowol zum Essen als zum Rauchen gemangelt habe.

Grade als er mit dieser traurigen Erzählung zu Ende war, schlug es elf Uhr. „Mein Gott, wissen Sie denn nicht, Strolph verläßt heut Mittags zwölf Uhr sein Gefängniß!" — rief Moll aufspringend und seinen Schlafrock vom Leibe ziehend — „Kommen Sie, kommen Sie, wir wollen die ersten sein, welche ihn in „der himmlischen Luft der Freiheit" begrüßen, kommen Sie! Und dann wollen wir ihn im Triumph zu Hänschen führen!" — Hänschen war der ehrenwerthe Eigenthümer des Hotels „zum fliegenden Drachen“, welches Hotel mit einer Weinstube versehen war, in die uns Herr Beinling längst eingeführt hat— „und dann wollen wir wieder einmal unsren Sonntag feiern. Hurrah!“

„O, das ist schön, wirklich schön!“ — rief Herr Beinling mit freudestrahlendem Gesicht; und dann fügte er mit etwas trübem Lächeln hinzu: „Schade, daß Robert nicht theilnehmen kann, schade, schade!“

„Robert wird sein Porter und sein Ale trinken und keine Noth leiden; — versetzte Moll, seinen schwarzen Räuberbart kämmend — „aber Strolph wird Noth gelitten haben, große Noth, fürchte ich. Denn Leute seiner Art behandelt man im Gefängnisse mit systematischer Grausamkeit, besonders wenn sie zu stolz sind, sich Freundlichkeit und Gefälligkeit zu erkaufen. Hat man doch keine Menschenseele zu ihm gelassen und nicht einmal einen Brief für ihn angenommen. Ich fürchte, er wird ein nüchterneres Aussehen haben, als ihm gut steht.“

Unterwegs konnte Herr Beinling vor innerer Bewegung nicht zu Worte kommen; deshalb schwieg er still und grüßte — vermuthlich um seine Aufregung auf irgend eine Art auszudrücken — mehre Personen, die er gar nicht kannte, und die ihn auch nicht kannten. Moll dagegen machte seiner Aufregung dadurch Luft, daß er immerwährend sprach und zuweilen einen Witz zum Besten gab, welcher seinem Begleiter etwas burschikos erschien.

Als sie dem Gefängnißgebäude so nahe waren, daß es bereits wie ein ungeheurer Raubthierkäfig groß und unheimlich vor ihren Augen stand, überkam den wackern Buchhalter eine große Angst, welche er sich gar nicht erklären konnte.

Er hielt unwillkürlich seinen Gang an, blickte scheu nach dem Käfig und sagte: „Großer Gott, ich stürbe, wenn ich sechs Wochen oder nur sechs Tage, sechs Stunden darin sitzen sollte!“

Moll lachte, ein bischen gezwungen zwar und unnatürlich, aber er lachte und versetzte darauf: „Kein Thier in der ganzen Schöpfung — der Polyp nicht ausgenommen — ist so zäh und dauerhaft als der Mensch. Dieser Herrgott der Erde verträgt jedes Klima, jede Noth, jede Plage, jede Schmach. Und so entsetzlich das Ding da vor uns aussieht, es gibt Leute, welche zehn Jahr und darüber drinnensitzen und doch nicht sterben.“

Unter diesen Worten war Moll vorwärtsgegangen; aber Herr Beinling vermochte es nicht über sich, noch um einen Schritt sich dem unheimlichen Gebäude zu nähern. Als sich daher Moll mit fragendem Blicke nach ihm umdrehte, sagte Beinling: „Wenn Sie erlauben, werd ich hier warten, ja ich werde hier warten. Seien Sie so gut und lassen Sie mich hier." Und Moll kehrte sich wieder um und trat dreist in den Raubthierkäfig ein, indem er vor sich hin die Worte brummte: „Wer diesen wunderlichen Kauz nicht kennt, der müßte ihn nach seinem jetzigen Benehmen für hasenherzig halten, der müßte glauben, er schäme und fürchte sich einen Gefangenen und Anrüchigen öffentlich als seinen Freund anzuerkennen. Und doch ists nur Zartgefühl, reines Zartgefühl, was ihn bewog, draußen zu bleiben. Er will den stolzen Strolph nicht in Gegenwart seines Kerkermeisters und in armseliger düstrer Gefängnißzelle begrüßen. Reines Zartgefühl." — Und so wars auch. Beinling fürchtete, seine Weichherzigkeit könnte sich, wenn er den theuern Freund abgezehrt, mit langem, ungepflegten Bart, hohläugig und gramentstellt, in dumpfer, finstrer Zelle, aufgeschreckt vom Geklirr der Schlüssel seines Kerkermeisters und verwirrt durch den Anblick seiner Freunde, wiedersehe, in unpassender Weise Luft machen. Daher beschloß er, in einiger Entfernung von dem Eingange des Gefängnisses zu warten. „So" — argumentirte er — „werd ich i h m eine Demüthigung ersparen, und ich werde Zeit gewinnen, mich zu fassen."

Hierauf kehrte er dem Gefängniß den Rücken zu, weil ihm dessen Anblick widerwärtig war, und begann darüber nachzugrübeln, wie er sich wol benehmen würde, wenn man ihn zwänge, — denn nur durch Zwang könnte man ihn dazu vermögen — den Kerkermeister zu spielen. — Dieser Gegenstand des Nachdenkens verwickelte ihn in große Schwierigkeiten und Conflicte, so daß er gar nicht merkte, wie die Zeit verstrich und ganz verwundert aufhorchte, als das Geläut der Glocken und die Glockenschläge der Thurmuhren die zwölfte Stunde verkündeten.

Als er keinen Zweifel mehr hegen konnte, daß es wirklich schon zwölf Uhr, also Mittag sei, drehte er sich um, und in diesem Augenblick traten Moll und Strolph aus der Thür des Gefängnisses.

Strolph war gar nicht verändert. Sein Haar war wie gewöhnlich kurz geschnitten und glatt gekämmt, sein Gesicht wohl rasirt und nicht bleicher oder magrer als immer, und was Herrn Beinling am meisten überraschte, seine Kleidung und Wäsche war rein und sauber, wie seine eigne.

„Steht er nicht da und sieht er nicht aus, als sollte er jetzt statt deiner in den Käfig gesperrt werden?" — sagte Moll lachend zu Strolph, indem er auf Herrn Beinling deutete, welcher wie an den Boden gewurzelt dastand und der in seiner Befangenheit und Verwunderung in der That einen recht merkwürdigen Anblick bot.

„O, es ist nur die Freude, daß ihm diese Kerls nichts angehabt haben!" — entgegnete Beinling, sich ein Herz fassend, indem er mit der Faust den benannten unsichtbaren „Kerls" drohte und mit etwas burschikosem Schritte den Freunden entgegentrat.

Strolph reichte ihm die Hand und sagte: „Wie geht es Ihnen, und was macht Robert?" — Worauf Herr Beinling, welcher eine ganz andre Anrede erwartet hatte, in Verwirrung gebracht, zu Boden schaute und nach einer Weile tiefen Nachsinnens zur Antwort gab: „O, Robert wird sein Porter und sein Ale trinken und keine Noth leiden. Und was mich betrifft, so — so geht mirs recht gut, sehr gut."

„Ich wünschte, Robert wäre lieber nach Paris gereist, als nach London," — fuhr Strolph angelegentlich fort — „der Umgang mit jenem steifen, kaltherzigen Krämervolke wird ihm eher schädlich, als nützlich sein. Es gibt keine unliebenswürdigere Nation, als diese Engländer. Alles, was den Menschen umgänglich und erträglich macht, was ihm Reiz und Anmuth verleiht, was seinem Wesen den Stempel des Hohen,

Edlen und Erhabenen ausdrückt, Elasticität, Begeisterung, Phantasie, Schwung, das haben sie mit pedantischer Sorgfalt abgestreift, so daß sie nur noch „„das potenzirte Thier““ repräsentiren.“

Herr Beinling, welcher nicht begriff, wie ein vernünftiger Mensch, kaum aus einer sechswöchentlichen Haft entlassen, solche Rede führen könnte, warf einen verstohlnen Blick ängstlicher Besorgniß auf Strolph, schüttelte mit dem Kopfe, und schaute dann heimlich in Molls Gesicht, als werde er von dorther Aufschluß über ein so sonderbares Benehmen erhalten.

Moll dagegen, welcher mit der Weise und Denkungsart seines Freundes vertrauter war, lachte laut auf und versetzte: „Wie in allem, bist du auch in deinem Hasse und in deinem Vorurtheil gegen die Engländer Franzose. Uebrigens lasse ich mich heut auf keine Erörterung eines so ernsten und unerquicklichen Themas ein. Hauptsache bleibt für heute: ein gutes Glas Nierensteiner mit Heiterkeit, Witz und Humor genossen! Wünscht jemand noch Caviar oder Austern dazu, so hab ich nichts dagegen!“

Vermittelst einer Droschke, welche grade vorüberfuhr, gelangten sie glücklich in Herrn Hänschens Weinstube, woselbst sie wieder einmal in Gemeinschaft ihren Sonntag feierten.

Moll und Beinling waren von vornherein sehr ausgelassen und gesprächig; Strolph aber war schweigsam, solange ernste Gegenstände vom Gespräch ausgeschlossen blieben.

Es geschah aber bei Eröffnung der dritten oder vierten Flasche, daß Herr Beinling plötzlich eine sehr würdevolle Haltung (seine Geschäftshaltung) annahm, eine sehr ernste und wichtige Miene (seine Amtsmiene als erster Buchhalter und Disponent) machte, seine Vatermörder in die Höhe richtete, sich räusperte und dann, zu Strolph gewendet, folgendermaßen anhob: „Ich habe Ihnen einen Vorschlag zu machen. Hören Sie mich an! — Es handelt sich darum, dem Gesetz" — hier hielt er seinen Mund zwischen Strolphs rechtes und Molls linkes Ohr und flüsterte: — „ein Schnippchen zu schlagen! — Bei diesen Worten schlug er mit den Fingern ein Schnippchen in der Luft und lächelte so verschmitzt und pfiffig, daß Moll lebhaft mit den Händen klatschte und bravo rief.

Darauf aber fuhr Herr Beinling mit großem Ernste in seinen Zügen und vielem Pathos in seiner Stimme also fort:

„Die physischen Gebrechen und Leiden der Menschheit sind groß. Die Weisheit und Geschicklichkeit der privilegirten Aerzte sind klein. Wenn dies schauerliche

Mißverhältniß naturgemäß, also nicht abzuändern wäre, so würde im Lauf der Zeit die Hälfte der Menschheit zu Grunde gehn, und die andre Hälfte würde dem Siechthum anheimfallen."

„Dem Mercurialsiechthum!" — ergänzte Moll, und Strolph nickte ernst mit dem Kopfe.

„Glücklicherweise" — fuhr Herr Beinling feierlich fort — „ist dieses Mißverhältniß nicht naturgemäß, im Gegentheil naturwidrig. Wir müssen demnach danach streben, ihm abzuhelfen." — Hier hielt Herr Beinling ein wenig inne, weil er in Verlegenheit war, wie er fortfahren sollte — was wir weder ihm, noch der Sache, welche er verfocht, zur Last legen können, da er in seinem Leben noch nie eine Rede gehalten hatte; also die jetzige seine erste war. Und es fällt kein Meister vom Himmel!

Nach kurzem Sinnen aber fuhr er fort: „Es wäre dies im Grunde ganz leicht. Denn wunderbarerweise entsteht, wenn irgend etwas in der Geschichte sich abgelebt hat, neben seinen Trümmern, seinem Schutt oder seiner Asche etwas Neues und Besseres. Und so ist auch neben der alten abgelebten Heilkunde, Allopathie genannt, welche bereits alle Spuren des Einsturzes und Unterganges an sich trägt, etwas Neues und Besseres, nämlich die Wasserheilkunde entstanden. Da aber jedes

Wahre und Gute erst durch die Feuerprobe des Kampfes und Streites seine Gediegenheit nachweist, so hat auch die neue Heilkunde viel Kampf und Streit zu bestehen."

Hier schaute Moll den Redner mit Bewunderung und Ueberraschung an; Strolph aber reichte ihm die Hand mit einem Blicke der Zuneigung und Freude, wie sie Beinling in seinen strengen Zügen noch niemals bemerkt hatte.

Und das war sehr unrecht von Strolph. Denn von diesem Augenblicke an fühlte sich Beinling vollkommen unfähig, im Zusammenhange und im Rednerflusse weiter zu sprechen und sagte daher hastig und eifrig: „Die Sache ist die: Wir gründen hier in B. eine große Wasserheilanstalt auf Actien. Für Actionäre werde i ch Sorge tragen. S i e übernehmen die Leitung dieser Anstalt. — Um aber der Form des Gesetzes zu genügen, wählen wir einen promovirten Arzt, der ein Anhänger der neuen Heilmethode ist, und engagiren ihn als Arzt der Anstalt. Er wird sich Ihrem größeren Talente und Ihrer reicheren Erfahrung bald und willig unterordnen. Sind Sies zufrieden?"

Natürlich war es Strolph zufrieden. Wurde doch dadurch einer seiner feurigen, glühenden Wünsche erfüllt!

Und von diesem Augenblicke an stimmte er nach seiner Weise in die Heiterkeit seiner Freunde ein, und es herrschte viel Lust und Fröhlichkeit unter ihnen.

Aber ach! die Zeit, dieser Gegenfüßler unsrer Stimmung und Empfindung, welcher unsre Freude durch seine Schnelligkeit verkürzt und unsren Schmerz durch seine Trägheit verlängert, die Zeit verging, und der Glockenschlag Eins tönte wie ein schneidender Mißton in Beinlings musikalisches Ohr. — „Um ein Uhr speisen wir; ich darf Fräulein Selma nicht warten lassen. Ritterlichkeit verletze ich unter meinen Pflichten am seltensten.“ — So sagte er lächelnd, den Freunden die Hände drückend, und dann ging er hinweg, fröhlich und wohlgemuth trotz dem Schmerze der Trennung.

Er schritt aber hochaufgerichtet und stolz und mit dem Blicke der Glückseligkeit durch die Straßen hin, so daß zwei Geschäftsfreunde seines Principals, welche ihm begegneten, stillstanden und ihm nachschauten und dabei die Bemerkung machten: „Trenkmann hat wieder ein capitales Geschäft gemacht; Beinlings Gang und Miene trügen nie!“

Selma wartete schon auf ihn und ließ ihn dies fühlen durch einen ihrer strengen, frostigen Blicke. Aber heut war er gegen noch Schlimmeres als gegen Blicke gepanzert. Er setzte sich mit vollkommener Unbefangenheit und [illegible]erkeit ihr gegenüber und legte einen so gesunden und außergewöhnlichen Appetit an den Tag, daß Selma ihn verwundert fragte: „Sind etwa Briefe vom Vater oder von Herrn Hübler eingegangen?“

Dreizehntes Capitel.

Als Robert nach Helenens Abschiede, wie von einer unsichtbaren Hand gezogen und wie ein Träumender ihr nachstürzte, da sank Selma, vernichtet, in die Sophaecke zurück und blieb regungslos, mit starren Augen und fahlen Wangen, in dieser Lage, bis Sophie, das Kammermädchen, eintrat, ihr ein Riechfläschchen vorhielt und mit lauter und schallender Stimme das Verdammungsurtheil über eine gewisse, glücklich aus dem Hause spedirte Dirne aussprach.

Es ist schwer zu entscheiden, ob das Riechfläschchen mit seinem Inhalt oder die kräftige Metallstimme des Kammermädchens die Lebensgeister von Selma zurückrief; aber thatsächlich ist, das Selmas Augen bald wieder ihre Starrheit verloren und wie zwei Phosphorkügelchen leuchteten und rollten, und daß sie, wie aus einem Fiebertraume erwachend, um sich her schaute, mit Anstrengung Athem schöpfte und dann zu Jungfer Sophie in kaltem, strengen Tone sagte: „Ich will allein sein!“

Der Zofe empfindsames Herz krümmte sich unter diesem grausamen, barbarischen, despotischen Befehle wie ein Würmlein unter dem Fußtritt eines rohen, unbarmherzigen Menschen; nichtsdestoweniger machte sie mit süßem, gehorsamen Lächeln einen gehorsamen Knix und verschwand.

Als Selma allein war, rang sie verzweiflungsvoll die Hände, und ein Strom heißer, brennender Thränen stürzte ihr aus den Augen. Diese Thränen würden bei einer psychologisch-chemischen Untersuchung $1/3$ Schmerz, $1/3$ Zorn und $1/3$ sublimirten Haß ergeben haben.

Plötzlich sprang sie in die Höhe — denn Zorn und Haß sind keine Gefühle, welche sich mit Stillsitzen vertragen — und schritt hastig und wild im Zimmer auf und nieder, so daß die Fenstervorhänge von schwerem Damast rauschten, und der getäfelte Fußboden unter ihren Schritten erzitterte.

Selma erinnerte sich an die Worte Helenens: „Gold ist eine furchtbare Macht; und wenn Sie am Ende siegen sollten, so blicken Sie nicht gar zu hochmüthig auf den niedergeschmetterten Feind herab, sondern denken Sie an die Ungleichheit der Waffen!“ —

Damals als Helene diese Worte zu ihr gesprochen, hatte sich Selma gesagt: „O, wenn du nur niedergeschmettert zu meinen Füßen liegen wirst, dann werd ich nicht an die Waffen, nicht an die Kampfesart, sondern nur an den Sieg und an den besiegten Feind denken!" — Und der flammende, feurige Wunsch nach Sieg hatte sie damals so stark, so zuversichtlich gemacht, daß Sie die Rolle eines kalten, unerschütterlichen Stolzes selbst nach der ihr widerfahrnen Demüthigung aufrechterhalten konnte.

Jetzt war es anders! Jetzt mußte sich Selma sagen: „Gold ist zwar eine furchtbare Macht; aber es gibt doch noch eine furchtbarere! Und wenn ich nicht bereits gänzlich besiegt bin, so hab ich doch eine Niederlage erlitten, von welcher ich mich erst nach langen und ungeheuren Anstrengungen wieder aufrichten werde!"

Und während sie sich dies sagte, ward ihr Schritt immer hastiger, ihr Blick immer wilder, verstörter, als hätte sich das „furchtbare Geschlecht der Nacht" an ihre Sohlen geheftet.

Plötzlich stand sie still und wandte sich um; — ihr Vater war eingetreten und stand ihr jetzt streng und finster blickend gegenüber. „Selma, so hätt ich dich nie zu sehen gewünscht!" — sagte er, nachdem er sie eine Weile schweigend angeschaut, mit dem Tone der Trauer und des Vorwurfs. — Hierauf ergriff er sie bei der Hand, führte sie vor einen der großen, bis zum Boden herabreichenden Spiegel und fuhr fort: „Das muß eine böse, sträfliche Leidenschaft sein, welche ein Mädchenantlitz so furchtbar entstellen kann!“

Selma blickte in den Spiegel und fuhr wie bei dem Anblick eines abscheulichen Schreckbildes zurück. Darauf stieß sie einen gellenden Schrei aus und sank, wie vom Blitze getroffen, vor ihrem Vater nieder.

Als sie wieder zur Besinnung kam, befand sie sich in ihrem Toilettenzimmer auf dem Ruhesopha, und neben ihr saß ihr Vater, trübe zu Boden blickend.

Selma liebte ihren Vater, aber nicht kindlich, nicht warm, nicht hingebend; sie liebte ihn wie eine Autorität, welche ihr Schutz und Freiheit und die Mittel der Existenz gewährte. Sie achtete ihn hoch als Menschen und ließ es nie an Ehrfurcht gegen ihn fehlen; allein diese Hochachtung blieb stets unausgesprochen und kalt, und ihre Ehrfurcht war mehr beabsichtigte Form als Ausdruck des Gefühls.

Als sie ihn so niedergeschlagen und betrübt neben sich sitzen sah, empfand sie keinen Drang, ihr Herz vor ihm auszuschütten, Trost von ihm zu erbitten und ihm selbst solchen zu gewähren; sie fühlte nicht jene kindliche, allmächtige Sehnsucht, sich mit dem Vaterherzen auszusöhnen, eins mit demselben zu werden; sondern sie war sich nur bewußt, einen Formfehler gegen ihn begangen, sich eine Blöße vor ihm gegeben zu haben, und demnach fühlte sie nur das Bedürfniß, sich vor ihm zu entschuldigen.

„Verzeihung, mein Vater!“ — sagte sie demgemäß, seine Hand ergreifend — „Du hast mich in einem Zustande der Aufregung überrascht, welcher für ein Mädchen nicht geziemend war. Ich habe eine böse Stunde gehabt, sie ist nun vorüber. Du wirst mich in diesem Zustande nie wieder antreffen!“

Herr Trenkmann erwiderte den Druck ihrer Hand nicht und schlug auch seinen Blick von dem Boden nicht zu ihr auf. Seine Züge nahmen den Ausdruck einer gewissen Bitterkeit und einer düstern Entsagung an; darauf aber versetzte er: „Der Mensch kann sich trotz aller Begabung und trotz den höchsten Anstrengungen das Glück nur immer stufenweise erringen. Der eine erringt sich Rang und Ansehn, ein andrer Macht, ein dritter Reichthum, ein vierter Ruhm, ein fünfter Familienglück u. s. w. Alles miteinander kann sich keiner erringen. Denn ein Plus auf der einen Seite hat immer ein Minus auf einer andern zur Folge und wo Licht ist, muß auch Schatten sein. — Das ist

Naturgesetz, und es wäre thöricht, dasselbe umstoßen zu wollen.

Ich meinerseits habe mir im Kampfe des Lebens Reichthum und Ansehn erstritten; ich kann also nicht beanspruchen, z. B. auch Ruhm und Familienglück als Kampfpreis davonzutragen. — Du wirst verstehen, was ich damit meine. Ich will sagen, daß, wenn das Verhältniß zwischen dir und mir nicht ganz so ist, wie es zwischen Tochter und Vater sein sollte, ich dir deswegen keinen Vorwurf zu machen habe.

Deine Mutter ist sehr frühzeitig gestorben, und ich bin durch Berufsgeschäfte so oft vom häuslichen Herde fern gehalten worden, und, wenn ich am häuslichen Herde erschien, waren meine Gedanken so zerstreut und fern, und meine Stirn und mein Blick so sehr von Sorgen umwölkt und getrübt, daß du selten durch ein heitres, zärtliches Vaterlächeln zu kindlicher Innigkeit und Hingebung angeregt wurdest.

Demgemäß tadle ich dich nicht wegen der Zurückhaltung und wegen des Mangels an kindlichem Vertrauen, welche du durch deine Worte soeben an den Tag gelegt hast. Aber ich beklage mich — und dazu habe ich ein Recht — über den Mangel an Wahrheit und über die unnatürliche Kälte, welche du durch dieselben kund gethan. Wahrheit bist du mir in allen

Dingen schuldig. Die Wahrheit aber hast du umgangen, indem du, anstatt von dem traurigen Zustande deines Herzens zu sprechen, leicht und kühl von einer äußerlichen Schicklichkeitsverletzung sprachst."

Selma preßte die Lippen zusammen und erröthete.

„Ich beanspruchte kein Bekenntniß deiner Liebe;" — fuhr Herr Trenkmann nach einer Pause fort — „ich wünschte auch kein Bekenntniß all jener Gefühle, welche noch vor kurzem deine Züge entstellten; aber ich erwartete, daß du mir einfach sagen würdest: „„Vater ich leide, ich bin unglücklich! Ich habe mich verirrt!"" — Ich erwartete, daß das häßliche, durch Haß und Wuth und Rachsucht verunstaltete Bild, daß ich dir im Spiegel gezeigt, Scham und Reue in deiner Seele erwecken, und daß sich die Reue durch Thränen zu erkennen geben würde."

Selma starrte ihren Vater mit düstrem Blicke an und zog ihre Hand, welche noch in der Nähe der seinigen lag, hastig zurück. — Er aber fuhr fort: „Deine Verstellung, deine Ruhe und Kälte und Starrheit nach der Scene, welche sich vor kurzem zwischen uns zugetragen, erschrecken mich und bekümmern mich. Ich werde nie zugeben können, daß Robert, den ich liebe wie meinen Sohn, ein Mädchen mit verhärtetem Herzen zum Weibe nehme. Ich werde meinem theuersten

Wunsche eher entsagen, als daß ich ihn durch Erfüllung dieses Wunsches unglücklich und elend mache. Merke dir das und versuche, wenn es noch möglich ist, deine Seele mit sanfteren und edleren Gefühlen zu erfüllen."

Sprachs und erhob sich und ging hinweg, ohne einen Blick auf sie zurückzuwerfen.

Selma blieb nach dem Weggange ihres Vaters noch einige Minuten still und bewegungslos auf dem Sopha liegen. Darauf aber sprang sie plötzlich auf und rief: „O, jetzt hoff ich wieder, jetzt kann ich wieder hoffen! — Aus seinen Worten erkenne ich, daß ich noch Hoffnung habe! — Sie ist ja fort! — Bald wird sie weit weg von hier sein — in einem kleinen obscuren polnischen Dörfchen! — Mein Haß, meine Rache sind bald befriedigt und werden dann nicht mehr meine Züge entstellen — sie wird ihn nicht wieder durch ihren Hexenblick bezaubern — o, jetzt hoffe ich wieder!"

Und die Hoffnung erweckte mildere, sanftere Gefühle in ihrer Seele, und sie besuchte wieder ihre Freundin Molly, welche sie solange vernachlässigt und welcher sie wegen ihrer Aufrichtigkeit gegrollt hatte, und schüttete ihr Herz vor der Freundin aus, zwar nicht ganz, nicht ohne Zurückhaltung — aber doch insoweit, daß die Freundin das Fehlende, das Verschwiegene wenigstens zum Theil ergänzen, sich hinzudenken konnte.

Seit diesem Tage besuchte sie Molly jeden Tag, und dieser tägliche Umgang mit der sanften, hochherzigen, edlen Freundin, welche, wie Selma recht wol merkte, grade in dieser Zeit an sich selbst zeigte, wie man Leiden und Schmerzen des Herzens ertragen und lindern müsse, übte den heilsamsten Einfluß auf Selma aus. Sie wurde ruhig, gefaßt, sie näherte sich ihrem Vater wieder und ließ zuweilen, wenn sie mit ihm allein war, jene Scham und Reue hindurchblicken, welche er so schmerzlich an ihr vermißt hatte. Ja, jetzt schämte sie sich und bereute sie, daß sie sich von der Leidenschaft hatte hinreißen lassen zum Vergessen dessen, was sie sich selbst und ihrem Vater schuldig war.

Außerdem trug die männliche Höflichkeit, so wie die Ehrerbietung, welche Robert in seinem Benehmen gegen sie an den Tag legte, viel dazu bei, sie zu beruhigen und mild zu stimmen; während andrerseits die reuigen und fast vorwurfsvollen Blicke Beinlings sie an eine Handlung erinnerte, welche ihr jetzt erst in vollem Lichte erschien, und welche zu sühnen ihr aufrichtiges Bestreben war.

Da trat plötzlich Robert seine Reise nach England an, und auch ihr Vater verreiste, wie er merken ließ, auf lange.

Hierzu kam noch, daß ihr täglicher Umgang mit Molly zu derselben Zeit abgebrochen wurde. Moll, der sich seit Helenens Abreise nie sehr freundlich gegen Selma gezeigt hatte, war in dieser Zeit gradezu kalt und unfreundlich gegen sie geworden. Aus diesem Umstande zog sie den allerdings nicht unlogischen Schluß, daß ihm ihr vertrauter Umgang mit seiner Frau unwillkommen sei, und blieb weg.

So war denn Selma ganz verlassen und auf sich selbst angewiesen. Und das war ein großes Unglück für sie; denn ihr Gemüth war nicht darnach angethan, Ruhe und Frieden aus sich selbst zu schöpfen.

Selma wurde wieder unruhig und düster und hochmüthig. Sie fing wieder an die Welt zu hassen, diese Welt, welche für sie trotz all ihrem Reichthume so freudenlos war. Und dieser Haß zog sich allgemach wieder über einer bestimmten Person zusammen, — wie sich Gewitterwolken über einem Thale zusammenziehn — und diese Person war natürlich Helene, Helene, welche sie allerdings an den beiden empfindlichsten Stellen, an ihrem Stolze und ihrer Liebe, schwer und vielleicht tödtlich verletzt hatte.

In dieser Gemüthsverfassung empfing sie den Brief von Amandus Salzer, jenen Brief, dessen Ursprung und Schicksale dem Leser bekannt sind.

Unser geehrter Freund — Herr Salzer — hatte seine Sache — wie er das immer zu thun pflegte — sehr geschickt und nicht ohne Geist gemacht und hauptsächlich eine für diese Sache überaus günstige Zeit getroffen. In dem Schreiben, welches seinen Namen als Unterschrift trug, hatte er kurz und lakonisch bemerkt: „Inliegendes Briefchen von der Hand meines geliebten (wiewol nicht ganz glücklichen) Kindes dürfte den evidentesten Beweis liefern, daß ad 1. und ad 2. meiner Verpflichtung vollkommen erledigt sind.“

Das inliegende Briefchen aber enthielt ein sehr rührendes Klagelied einer jungen Dame, „welche vom Schicksal in eine Sphäre geschleudert worden, wo ihre zartesten und edelsten Gefühle stündlich von einer rohen und barbarischen Umgebung verletzt würden, und wo sie niemand fände, der sie nur annähernd begriffe und verstände und ihre Trostlosigkeit besänftigen könnte.“ — Zum Schluß war noch etwas „ungestillte Sehnsucht“ und „Herzenskummer“ angedeutet, so daß das Ganze, wie gesagt, recht rührend zu lesen war.

Hätte Selma diesen Brief nur wenige Tage früher empfangen — zu welcher Zeit sie nämlich noch ruhig und frei von leidenschaftlicher Aufwallung war — so würde sie ohne Zweifel entdeckt haben, daß derselbe in keinem Falle von Helene geschrieben und abgeschickt sein könnte. Denn trotzdem, daß Amandus mit lobenswerther Sorgfalt und Strenge sich „vom Lateinischen enthalten hatte“, so war es ihm doch nicht gelungen, sich vom falschen Gebrauche deutscher Worte zu enthalten; und wiewol er diesen Mißbrauch stets in sehr genialer Weise handhabte, so daß derselbe die Achtung vor seiner Bildung eher vergrößerte als schmälerte, so gehörte er (der Mißbrauch) doch durchaus nicht zu den Eigenthümlichkeiten seiner Tochter, wie Selma recht wol hätte bedenken können.

Aber Selma dürstete seit einigen Tagen wieder nach der süßen, köstlichen Ueberzeugung, daß Helene leide und sehr unglücklich sei, wo möglich noch ein wenig unglücklicher als sie (Selma) selbst. Und so schlürfte sie den süßen, köstlichen Trank, welchen ihr Herr Salzer zur richtigen Stunde darreichte, mit unendlichem Wohlbehagen ein und kümmerte sich weiter nicht darum, ob der Trank aus der Champagne oder aus Grüneberg käme.

Zweitens hätte Selma diesen Brief einige Tage früher empfangen — zu welcher Zeit sie noch sanft und mild gestimmt war — so würde sie ihn mit Scham und Reue durchlesen und, wer weiß, was damit angefangen haben.

Jetzt aber empfing und las sie denselben mit wilder Freude und zahlte Herrn Salzer die zugesagte Summe mit einer Bereitwilligkeit, welche unsren Freund zu dem Gedanken veranlaßte: „O, ich Verblendeter! fortuna juvat fortes! Ich hätte das Doppelte aus ihr herausschlagen können! — Aber wenigstens habe ich eine köstliche lucrative Erfahrung gemacht. Ich weiß wie man Gold erntet, ohne dasselbe zu säen. — Man nehme ein Stück fetten, humosen Menschenacker und dünge dasselbe mit einer beliebigen Anzahl Leidenschaften. Die Bearbeitung des Ackers darf nur bei schlechter Witterung, d. h. bei Sturm, Regen und Gewitter, stattfinden. Gold wächst dann von selbst!"

Selma las also den Brief mit wilder Freude und köstlichem Behagen und fand ihn so anziehend und trost- und lehrreich, daß sie ihm trotz Salzers sichtbarem Widerstreben, ihr denselben zu überlassen, zurückbehielt.

Und seitdem suchte sie jedesmal, wenn sie litt, und wenn die Schmerzen ihrer Seele ihre bösen Leidenschaften aufgeweckt hatten, den Brief hervor und las ihn; darauf aber wurde sie stets ruhiger, und ihre Schmerzen ließen nach.

So las sie auch eines Morgens (nach einer schlaflosen Nacht) im Zimmer auf- und niederschreitend, den trostreichen Brief, als Sophie, die uns bekannte und sehr gebildete Kammerjungfer, eintrat, um ihrer Herrin bei dem Ankleiden behilflich zu sein.

Es ist nämlich Sitte bei Damen von Stande und von Mitteln, sich des Tages dreimal umzukleiden, und diese Sitte hat eine durchaus sociale und lobenswerthe Tendenz, nämlich die Tendenz: arme, arbeitslose Mädchen zu beschäftigen!

Uebrigens machte Sophie heut eine Miene, als wollte sie sagen: „Ankleiden ist nicht meine einzige Beschäftigung, vielmehr meine geringste, und ich bin nicht abgeneigt, Beweise von meiner vielfachen Beschäftigung abzulegen, wofern ich auf Erkenntlichkeit rechnen darf. Jeder Arbeiter ist seines Lohnes werth!"

„Komme später wieder; jetzt bin ich beschäftigt" — sagte Selma streng und kalt zu dem Kammermädchen.

Sophie warf ihre kirschrothen, schwellenden Lippen ein wenig auf und versetzte, während sie sich langsam und rückwärtsschreitend aus dem Zimmer zurückzog: „Ich dachte nur, es könnte ein unerwarteter Besuch" — „Welcher unerwartete Besuch?" fragte Selma, welche an jedem Tage Roberts Rückkehr erwartete.

Sophie hielt die Thürklinke schon in der Hand. Des Anstands wegen aber drehte sie den Kopf noch einmal gegen ihre Gebieterin herum und antwortete: „O, ich dachte nur, Fräulein Helene könnte — aber es war recht einfältig, so zu denken“ — und nach diesen, im Tone der Entschuldigung gesprochenen Worten drückte sie die Klinke nieder und schickte sich an, hinauszugehen.

„Bleib, wenn ich mit dir spreche!“ — rief Selma, ihre Aufregung hinter der Maske herrschaftlicher Entrüstung verbergend.

Sophie machte die Thür wieder zu und blieb, ehrerbietig und gehorsam, bei derselben stehn.

„Was schwatzest du von Fräulein Helene, albernes Ding, da du doch weißt, daß sie fliegen können müßte, um hierherzukommen?“

„Nun dann wird sie doch wol fliegen können;“ — versetzte die Zofe mit unübertrefflicher Domestikeneinfalt — „denn gestern Abend hab ich sie hier gesehn.“

Selma ließ den Brief von Helenen aus der Hand fallen, worauf natürlich Jungfrau Sophie augenblicklich herbeisprang und ihn aufhob, welchen Umstand Selma dazu benutzte, sich zum nächsten Lehnsessel zu verfügen und darin niederzulassen.

Und nun, da Selma festen Boden unter sich fühlte, gewann sie bald wieder so viel Fassung, daß sie in der ihr eigenthümlichen kalten, hochmüthigen Weise fragen konnte: „Träumst du noch, oder redest du irre? Wie kannst du Helene, Helene Salzer, gestern hier in B. gesehn haben, da sie sich viele Meilen von hier in einem polnischen Dorfe befindet?"

Sophie schaute einige Secunden gedankenvoll zu Boden, als ob ihr die Sache jetzt selbst ein bischen zweifelhaft geworden wäre. Darauf aber hob sie den Kopf trotzig in die Höhe und sagte: „Trotz alledem hab ich sie gestern gesehn. Ich habe ihr Gesicht gesehn, und habe sie an der Stimme und am Kleide erkannt. Sie kam mit einer schwarzgekleideten, ältlichen Dame aus dem großen Hause, — 's ist das fünfte oder sechste linker Hand von dem unsren — welches dem reichen Grafen gehört. Sie stiegen beide in eine Droschke, welche vor dem Hause wartete, und der gräfliche Bediente half ihnen einsteigen — ich hab es ganz genau angesehn."

„Sie hat es ganz genau angesehn, und doch gesteht sie, daß es Abends, also im Dunkeln geschah. Ha, ha!" — Selma legte in die beiden Wörtchen einen so schneidenden Hohn, daß der ehrgefühlvollen Kammerjungfer, so zu sagen, der Kamm schwoll, und daß sie aus lauter Entrüstung und Kampfbegier gänzlich schwieg.

„Du meinst also, gutes Kind, Fräulein Helene habe im Hause des reichen Grafen eine Visite gemacht. Oder nicht?“ — fuhr Selma mit unbarmherzigem Hohne fort.

„O, ich unterstehe mich gar nicht, etwas zu meinen, wenn Sie das Gegentheil wünschen und befehlen!“ — platzte Sophie endlich heraus — „Ich weiß recht gut, daß sie ebensowenig in das gräfliche Haus paßt, als sie in dieses hier gepaßt hat, weil sie überall Unfrieden stiftet. Aber meine Augen sind, Gott sei Dank! noch ziemlich gut und gesund, und überdies gibt es nicht viele, die ihr ähnlich sind, und mit welchen man sie verwechseln könnte.“

Die letzte Bemerkung machte die Zofe lediglich aus Gesundheitsrücksichten; sie fühlte nämlich so viel Ingrimm in sich, daß sie, um nicht daran zu sterben, ihrer Herrin ein klein wenig davon abzugeben wünschte.

Indeß dieser löbliche Wille scheiterte an der unbegreiflichen Gleichgiltigkeit Selmas. Dieselbe lehnte sich nämlich ganz gelassen in ihren Lehnsessel zurück, lachte, so recht zermalmend ironisch, und sagte: „Deine Geschichte ist gar nicht so übel, Sophie; schade nur, daß sie ein Märchen ist!“

Sophie wurde blutroth im Gesicht, aus ihren Augen zuckten und leckten jene Flämmchen, welche anzeigen, daß inwendig alles lichterloh brennt; indeß Sophie hatte von ihrer Herrin schon manches gelernt, unter anderm Selbstbeherrschung, und vermittelst dieser Selbstbeherrschung unterdrückte sie die inwendige Feuersbrunst, so gut es ging, und sagte dann mit einem Tone, welcher von Hohn und Ironie nicht gar weit entfernt war:

„Ich dachte auch bis zum letzten Augenblick, meine Sinne müßten mich genarrt haben. Und aus diesem Grunde bat ich meinen Bruder, der grade bei mir stand, er möchte der Droschke doch ein Stück nachgehn und zusehn, wo sie anhalten würde. Und das that er denn auch, und als er wieder zu mir kam, erzählte er, daß sie vor Herrn Salzers Hause angehalten habe; nach seiner Beschreibung wenigstens kann es kein andres Haus gewesen sein — das sagt auch der Kutscher," — fügte sie mit triumphirendem Lächeln hinzu — „welcher es, ich weiß nicht woher, ganz genau kennt."

Aber Sophie hatte heut großes Unglück; ihre feinsten, spitzesten Pfeile trafen nicht. Selma erhob sich nämlich ganz ruhig, („wie ein Bild von Stein" — bemerkte die Zofe in ihrem Innern außerordentlich treffend) nahm Helenens Brief wieder zur Hand und sagte „mit ganz beispiellosem Hochmuthe" (so urtheilte wenigstens Sophie): „Da du nun mit deiner anziehenden und ergreifenden Geschichte glücklich zu Ende bist, so will ich dich nicht länger zurückhalten!“ — und das unglückliche Kammermädchen taumelte — denn es flimmerte ihr vor den Augen und sauste ihr in den Ohren — zur Thür hinaus.

„Also hier in der Nähe! — Und er wird zurückkehren und wird sie wiedersehn!“ — Das waren Selmas erste Worte, als sie sich allein wußte und in wilder Hast in dem Zimmer auf- und niederschritt.

Wir wollen die Scene nicht schildern, welche nun folgte. Selma gerieth in einen Zustand der Leidenschaftlichkeit, Wildheit, Verstörtheit, welcher sie jeder und aller Schönheit entkleidete. Zu den Gefühlen des Hasses, der Eifersucht, der Rachsucht gesellte sich noch das Bewußtsein, „düpirt worden zu sein von ihr und ihrem Vater, und das Gefühl der Rathlosigkeit und Ohnmacht, so daß sich in ihrer Seele eine Masse von indignirten und zornigen und niederdrückenden Gefühlen anhäufte, welche sie fast zum Wahnsinn anstachelte.

In dieser Aufregung schrieb sie folgenden Brief an Herrn Salzer:

„Mein Herr! Sie haben mich auf die schändlichste Weise betrogen! Ihre Tochter ist wieder hier!

Ich erwarte, daß Sie sich innerhalb von wenigen Stunden bei mir persönlich rechtfertigen, widrigenfalls ich Sie bis zum Aeußersten verfolgen und am Ende der verdienten Strafe überliefern werde.

Selma Trenkmann."

Grade, wie sie diesen Brief versiegelt und die Adresse darauf geschrieben hatte, wurde an der Thür geklopft, und bald nachher trat Molly ein — Molly erfreute sich des Privilegiums, unangemeldet bei Selma eintreten zu dürfen.

Selma, deren Wangen noch von der Aufregung geröthet waren, ging ihrer Freundin nicht, wie sonst, freudig entgegen, sondern blieb steif an dem Tische stehn, auf welchem sie geschrieben hatte, und sagte mit hochmüthigem Lächeln: „Ei, ei, ein unerwarteter und unverhoffter Besuch!"

Molly dagegen trat unbefangen auf sie zu und entgegnete: „Lege nur vor allen Dingen diese Hofdamenmiene ab; sie kleidet dich nicht und schreckt mich nicht zurück. Meines Mannes Benehmen gegen dich war in der letzten Zeit gewiß unpassend und tadelnswerth; und ich habe dir keinen Augenblick verdacht, daß du deine Besuche bei uns einstelltest. Indeß Moll war krank, krank an Leib und Seele. Du hast gesehn, wie ich selbst unter seiner düstern Stimmung und seiner bösen Laune gelitten habe. Jetzt, da er wieder gesund ist, erkennt er sein Unrecht an und läßt dich durch mich um Entschuldigung bitten. Gewährst du sie ihm?"

Selma versetzte zögernd: „Ich weiß nicht, ob eine persönliche Abneigung —"

„Von einer solchen ist nicht die Rede!" — fiel Molly lebhaft ein — „Moll ist, wie du weißt, aufrichtig und ohne Falsch. Er fühlt, daß er während seiner Krankheit sich unhöflich gegen dich betragen und daß er dadurch eine äußerliche Entfremdung zwischen uns und dir veranlaßt hat. Dies thut ihm leid und er wünscht das alte freundschaftliche Verhältniß wieder herbeizuführen. Wenn er dir abgeneigt wäre, so würde er dies nicht wünschen."

„Nun gut!" — erwiderte Selma, von dem Blicke, der Wärme und der Offenheit ihrer Freundin besiegt — „Sage also deinem Manne, daß ich ihm nicht mehr zürne und daß ich mich aufrichtig freue, ihn wieder gesund und heiter zu wissen."

„Und nun" — sagte Molly, die Freundin bei der Hand ergreifend und nach dem Sopha führend — „nun erkläre mir zweierlei. Erstens, warum du so aufgeregt und förmlich verstört warest, als ich eintrat, und zweitens, was du mit einem so leichtsinnigen und liederlichen Menschen, wie Salzer ist, zu verkehren hast. Denn ich habe die Adresse jenes Briefes gelesen."

Zu jeder andern Zeit hätte der Stolz bei Selma den Sieg über ihre Freundschaft zu Molly davongetragen d. h. sie würde der Freundin die tiefe Erniedrigung, welcher sie sich durch ihre Uebereinkunft mit Salzer schuldig gemacht hatte, aus Scham verschwiegen haben; — wie dies bereits zweimal trotz aller Anregung zu einem offenen Bekenntnisse geschehen war — heut aber fühlte sich Selma nach der fürchterlichen Aufregung so erschöpft und abgespannt und darum so geneigt zur Aufrichtigkeit und Hingebung, und so trostbedürftig und rathlos, daß sie alles ohne Rückhalt erzählte, was Molly noch nicht wußte oder ahnte. — Und als sie mit dem Bekenntnisse zu Ende war, fügte sie, erröthend, hinzu: „Ich weiß nicht, wie ichs nur über mich vermocht habe, dir das alles so rückhaltslos zu bekennen; aber ich habe jetzt das Gefühl, als sei mir eine schwere Last vom Herzen genommen; und ich würde vielleicht wieder ganz ruhig werden, wenn ich nicht wüßte, daß *sie* wieder zurückgekehrt ist, ein Umstand, welcher mich zu großen Befürchtungen berechtigt."

„Aber sie ist gar nicht zurückgekehrt, sie konnte nicht wieder zurückkehren, da sie von hier niemals weggegangen ist!" — sagte Molly, ihre Hand auf Selmas Schulter legend.

Selma starrte die Freundin verwundert und sprachlos an. Molly aber fuhr fort: „Du bist von diesem leichtsinnigen Menschen aufs gröbste betrogen worden. Er hat seiner Tochter in einem entlegenen Stadttheile eine Wohnung gemiethet und dort hat er sie bis jetzt verborgen gehalten."

„Und du wußtest es!" — rief Selma vorwurfsvoll.

„Ich wußte es nicht und habe es erst vor einigen Tagen von meinem Manne erfahren" — entgegnete Molly.

„Und er wußte es also! rief wieder Selma, während sich ihre Züge verfinsterten, düster wurden.

„Auch Moll hat es erst vor einigen Tagen erfahren!" — versetzte Molly, erröthend und die Augen niederschlagend —

„Uebrigens" — fuhr sie nach einigen Secunden des Schweigens fort — „kannst du dich freuen, daß alles so gekommen ist. Fürs erste darfst du dir jetzt nicht mehr den Vorwurf machen, durch unredliche Mittel einen üblen Einfluß auf Helenens Schicksal wirklich ausgeübt zu haben. Fürs zweite wird sie dir, falls sie noch jemals mit Robert zusammenkommt, nicht mehr gefährlich werden, da der Betrug, an welchem sie wissentlich theilgenommen, ihr die Achtung Roberts entziehen muß, so wie er ihr die meines Mannes vollkommen entzogen hat." — Und wieder überzog nach diesen Worten ein brennendes Roth Mollys Züge.

Selma dagegen erbleichte: „Du hast" — sagte sie düster — „mit diesen Worten mein Urtheil gesprochen. Auch ich habe betrogen, ja ich habe den Betrug angefangen und sie dazu herausgefordert!"

Es würde uns zu weit führen und auch überflüssig sein, wollten wir die weitere Unterhaltung der beiden Freundinnen ausführlich niederschreiben. Die Resultate derselben werden uns hinlänglich über ihren Inhalt aufklären.

Zunächst sei nur bemerkt, daß Selma, ehe Molly von ihr wegging, den Brief an Salzer in tausend kleine Stücke zerriß und dabei sagte: „Deine Zartheit hat mir ein deutlicheres und abschreckenderes Bild von meinem Unrecht und meiner Vergehung hingestellt, als es Zorn oder Strenge hätte thun können. Ich habe mich, das fühle ich jetzt, auf schreckliche und gefährliche Abwege verirrt. Hochmuth hat mich zur Erniedrigung geführt! — Sprich mir nichts dagegen, ich fühle es. — Was ich noch gut machen kann, das werde ich wieder gut machen. Ich werde sogleich zu diesem Menschen fahren, um ihm kurzweg zu sagen, daß jede Verbindung zwischen uns abgebrochen ist und daß mir die ferneren Schritte seiner Tochter ganz gleichgiltig sind. Diese neue Demüthigung soll die erste Sühne sein!"

Sie schwieg einige Secunden, trübe zu Boden blickend, und fuhr dann fort: „Wenn ich eine Mutter gehabt, oder wenn ich mich nur dir früher anvertraut hätte" — sie konnte nicht weiter sprechen; Schmerz und Thränen erstickten ihre Stimme.

Vierzehntes Capitel.

Robert hat uns leider keine neuen und interessanten Berichte über die Baumwollenwaaren von Manchester und über die „kurzen Waaren“ von Sheffield und Birmingham mitgebracht, so daß wir den Leser damit unterhalten könnten.

Nicht einmal eine Beschreibung von London, seinen Beefsteaks, seinem Porter und seinem Ale, hat er uns zukommen lassen, so daß wir nicht im Stande sind, aus seiner Reise irgend einen Gewinn für unsre ethnographischen Studien zu ziehn.

Seine Geschäfte aber müssen höchst günstige Resultate geliefert haben; das läßt sich aus der guten Laune schließen, mit welcher er sich uns bei seiner Rückkehr nach B. vorstellt.

Als er, noch in Reisekleidern, zu Herrn Beinling ins Comptoir trat und ihn mit den Worten: „Seien Sie gegrüßt, alte, treue Seele!“ — stürmisch umschlang, so daß der sanfte, würdige Buchhalter ängstlich und ein wenig verschämt nach dem Nebenzimmer blickte, worinnen seine fünf Untergebenen beschäftigt waren, da mußte jeder unbefangene Beobachter augenblicklich erkennen, dieser junge Mann ist nicht mehr derselbe, als welcher er vor sechs oder sieben Wochen abreiste. Damals war seine Gesichtsfarbe bleich, sein Wesen unruhig, düster, sein Lachen gezwungen, unbehaglich; heut glänzt sein Auge, seine Wangen sind roth, sein Lachen kommt frei und voll aus der Brust, sein ganzes Wesen scheint ruhig und heiter. Damals war er uneins mit sich und unklar über sich; jetzt aber weiß er, was er will, und ist einig mit sich selbst und — voll Hoffnung und Zuversicht.

Und in der That war das Geschäft, welches Herr Trenkmann in seine Hand gelegt hatte, über alle Erwartung günstig ausgefallen, und dieser glückliche Erfolg war meist nur das Resultat von Roberts Gewandtheit, Thätigkeit und Scharfsinn.

Für einen Menschen wie Robert, aufstrebend und ehrgeizig, gibt es fast kein köstlicheres Gefühl, als das Bewußtsein, eine gewisse Machtvollkommenheit in Händen zu haben, über bedeutende Mittel zu gebieten. Gibt es eins, so ist es das Bewußtsein, solche Machtvollkommenheit, solche bedeutende Mittel auf kluge, intelligente Weise angewandt und damit große Erfolge erreicht zu haben.

Robert hatte beide Gefühle in London kennen gelernt. Als Vertreter eines reichen, angesehnen Handelshauses hatte er sich außerdem in den Kreisen, in welchen er sich bewegte, überall einer gewissen Achtung, Höflichkeit und Zuvorkommenheit erfreut. Und endlich hatte er in der Capitale des Handels zum ersten Male ein deutliches Bild von dessen Großartigkeit und Macht und Ansehn vor Augen bekommen.

Wird es uns nun befremden, wenn wir ihn einige Wochen nach seiner Ankunft in London die Worte aussprechen hören: „O, ich Thor, ich Verblendeter! der ich zweifeln konnte, ob mein jetziger Beruf der meines ganzen Lebens sei! Gibt es in der ganzen Welt wol einen Stand, einen Beruf, welcher dem Muthe, dem Verstande ein so fruchtbares, unermeßliches Feld eröffnet, als der Handelsstand? Gibt es einen Wirkungskreis, worin der Mensch freier und segensreicher walten und schalten kann? — O, Strolph, was sind deine Pläne, deine Versuche, deine Bestrebungen neben den meinigen? Während du, mit gebundnen Händen, das scharfe Schwert des Gesetzes stets drohend über deinem Haupte erblickend, ewig von Wächtern und Aufsehern belauert, Ideen predigst, welche die einen nicht begreifen und die andern nicht begreifen mögen, während du ohnmächtig mit Armuth und Elend ringst, steige ich, geachtet und gefürchtet, vom Gesetze beschützt, aus dem Becher des Genusses schlürfend, Stufe für Stufe auf der Leiter des Glückes empor, und werde, sobald ich oben bin, in einem Augenblicke mehr Segen über die Menschen ausstreuen, als du in deinem ganzen Leben auszustreuen fähig bist!"

Wir führen die letztere Aeußerung namentlich an, um darzuthun, wie Robert nicht leicht an seine Zukunft denken konnte, ohne zugleich Strolphs und seiner Lehren zu gedenken, ja, wie er unwillkürlich bemüht war, seine Bestrebungen mit denen von Strolph gleichsam zu vereinbaren, trotzdem, daß er sich einbildete, sich von ihm und seiner Denkungsart für alle Zeit entfernt zu haben.

So haben wir ja auch bemerkt, daß Strolph seinerseits, sobald er aus dem Gefängniß getreten war, sich nach Robert erkundigte und von Robert mit Theilnahme sprach, trotzdem, daß er sich einbildete, sich von demselben für alle Zeit losgesagt zu haben. — Wir wiederholen daher, was wir früher geäußert, sie waren Nebenwinkel und ergänzten sich einander, wiewol der eine spitz, und der andre stumpf war, zu zwei Rechten.

Robert kehrte also mit der süßen Ueberzeugung, den festen Punkt im Universum gefunden zu haben, und mit derjenigen Zuversicht und Seelenruhe und demjenigen Stolze, welche das Gefolge einer solchen Ueberzeugung ausmachen, wieder nach Hause zurück. Es war ihm so wohl und er trug den Kopf so hoch, als hätte er in London das Bild von Sais entschleiert, und furchtlos und straflos angeschaut. Wenn er unterwegs, nonchalant in die schwellenden Polster seines Wagensitzes zurückgelehnt, — er fuhr jetzt natürlich stets zweiter Classe, weil er dies dem Renommée seines Hauses schuldig zu sein glaubte — über seine Vergangenheit nachdachte, so lächelte er recht mephistophelisch-moquant, über seine Scrupel und Zweifel von ehedem, so wie ein Finanzminister über die Sorgfalt und Aengstlichkeit lächelt, mit welcher er ehedem seine arithmetischen Aufgaben als Gymnasiast gerechnet hat. Er wußte jetzt ganz genau, daß die Gesetze der gewöhnlichen Arithmetik für die gewöhnlichen Fälle des Lebens recht gut zureichten und genügten; aber für die höhern Calculs und Combinationen, wußte er, waren andere, höhere Gesetze zuläßig und erforderlich.

„Daß Olga Eindruck auf mich gemacht hat," — so raisonnirte er bei solchen Gelegenheiten — „daß ich um ihretwillen sogar geschwankt habe, welche Wahl ich betreffs meiner Zukunft treffen sollte, finde ich natürlich und wol der Entschuldigung werth. Denn sie ist ein liebes, gutes, edles Kind und verdient einen guten, edlen Mann.

Sollte mirs übrigens glücken, sie mit Beinling zusammenzubringen, so werde ich damit alle Verpflichtungen, welche ich in moralischer Hinsicht gegen sie haben mag, vollkommen erfüllt haben. Denn Beinling ist trotz einer gewissen respectablen Beschränktheit ein guter, edler Mann."

Wir wissen nicht, was der Leser davon halten mag, wir aber sind der festen Ueberzeugung, daß Herr Beinling, wenn er dies, von Robert über ihn mit echter Protectormiene ausgesprochene Urtheil mit angehört hätte, dasselbe noch als allzugütig und günstig erklärt haben würde — der gute, edle, aber gar sehr beschränkte Mann! Wie weise und verständig erscheint nicht Robert ihm gegenüber!

„Aber daß ich mich von dieser Helene zur Thorheit, zur Narrheit, zur Lächerlichkeit hinreißen ließ," — also fuhr Robert in seinem inwendigen Selbstgespräche fort — „das finde ich ebenso abgeschmackt, als unbegreiflich! — Und es ist ein unerhörtes Glück, daß ich bei diesem verwegenen Spiele auch nicht den geringsten Verlust erlitten habe! — Wahrlich! Helene ist die vollendetste Kokette, welche jemals gelebt hat! — Eine Syrene — eine — eine — Hexe! Ich habe das gleich gemerkt und war auf meiner Hut; — und am Ende war ich Narr genug, mich dennoch behexen zu lassen!

Es war ein vermessenes Spiel, welches ich mit ihr trieb — und noch dazu unter Selmas Augen! Dem Himmel sei Dank, daß die Weiber blind sind, wenn sie lieben, und daß, wenn sie ja einmal sehn, sie lieber ihren Augen nicht trauen, als an dem Geliebten zweifeln! — Uebrigens darf ich mir in Bezug auf Helene, denk ich, keine Vorwürfe machen. Wir haben miteinander das geistreiche Spiel der Galanterie gespielt. Die Einsätze waren gleich. Sie war mir an Geschicklichkeit überlegen; aber mich unterstützte das Glück. So haben wir beide nichts verloren, und sind einander nichts schuldig. — Jetzt werd ich mit Selma ein ernsthafteres Spiel beginnen. Wenn mich auch dabei das Glück nicht verläßt, dann — dann" — hier schaute Robert träumerisch durch das Wagenfenster, und holde, reizende Bilder der Zukunft umgaukelten ihn.

Als er in B. angekommen war, begrüßte er zuerst, wie wir gesehn haben, den guten, edlen, aber respectabel beschränkten Herrn Beinling, und als er von diesem erfuhr, daß auch Herr Trenkmann schon von seiner Reise zurückgekehrt sei, legte er eilig die Reisekleider ab, begrüßte dabei mit einer Art herablassender Gönnermiene die fünf Commis im Nebenzimmer, stieg dann, von Beinling gefolgt, mit stolzer, zuversichtlicher Haltung die schöne, breite Wendeltreppe hinan und trat in das Zimmer seines Principals.

Herr Trenkmann betrachtete seinen zweiten Commis mit scharfem, durchdringenden Blicke, was Robert nicht erwartet hatte — doch war dieser Blick nicht streng und nicht finster, sondern mild und freundlich — und sagte, nachdem er ihm zum Gruße die Hand gereicht hatte: „Ueber das Resultat Ihrer Reise und Ihrer Thätigkeit hat mich Ihr Brief aufgeklärt. Erzählen Sie uns nun die Details."

Und nachdem man sich allerseits niedergesetzt hatte, erzählte Robert die Details; und aus seiner Erzählung erkannte Herr Trenkmann zweierlei, erstens, daß Robert jetzt mit Leib und Seele Kaufmann war und zweitens, daß er eine nicht gar zu bescheidne Meinung von seinem kaufmännischen Fähigkeiten und Talenten aus London mitbrachte, daß ihn das Glück ein wenig berauscht hatte.

„Sie haben viel Glück gehabt;" — sagte Herr Trenkmann, als Robert mit seiner Erzählung zu Ende war — „und Glück mit Geschicklichkeit verbunden, sichert stets den Erfolg. Ich freue mich, daß ihr Debüt als Geschäftsmann ein so günstiges Resultat gehabt, ein Resultat, welches sicherlich ein gewisses Selbstvertrauen in Ihnen erweckt hat. Indeß eine lange Erfahrung berechtigt mich, Sie darauf aufmerksam zu machen, daß das Glück launisch und wetterwendisch ist und uns gewöhnlich dann grade den Rücken kehrt, wenn wir seiner am dringendsten bedürfen. Ich möchte fast behaupten, daß das Glück mehr Menschen zu Grunde richtet, als das Unglück, weil ein treuloser, falscher Freund gefährlicher und verderblicher ist, als ein ehrlicher Feind.

Durch diese Bemerkung will ich Ihren Muth nicht niederdrücken, Ihr Selbstvertrauen nicht erschüttern. Nur zur Vorsicht will ich mahnen und zum Mißtrauen gegen die Gunst des Glücks."

Robert hatte nach diesen Worten ungefähr dieselbe Empfindung, wie ein Mensch, dem soeben geträumt hat, daß er sich mit einem herrlichen Appetit an eine reiche, köstliche Tafel setzte, seinen Teller voll von den deliciösesten Speisen lud, und der grade in dem Augenblicke, wo er die köstlich duftenden Speisen zum Munde führen wollte, plötzlich aufgewacht ist und nun blos den üblen Nachgeschmack einer allzureichlichen Abendmahlzeit empfindet. — Bei ihm saß die üble Empfindung allerdings nicht im Gaumen, sondern in der Seele; aber darum war der Schmerz seiner Täuschung wahrlich nicht geringer und erträglicher, und seine Miene drückte neben Bestürzung und Befremdung noch tiefe, tiefe Niedergeschlagenheit aus.

Wir haben gesagt, Robert habe sich unterwegs zuweilen der Träumerei hingegeben, und dann seien holde, reizende Bilder der Zukunft vor seiner Seele aufgetaucht. Wir haben damals diese Bilder dem Leser nicht näher beschrieben, weil wir an die Wahrheit des Satzes glauben: Kein Mensch ist vor seinem Kammerdiener ein großer Mann! — und weil nach unsrer Ueberzeugung der Schriftsteller sich auch zu einer Art Kammerdienerei (zu einer moralischen nämlich) herabwürdigt, wenn er bei jeder Gelegenheit in die geheimen Herzkammern seiner geschilderten Personen hinabsteigt und dem Leser die geringste Regung und Empfindung derselben preisgibt. Jetzt aber können wir, ohne uns solcher Kammerdienerei schuldig zu machen, erwähnen, daß unter den Bildern, welche sich Robert von seiner Zukunft entworfen hatte, auch eins gewesen war, welches seinen Empfang bei seinem Principal darstellte. Und hierzu müssen wir noch bemerken, daß Robert, auf dem erwähnten Bilde eine ganz andre Rolle spielte, als er jetzt in Wirklichkeit spielte.

Daran dachte er nun, wie er so bestürzt und niedergeschlagen dasaß; und dieser trübe, traurige Gedanke erweckte einen andern, noch trüberen, nämlich: „Wird denn meine ganze Zukunft in Wirklichkeit so anders sein, als meine Phantasie dieselbe mir vorgemalt?"

Wir wissen nicht, ob Herr Trenkmann den Eindruck, welchen seine Worte auf Robert machten, bemerkt hat. Wir nehmen aber an, daß er ihn bemerkt, da er sich uns als einen scharfblickenden Mann mehre Male documentirt hat.

„Und nun" — sagte Herr Trenkmann, nachdem er den niedergeschlagnen zweiten Commis mehre Secunden mit Theilnahme betrachtet hatte — „nun will ich Sie nicht länger aufhalten. Sie werden müde sein und der Erholung bedürfen. Es ist eigenthümlich, daß das Reisen mit der Eisenbahn körperlich und geistig weit mehr abspannt, als das Reisen zu Fuß oder zu Wagen, trotzdem daß mit dem ersteren durchaus keine Anstrengung verknüpft ist, und daß es durch den steten Wechsel der Scenen und durch die unaufhörliche Veränderung der uns umgebenden Personen unablässig neuen Stoff zur Unterhaltung bietet. Die körperliche Abspannung scheint anzudeuten, daß der Körper zu seiner Erholung der selbstständigen Bewegung bedarf, während die geistige zu beweisen scheint, daß der Geist unter aller Flüchtigkeit leidet und zu seinem Gedeihen einer gewissen Gründlichkeit bedarf."

Diese ganz allgemeine Betrachtung stimmte schlecht zu Roberts selbstischen Gedanken, sie klang fast wie Ironie. Daher erhob er sich mit der Miene eines, welchem eine unverschuldete Kränkung widerfahren, verbeugte sich kalt und steif und verließ, von dem treuen Beinling begleitet, das Zimmer.

Beinling seinerseits folgte ihm mit der Miene eines Mannes, welcher ein herrliches Geschenk in der Tasche trägt und sich bewußt ist, daß er dasselbe nur herauszuziehen und dem andern zu überreichen braucht, um ihn zu stürmischer Freude und zu enthusiastischer Dankbarkeit anzuregen, der aber diesen köstlichen Moment immer noch hinausschiebt, aus dem sehr einleuchtenden Grunde, weil er ihn immer noch vor sich haben will. — Herr Beinling hatte keine Ahnung von den Gefühlen und Gedanken, welche in Robert durch die Unterredung mit Herrn Trenkmann erweckt worden waren. Er fand es ganz in der Ordnung, daß ein erfahrner Mann einen unerfahrnen ermahnte und warnte, und dachte, die Schweigsamkeit von Robert entspränge jedenfalls aus jenem Gefühle der Rührung, welches uns überkommt, wenn wir nach langer Abwesenheit in die Heimat zurückkehren und den Blicken geliebter und liebender Menschen begegnen. Daher lächelte er schlau und verstohlen, zupfte an den Vatermördern und trommelte, als sie in Roberts Zimmer waren, und dieser sich seufzend auf das Sopha gestreckt hatte an den Fensterscheiben. — Endlich aber setzt er sich neben Robert aufs Sopha, zog mit vieler Bedachtsamkeit seine silberne Dose hervor, nahm eine Prise und begann: „Während Sie in London ein großes Geschäft zu Stande gebracht haben, sind wir hier auch nicht müßig gewesen, wir haben auch ein Geschäft gemacht.“

„Ah, Sie haben auch ein Geschäft gemacht?“ — versetzte Robert in einem Tone, welcher weder Theilnahme noch Höflichkeit ausdrückte.

„Ein Geschäft unter der Firma: Moll, Strolph und Beinling,“ fuhr Beinling lächelnd fort — „Errathen Sie noch nicht, von welchem Geschäft die Rede ist?“

„Moll, Strolph und Beinling?“ — wiederholte Robert, ohne nur den tausendsten Theil jener Freude an den Tag zu legen, welche Herr Beinling erwartete.

„Nun ja!“ — rief der Buchhalter, ein wenig ins Feuer gerathend, und dabei die volle Würde eines Geschäftsmannes erster Classe bewahrend — „die Firma Moll, Strolph und Beinling hat eine großartige

Wasserheilanstalt auf Actien gegründet, und diese Actien steigen mit unglaublicher Schnelligkeit."

„Reden Sie im Ernste?" — fragte Robert mit einem Gefühle der Beklemmung, welches er sich nicht erklären konnte.

Beinlings Miene drückte getäuschte Hoffnung und wol auch ein klein wenig Aerger aus, als er antwortete: „Allerdings red ich im Ernste, in vollkommenem Ernste; und ich hatte gehofft, Ihnen durch meine Neuigkeit eine angenehme Ueberraschung, eine Freude zu bereiten. Aber es scheint" — fügte er im Tone milden Vorwurfs hinzu — „als habe ich mich getäuscht!"

Robert sprang von dem Sopha in die Höhe, kreuzte die Arme über der Brust und sich vor Beinling hinstellend sagte er: „O, warum haben Sie nicht gewartet, bis ich hier war? — Wahrlich, Sie haben mir da einen bösen Streich gespielt! — Ich hätte ein Jahr meines Lebens darum gegeben," — wie verschwenderisch doch die Jugend mit dem Leben umgeht! — „wenn ich, grade ich, der Gründer einer solchen Anstalt gewesen wäre, wenn grade ich meinen Freunden Moll und Strolph ein solches Unternehmen in Vorschlag gebracht hätte!" — Und er schaute den Buchhalter fast zürnend an.

Herr Beinling, der gute, aufopferungsfähige, vertrauungsvolle Buchhalter, entdeckte weder die ungeheure Selbstsucht noch die brutale Beleidigung gegen ihn, welche in Roberts Worten enthalten waren. Er merkte nur, daß Robert betrübt war, und sagte, ihm gutmüthig die Hand reichend: „Wie gern würd ich Ihnen alles überlassen haben, wenn Sie nur dagewesen wären. Uebrigens ist es auch jetzt noch nicht zu spät. Ich lege meinen Antheil an dem Unternehmen mit Vergnügen in Ihre Hände, welche offenbar viel geschickter, als die meinigen sind. Es bedarf nur einer kurzen Verständigung zwischen Ihnen und Strolph, und die Sache ist im rechten Gleise. Abgemacht!"

Robert erklärte sich nicht, ob er das Opfer, welches ihm Beinling so bereitwillig bringen wollte — denn es war ein Opfer — annehme oder ablehne, sondern setzte sich wieder schweigend und gedankenvoll auf das Sopha!

Es ist nicht genau zu ermitteln, wie lange die beiden Herren so schweigsam und gedankenvoll würden nebeneinandergesessen haben, — denn auch Herr Beinling war schweigsam und nachdenklich geworden, weil er nicht begreifen konnte und tief darüber nachdachte, warum Robert, welcher vor kurzem erst so heiter und fröhlich in das Comptoir getreten war, jetzt plötzlich so traurig und düster erschien — wenn nicht das Geräusch eines heranrollenden und unten vor dem Hause stillhaltenden Wagens dem Gedankenfluge des Buchhalters eine andre Richtung gegeben und ihn zu der lauten Bemerkung veranlaßt hätte: „Sie werden Fräulein Selma gar sehr verändert finden.“

„Also auch sie?“ — fragte Robert hastig, und gleich darauf fügte er hinzu: „Inwiefern ist sie verändert?“

Die erste dieser Fragen war dem Buchhalter unklar wegen des „auch“, welches darin enthalten war. Die zweite dagegen setzte ihn in Verlegenheit. Anfangs, weil ihm die Beantwortung schwer fiel, und später, weil ihm diese Beantwortung einer Censur sehr ähnlich schien, — es verstieß aber gegen seine Bescheidenheit, der Tochter seines Principals eine Censur auszustellen. — Da er jedoch irgend etwas antworten mußte, so sagte er: „Nun, Sie werden das sehr bald selbst herausfinden. Herr Trenkmann wenigstens hat es augenblicklich bemerkt.“ — Und der wackere Geschäftsmann erröthete darüber, daß er unwillkürlich aus der Schule geplaudert hatte.

Hierauf wechselte Robert hastig die Kleider und ging nach dem grünen Saale, wo sich Selma um diese Tageszeit aufzuhalten pflegte, während Herr Beinling unter dem Vorgeben, daß er noch eine dringende Arbeit zu beendigen habe, sich nach dem Comptoir verfügte.

Wie anders war Robert früher, ehe er nach London reiste, vor Selma getreten, und wie anders hatte ihn Selma empfangen, als jetzt! Damals trat er mit der Miene stolzen Selbstbewußtseins, ruhig, zuweilen mit triumphirenden Lächeln vor sie; und sie schlug vor seinem Blicke schüchtern die Augen zu Boden und saß in süßer Verwirrung vor ihm; — heut dagegen sprach sich in Roberts Wesen Unruhe, Zaghaftigkeit, Verwirrung aus, seine Stimme schien unsicher; während Selma (sich von dem Stuhl vor dem Flügel, auf welchem sie eben gespielt hatte, ruhig erhebend) ihn mit freundlichem aber festem Blicke und sicherer Stimme begrüßte und willkommen hieß.

Robert bedachte dies während er vor ihr stand, und darauf trat ihm das Bild, welches er sich unterwegs von seinem Empfange bei Selma entworfen hatte, vor sein inneres Auge, und darauf erinnerte er sich, mit welchen Gefühlen und Gedanken er erst vor einer Stunde in dieses Haus, welches er als Vaterhaus betrachtete, zurückgekehrt war, und er fragte sich, ob er denn träume, oder früher geträumt habe, und eine Stimme in seinem Innern antwortete: Früher, früher!

„Wie ist es Ihnen gegangen seit — seit meiner Abreise?“ — fragte Robert, die Worte langsam und zögernd aussprechend, weil er fürchtete, sie könnten ihm falsch ausgelegt werden.

Selma antwortete nicht gleich, sondern schaute gedankenvoll zu Boden; darauf aber versetzte sie, schwer aufseufzend: „Wenn Selbsterkenntniß glücklich macht, so habe ich in der jüngst vergangnen Zeit den Grundstein zu meinem Glücke gelegt. Außerdem, wissen Sie wol, besteht das Leben aus einem ewigen Wechsel von Verlust und Gewinn, von Schmerz und Freude, von Trennung und Wiedersehn u. s. w. — Doch das sind zu ernste Gedanken für einen Mann, der von einer Vergnügungsreise wieder heimkehrt!“

„Darf ich fragen, wer Sie auf die Vermuthung gebracht, daß ich um des Vergnügens willen nach London gereist sei?“ — fragte Robert mit dem Tone eines Menschen, welchem ein himmelschreiendes Unrecht angethan worden ist.

„Ich habe meinen Vater davon sprechen hören;“ — antwortete Selma ruhig — „übrigens ist es ja wol möglich, daß ich ihn falsch verstanden habe.“ — Nach diesen Worten setzte sie sich wieder auf den Stuhl vor den Flügel und schlug gedankenvoll einige Mollaccorde an.

Robert war wie aus den Wolken gefallen. Was konnte denn Selma so verändert haben? — Sie war offenbar nicht mehr die liebeglühende Sklavin, als welche er sie verlassen hatte. Und doch lag in ihrem jetzigen Benehmen auch nichts von ihrem frühern Hochmuthe, ihrer frühern Kälte. Sie hatte sich also nicht blos in Bezug auf die Gefühle gegen ihn verändert, sondern ihr ganzes Wesen, ihr Charakter hatte eine Umwandlung erlitten.

„Ist Ihnen diese neue Musik von Wagner schon bekannt?“ — fragte Selma, ihm das Notenheft, aus welchem sie gespielt hatte, überreichend.

Robert warf einen flüchtigen Blick auf das Titelblatt und entgegnete: „Ich bin kein Verehrer von Wagner, wie sehr ihn auch die Welt preisen und erheben mag. Seine Musik kommt mir vor wie die Lehren Calvins, streng und finster; sie erwärmt nicht.“

Selma blätterte nachdenklich in dem Notenhefte und sagte: „Ein Mensch, welcher reformiren will, sei es in der Religion oder in der Musik, muß, glaub ich, streng sein. Die Consequenz führt gar zu leicht zur Pedanterie, zur Uebertreibung, das ist wahr; aber sie führt auch zur Entschiedenheit, zum Siege. Wagner zieht gegen die Spielerei in der Musik zu Felde, er predigt Einfachheit, Natürlichkeit. Verzeihen wir ihm also, wenn er mit der Spreu auch ein paar Körnchen bei Seite wirft, wenn er uns die Einfachheit und Natur nicht gleich mit all der Grazie und Schönheit hinstellt, welcher sie bedürfen, um uns zu bezaubern. — Es geht diesem Reformator, wie es einem charakterfesten Menschen geht, welcher zu der Erkenntniß kommt, daß er auf Irrwegen einhergegangen ist.

Er will seine Thorheiten und Fehler ablegen. Er wird streng gegen sich, und grade diese Strenge führt ihn vielleicht zu neuen Irrthümern; aber sie rettet ihn auch, sie macht seinen Bruch mit der Vergangenheit entscheidend und bewahrt ihn vor einem Rückfalle." — Und wieder blätterte sie gedankenvoll in dem Notenhefte.

Nach einigen Secunden des Schweigens sagte Robert mit einer nur halb verhehlten Ironie: „Die Einsamkeit scheint Sie zu sehr ernsten Studien und Betrachtungen veranlaßt zu haben."

„Und wer sagt Ihnen," — versetzte Selma, aufblickend und erröthend und mit einer Lebhaftigkeit, welche dem zweiten Commis nicht übermäßig gefiel — „wer sagt Ihnen, daß es Einsamkeit war, welche mich zu diesen Betrachtungen geführt hat?"

„O, ich dachte nur!" — entgegnete Robert kalt — „Sie hatten zuerst eine liebe Freundin verloren — ich meine Fräulein Helene — und bald darauf reiste Ihr Herr Vater weg — und demnach glaubte ich, Sie dürften sich ein wenig einsam gefühlt haben. — Doch ich will Sie nicht länger in Ihren musikalischen Studien stören." — Damit verbeugte er sich kalt und stolz und verließ den Saal.

Die Gefühle und Gedanken zu schildern, mit welchen Robert jetzt durch die Straßen von B. rannte, ohne Zweck und Ziel, ohne zu sehn, was um ihn und vor ihm geschah — wäre eine schwere und unerquickliche Arbeit, welche wir um so mehr verschmähen, weil sie dem Leser nur ein trauriges Bild von menschlicher Größe und Würde liefern und demnach kein ästhetisches Wohlgefallen verursachen würde.

Als endlich in Roberts Seele wieder enige Windstille eingetreten war, und er sich umdrehte, um wieder nach Hause zurückzukehren, standen Strolph und Moll vor ihm und begrüßten ihn herzlich und befragten ihn über seine Reise.

„Wenn ich nach dem Empfange urtheilen soll," — versetzte Robert mit einer ihm aus der Seele quellenden Bitterkeit — „nach dem Empfange, welcher mir bei meiner Rückkehr soeben zu theil geworden, so muß ich glauben, daß ich in London unbewußterweise einen Schurkenstreich vollbracht habe."

„Wenn Sie bei reichen Leuten auf Gefühl und Dankbarkeit gerechnet haben," — sagte Strolph mit einer gewissen Genugthuung — „so haben Sie Ihre Rechnung ohne den Wirth, d. h. ohne Menschenkenntniß, gemacht. Diese abscheulichen Egoisten behandeln" —

„Halt da!" — fiel Moll ein, indem er Robert vertraulich auf die Schulter klopfte — „lassen Sie sich von diesem moralischen Falschmünzer keine falschen Banknoten aufdringen. Ich weiß ein wenig, wie die Sachen bei Ihnen zu Hause stehen. Für Sie stehen sie eben nicht schlecht. Lassen Sie sich das gesagt sein, und gehn Sie sachte und vorsichtig Ihres Weges weiter. Trenkmann ist ein ehrlicher, braver Mann; wenn Sie mit dem nicht auskommen, so liegt die Schuld an Ihnen selbst. Und was das übrige betrifft, so wenden Sie ein bischen Geduld an. Abgemacht! — Jetzt aber, da wir grade hier sind, will ich Ihnen doch ein hübsches, liebliches Schauspiel zeigen. Kommen Sie!" — Mit diesen Worten schob er seinen rechten Arm unter den linken von Robert und führte ihn, den Ueberraschten, in die Kirche, vor welcher sie grade gestanden hatten. Strolph aber zuckte, einen unwilligen Blick auf den Assessor werfend, die Achseln und ging dann allein auf der Straße weiter.

Als Robert mit Moll in die Kirche eingetreten war, sah er zunächst nichts weiter als eine kniende, betende Menge. Demgemäß schaute Robert fragend in Molls Gesicht.

„Blicken Sie geradeaus" — flüsterte der Assessor — „und betrachten Sie die Gruppe rechts neben dem Altar."

Robert that wie ihm geheißen und schaute folgendes: Helene Salzer kniete, gleich einer büßenden Magdalene, vor einem Betstuhl und betete andächtig und inbrünstig. Sie war in schwarze Seide gekleidet, welche ihren weißen, kindlichzarten Teint vortheilhaft hervorhob. Ihr schöner, antiker Kopf war auf die Brust niedergesenkt, ihre Hände waren gefaltet. Zu ihrer Rechten knieten zwei Mädchen in dem Alter von 13 bis 16 Jahren. Beide schienen trotz ihrer Jugend, gleich ihrer Lehrerin und Meisterin, in fromme, heilige Betrachtungen versunken.

„Jetzt wenden Sie Ihre Augen nach links" — flüsterte Moll weiter — „auf den großen vornehmen Mann, welcher der Gruppe gegenübersteht und sie mit seinem Blicke zu verschlingen scheint. Es ist der Vater der beiden Mädchen. Es ist also natürlich, daß er eid Gruppe mit Wohlgefallen betrachtet."

Robert wandte seine Augen auf den großen, vornehmen Mann, welcher links neben dem Altare stand und die Gruppe gegenüber mit den Augen zu verschlingen schien. Und darauf betrachtete er wieder die Gruppe selbst und die Hauptfigur derselben, Helene, welche alles um sich her zu vergessen, jeden irdischen Gedanken verbannt zu haben, und ihrem Gott ein frommes, glühendes Gebet darzubringen schien. — Und allgemach wurde sein Blick starr und trübe, ein Schwindel ergriff ihn, es flimmerte und blitzte ihm vor den Augen; und er mußte sich an den nahen Pfeiler lehnen, um sich aufrechtzuerhalten.

„Ah, ich hätte Sie vorbereiten sollen!“ — flüsterte Moll wieder mit sardonischem Lächeln — „der Anblick ist zu neu, zu überraschend für Sie. Ich meinerseits habe dies Schauspiel schon einige Male genossen — man kann es um diese Zeit und an diesem Orte fast täglich genießen — mich überrascht und alterirt es nicht mehr!“

In diesem Augenblicke warf Helene einen frommen, glühenden Blick gen Himmel und dann erhob sie sich. Und auf ein Zeichen von ihr erhoben sich auch die beiden Mädchen. Darauf schritt sie, an jeder Hand eines von den Mädchen führend, mit niedergeschlagnem Blicke und demüthiger, frommer Haltung langsam nach dem Portale der Kirche, an Robert vorüber, ohne ihn eines Blickes zu würdigen, ohne dem Anschein nach seine Gegenwart zu bemerken, tauchte ihre schöne Hand in das Weihwasser, verließ dann die Kirche, stieg mit den Mädchen in einen Wagen mit gräflichem Wappen, der ihrer wartete, und fuhr davon.

Robert und Moll waren ihr unwillkürlich nachgegangen.

„Das ist also das arme, unglückliche Kind des Volkes, welches die Theilnahme von Strolph in so hohem Grade erregt hat!" — murmelte Robert mit bitterem Lächeln, dem hinwegrollenden Wagen mit dem Blicke folgend.

„Strolph wird Ihnen bei Gelegenheit mathematisch beweisen, daß dies Mädchen erst durch die vornehme Luft, welche sie im Hause des Millionärs eingeathmet hat, zu dem geworden, was sie gegen wärtig ist, zu einer abscheulichen Intriguantin" — entgegnete Moll gedankenvoll.

„Und Ihre Meinung?" — fragte Robert gespannt.

„O, ich sehe in Helenens Carrière nur ein Beispiel, wohin der Ehrgeiz ein Weib ohne Gemüth und ohne Grundsätze führt! Doch da wir grade von Helenens Carrière sprechen, so muß ich Ihre Neugierde, die Sie so meisterlich zu beherrschen wissen, schon befriedigen und Ihnen das Schauspiel, welches wir soeben angeschaut, ein wenig erklären!"

Nachdem Moll erzählt hatte, daß Helene nach ihrer Entfernung aus dem Trenkmannschen Hause keineswegs zu der Tante in dem polnischen Dörfchen gereist war, (von Selmas Intrigue erwähnte er nichts, wiewol sie ihm, wie wir später erfahren werden, kein Geheimniß war) und nachdem er das Schauspiel, welches sie so-eben betrachtet, gehörig erklärt hatte, — wie er selbst zu dieser Aufklärung gekommen, werden wir ebenfalls später erfahren — warf er einen neugierigen, forschenden Blick auf Robert. Der aber stand plötzlich still, brach in ein lautes, gezwungenes Gelächter aus und verließ seinen Freund mit den Worten: „Haec fabula docet, daß Ehrgeiz ein schändliches Laster ist!"

Funfzehntes Capitel.

Wir haben Olga in einer sehr traurigen Lage verlassen. Es gehörte ein starkes, muthiges Herz und ein sanftes, engelgutes Gemüth dazu, in solcher Lage mit Ehren zu bestehn. Da sie aber zum Glück all diese Eigenschaften besaß, so bestand sie mit Ehren.

Wir haben gesehn, welchen Eindruck der letzte Brief von Robert auf sie machte, wie sie nach Durchlesung desselben in bittre Thränen ausbrach und mit dem Ausdrucke des allerhöchsten Schmerzes flüsterte: „Lebe wohl! lebe wohl!"

Und wenn sie auch diese Thränen nach einer heroischen Anstrengung bald unterdrückte und den Ausdruck des Schmerzes aus ihren Zügen entfernte, so beweist dies nur, daß sie Seelenstärke und Entsagung besaß, aber nicht, daß der Schmerz linder geworden war.

Während nun dieser Gram noch an ihrem so empfindsamen Herzen nagte, trat die unglückliche Brautbewerbung des sehr frommen und daher sehr liebeglühenden Diakonus ein.

Wir haben gesehn, wie sie den ehrenvollen Antrag ablehnte, und wie sie der wackere Oheim durch ein Machtgebot gegen die Tyrannei der Tante schützte. Aber die Folgen dieser Ablehnung und dieses Actes männlicher Entschlossenheit von Seiten des Rechnungsrathes sind uns noch unbekannt, (wiewol wir keines großen Scharfsinnes bedürfen, um sie zu errathen) ebenso wie die Thatsache, daß der Rath eigenhändig eine höfliche Ablehnung des Heirathsantrags niederschrieb und dem Diakonus zuschickte.

Der Rechnungsrath hatte also gesiegt; aber dieser Sieg kam ihm theuer zu stehn. Er hatte sein großes Geschütz mit einem Male abgebrannt und war jetzt dem ununterbrochenen Musketenfeuer der Tante preisgegeben. O, wie viel kleine, aber schmerzhafte Wunden brachte sie ihm bei, wie viel Entbehrungen und Unfälle mußte er während seines Rückzuges erdulden; und welchen Kummer empfand Olga, während sie ihn so leiden sah und sich sagen mußte: Er leidet um deinetwillen!

Aber auch die Tante litt um ihretwillen. War ihr nicht um Olgas willen ein himmelschreiendes Unrecht angethan worden? Hatte sie nicht um ihretwegen eine neue fürchterliche Demüthigung ertragen müssen? Und stand ihr nicht Olgas wegen eine neue Inachterklärung von Seiten des Sittentribunals bevor?

Aber Olga war auch jetzt wieder und trotz ihrem eignen Grame der gute Engel des Hauses. Sie tröstete und ermunterte den gramerfüllten Onkel, sie besänftigte den Ingrimm und Zorn der Tante; und wenn die letztere in Stunden einer sanfteren Bewegung zu ihr sagte: „Was wird die Welt dazu sagen, Olga?" — antwortete sie mit Zuversicht: „Die Welt wird bald zugestehn, daß wir recht gehandelt haben!"

Und in der That gestand die Welt dies bald zu, wenn auch in einem ganz andern Sinne, als Olga meinte.

Schon am vierten Tage nach jenem Morgen, an welchem die Mutter des Diakonus den Heirathsantrag im Namen ihres Sohnes gemacht hatte, erlebte die Räthin die unbeschreibliche Freude, zwei der angesehnsten und einflußreichsten Mitglieder des Sittentribunals, nämlich Frau Landräthin v. Schettwitz und Frau v. Pedell, bei sich zu sehn.

Die beiden Damen hatten offenbar vermöge ihrer ganz unerhörten Spürkraft von dem stattgehabten hochwichtigen Ereignisse — wir meinen den abgelehnten Heirathsantrag — Wind bekommen, und verfolgten nun das Wild bis ins Lager. Die gute Räthin aber konnte eher eine Fliege auf der Nase, als ein Geheimniß auf dem Herzen ertragen, und im jetzigen Falle hielt sie das Geheimniß um so weniger zurück, als sie keine Ahnung davon hatte, daß es für die beiden Damen noch halb und halb Geheimniß war.

Nachdem daher die beiden Gäste ungefähr eine Viertelstunde in ihrem Zimmer gesessen hatten, war das Gespräch über den besagten Heirathsantrag bereits im besten Gange; und die Räthin war ebenso überrascht und verwundert, als stolz und glückselig, aus dem Munde der beiden Damen, deren strenges Urtheil sie so sehr gefürchtet hatte, nur Worte des Lobes und der Beipflichtung zu vernehmen.

„Ich wundre mich gar nicht, daß die liebe Olga unsrem wackern Diakonus — welchem ich übrigens von ganzem Herzen ein ebenso gutes und liebenswürdiges Mädchen, als Olga ist, zur Frau wünsche — einen Korb gegeben hat" — äußerte Frau v. Pedell.

„Ein Mädchen mit solchen Aussichten, wie sie Olga hat, kann schon ein wenig hoch hinausstreben, ohne daß man es des Hochmuths oder des Ehrgeizes anklagen darf. Ich denke, wir werden Olga am längsten unter uns gehabt haben; denn sobald einmal Herr Robert verheirathet und ein Millionär sein wird." —

„O, glauben Sie nicht, daß wir uns durch dergleichen Rücksichten haben verleiten lassen, den uns ehrenden Antrag abzulehnen;“ — fiel die Räthin ein — außerdem bedarf Olga, solange sie sich in unsrem Hause befindet, der Fürsorge Roberts nicht “

„Nun, wir werden sehn, wir werden sehn!“ — sagte die Landräthin und begleitete diese Prophezeihung, welche unter allen Umständen in Erfüllung gehen mußte, mit einem bedeutsamen Kopfnicken.

Dieser Besuch und diese Unterredung brachten mit einem Male wieder Frieden und Eintracht in das Hüblersche Haus. Die Räthin, welche in allen Fällen, wo sie sich hätte von dem eignen Bewußtsein und Gewissen leiten lassen sollen, die Stimme der Welt — der Welt von D. — zu Rathe zog, und welche umgekehrt die öffentliche Meinung in den Fällen verachtete und ihr Trotz bot, wo dieselbe ein Recht hatte, sich zu äußern, begann jetzt, infolge der Unterredung mit den beiden Damen, die Heirathsantragsgeschichte von einer ganz andern Seite zu betrachten. „Es ist wahr“ — sagte sie bei sich — „Olga darf wol höhere Ansprüche machen, als die Frau eines Diakonus mit einem Gehalte von 400 Thalern zu werden. Robert will ja bei seiner nächsten Herkunft seinen Freund, den ersten Buchhalter, mitbringen. Ohne Absicht thut er das gewiß nicht. Wer weiß, was Olga noch beschieden ist? Und so will ich denn ihre Aufsätzigkeit vergessen und vergeben; im Ganzen hat sie doch auch bei dieser Gelegenheit dargethan, daß sie wohl weiß, was sie uns und sich selbst schuldig ist."

Von diesem Augenblicke an zeigte sich die Räthin wieder freundlich und herzlich sowol gegen Olga als gegen ihren Gemahl, welcher Umstand den letzteren in die höchste Verwunderung setzte und mit solcher Freude und solchem Muthe erfüllte, daß er des Nachmittags wieder zum ersten Mal seit vier Tagen nach dem Bahnhofe ging.

Auf dem Bahnhofe traf er merkwürdigerweise auch den Diakonus, welche Begegnung dem gutmüthigen Rathe einiges Herzklopfen verursachte. Indeß der Mann Gottes trat ihm sogleich mit liebreicher Miene entgegen, drückte ihm bedeutungsvoll die Hand und legte in seinen Blick ungefähr die Worte: „Mein Stand verpflichtet mich, weder Haß noch Bitterkeit in mein Gefühl eindringen zu lassen. Ich verzeihe Ihnen!" — worauf der Rechnungsrath eine tiefe Verbeugung machte, die Augen zu Boden schlug und den Händedruck bedeutungsvoll erwiderte.

An einem der nächstfolgenden Tage fragte die Räthin über Tische ganz wie aus Zufall: „Ein solcher erster Buchhalter mag wol einen recht hübschen Gehalt beziehn?"

„O gewiß!" — versetzte der Rath eifrig — „Ich glaube, daß Herr Beinling bestimmt 2000 Thaler von seinem Principale erhält, — ich meine als Jahresgehalt. Außerdem aber soll er sich doch schon ein hübsches Capitälchen gesammelt haben, von welchem er noch die Zinsen bezieht."

„Hm!" — murmelte die Tante und schaute gedankenvoll auf die Hammelskeule, welche vor ihr stand. — „Was mir an diesem Beinling gefällt," — fuhr sie nach einer Weile fort — „ist der Umstand, daß er sich nicht schon als Grünschnabel verheirathet hat. Er muß ein sehr gesetzter und vernünftiger Mann sein. Ich bin recht neugierig auf ihn."

„Olga schlug während dieser Unterhaltung erröthend die Augen nieder; und des Onkels Auge, durch die Liebe geschärft, merkte, daß sie dabei litt. Daher schwieg er, als die Tante den Gegenstand noch weiter berührte, und dasselbe Schweigen beobachtete er von diesem Augenblicke an immer, so oft auch die redselige Räthin noch darauf zurückkam — was leider sehr oft geschah.

Wir übergehen nun einen Zeitraum von vier Wochen, in welchem weder im Hüblerschen Hause noch überhaupt in D. etwas Außerordentliches, der Rede Werthes geschah. (Es müßte denn jemanden interessiren, zu erfahren, daß in dieser Zeit das Rathhaus von D. mit neuen Fenstern ausgestattet, und der Ring, verschiedentlicher Löcher wegen, mit Kies überfahren wurde.)

Eines Sonnabends (nach Verlauf der vier Wochen) trat der Rechnungsrath mit strahlender Festtagsmiene ins Zimmer der Räthin und sagte: „Henriette, ich kündige dir für morgen zwei liebe Gäste an.“ — Nach diesen Worten klopfte er mit dem Zeigefinger der rechten Hand auf einen Brief, welchen er in der linken hielt, gleichsam als wollte er sagen: „Hier stehts geschrieben; es ist also keinem Zweifel unterworfen!“

„So? — Also Robert und der Buchhalter?“ — versetzte die Tante, angenehm überrascht — „Nun so lies doch!“ — fuhr sie mit dem Tone und der Miene des Unwillens fort, als sie den Rath im Begriff sah, den Brief in die Tasche seines Schlafrockes zu stecken.

Der Rechnungsrath zögerte und blickte ängstlich nach der Thür. Darauf näherte er sich fast auf den Zehen seiner Gemahlin, überreichte ihr den Brief und flüsterte: „Lies ihn nur selbst. Ich möchte nicht, daß Olga seinen Inhalt erführe. Er könnte sie verletzen.“

„Er könnte sie verletzen?“ wiederholte die Räthin,

sehr verwundert, und las mit der höchsten Spannung und Neugierde, wie folgt:

„Lieber guter Onkel!

Vorgestern bin ich von meiner Geschäftsreise zurückgekehrt und schon morgen werde ich zu Ihnen eilen, um mich persönlich von Ihrem allerseitigen Wohlergehn und Wohlwollen zu überzeugen.

Die Resultate meiner Reise sind in geschäftlicher Beziehung äußerst günstig gewesen. Und das genügt mir vollständig. Selbst ein persönlicher Vortheil ist mir daraus erwachsen, der Vortheil nämlich, daß ich jetzt nicht mehr im Zweifel bin, ob mein neuer Beruf meinen Fähigkeiten und Neigungen angemessen sei. — Doch darüber mündlich!

Ich werde nicht allein kommen, sondern meinen Freund Beinling mitbringen, wie ich Ihnen schon vor meiner Abreise angekündigt habe. Abgesehen davon, daß mir sehr am Herzen liegt, Sie mit einem so vortrefflichen und achtungswerthen (nur vielleicht ein wenig allzu anspruchslosen) Manne, wie Beinling ist, bekannt zu machen, will ich nicht leugnen, daß ich, indem ich ihn in Ihre Familie einführe, gewisse Hoffnungen hege, deren Erfüllung mich unaussprechlich glücklich machen würde. Zugleich bin ich überzeugt, daß auch Sie, sowie die gute Tante, von morgen an die Erfüllung dieser Hoffnungen wünschen und als ein Glück betrachten werden.

Mit der Verehrung, welche Sie an mir für Sie kennen, zeichne ich mich als

Ihr

treuer Neffe Robert."

Die Räthin hatte diesen Brief hastig und halblaut durchlesen; und als sie nun am Ende war, fragte sie mit einer Miene, welche zum Theil getäuschte Erwartung, zum Theil Verwundrung ausdrückte: „Aber mein Gott, warum soll denn Olga diesen Brief nicht lesen, und in welcher Beziehung könnte er sie denn verletzen?"

Die Räthin hatte mit ihrer gewöhnlichen Heftigkeit und Reizbarkeit, daher etwas laut gesprochen und ihres Gatten ängstliche Winke nnd stumme Ermahnungen, leiser zu sprechen, nicht beachtet. Zum Unglück war inzwischen Olga in das Zimmer getreten und hatte die letzten Worte der Tante mit angehört.

„Du brauchst gar nicht so zu erschrecken, armes Kind" — sagte die Tante, als sie Olga erbleichen sah — „Lies du nur immer den Brief. Es steht nichts darin, was dich verletzen könnte."

Olga zögerte und schaute fragend in des Onkels Gesicht. Aber die Tante wurde ungeduldig und rief:

„Nun so nimm ihn doch und lies, närrisches Mädchen. Thut ihr doch beide, als ob es sich um eine herzbrechende Geschichte handelte."

Olga nahm gehorsam den Brief und las, während der Rechnungsrath mit trauriger kummervoller Miene im Zimmer auf und niederschritt und vor sich hinmurmelte: „O, warum gab ich ihr doch diesen Brief! Sie hat alles verdorben und noch außerdem dem armen Kinde eine trübe Stunde bereitet. Sie hat alles verdorben; denn ein Mädchen wie Olga empört sich gegen jede Absichtlichkeit in solchen Dingen. Sie hat alles verdorben!"

Olga durchlas den Brief anscheinend sehr ruhig. Darauf überreichte sie ihn dem Onkel und sagte mit jenem Lächeln, welches sie von einem Raphaelschen Engel entlehnt zu haben schien: „Ich fühle mich gar nicht verletzt von dem Inhalte dieses Briefes, lieber Onkel!"

„Nun ich möchte auch wissen, wo das Verletzende in dem Briefe stecken sollte" — versetzte die Räthin, indem sie Bibi von ihrem Schoße jagte und sich erhob — „Ihr habt da beide, scheint mir, ein wenig Komödie gespielt. Von Robert ist es sehr lobenswerth, daß er für die Zukunft seiner Muhme Sorge trägt, wiewol dieselbe auch ohne sein Zuthun gesichert ist.

22 *

Aber jetzt haben wir keine Zeit zum Schwadroniren. Komm nur Olga und laß uns den Küchenzettel für morgen aufsetzen. Es darf an nichts fehlen. Einem Manne, wie uns Robert seinen Freund schildert, müssen wir eine gute Aufnahme zu Theil werden lassen."

Während nun die Räthin und Olga den Küchenzettel aufsetzten und dann in Küche und Keller herumrumorten, um alles herbeizuschaffen, was zu einer guten (die Tante meinte innerlich: einer recht glänzenden) Aufnahme des erwarteten Gastes — der arme Robert ward mehr als Zugabe desselben, denn als selbstständiger Gast betrachtet — nöthig war, promenirte der Rechnungsrath immer noch im Zimmer auf und nieder und philosophirte, wie folgt: „Sie hat es sehr ruhig aufgenommen. Sollte sie sich verstellt haben? Oder hat sie ihn wirklich schon aus ihrem Herzen gerissen? — O, dann wäre noch Hoffnung vorhanden, dann wäre noch Hoffnung vorhanden! — Ich weiß nicht, es widerspricht aller Wahrscheinlichkeit; denn Olga wird sich von keinem Menschen einen Gatten aufdringen oder nur anrathen lassen, am allerwenigsten von ihm, von Robert; — aber dennoch, obgleich es aller Wahrscheinlichkeit widerspricht, so lag doch, als sie mir den Brief zurückgab, etwas in ihrem Gesichtsausdrucke, was mich zur Hoffnung berechtigt, etwas, was zu sagen schien: „„Warte nur alles ab: es wird vielleicht besser enden, als du glaubst!"" — Ja, dieser Sinn lag in ihrem Blicke, so sonderbar, so unglaublich es scheint."

Die Liebe macht wunderbar scharfsichtig. Der Rechnungsrath war eben kein Menschenkenner, kein Physiognomiker; und dennoch deutete er den Blick und Gesichtsausdruck seiner Nichte richtiger, als bei dieser Gelegenheit der tüchtigste Physiognomiker hätte thun können.

Als Olga Roberts Brief durchlas, machte sie hinter den auf Beinling sich beziehenden eingeklammerten Worten: „einem (vielleicht nur ein wenig allzu anspruchslosen) Manne!" — innerlich folgende Anmerkung: „Dieser Vorwurf, von Robert ausgehend, ist in meinen Augen ein großes Lob und macht auf mich den Eindruck einer sehr warmen Empfehlung. Roberts Freund besitzt also Anspruchslosigkeit, jene schöne Eigenschaft, welche den Mann so wohl kleidet, und welche meinem Vetter ganz und gar abgeht; und daraus schließe ich, daß er in Roberts Hoffnungen nicht eingeweiht ist."

Als sie die letzten Zeilen des Briefes durchflogen hatte, sagte sie bei sich: „Robert will mir zur Beruhigung seines Gewissens einen Mann verschaffen. Wenigstens gibt er sich die Miene, dies zu wollen.

Eigentlich aber hegt er die feste Ueberzeugung, daß ich Vergleichungen anstellen und den mir gebotnen Mann nicht annehmen werde. — — Nun das wird ganz von der Beschaffenheit dieses Mannes abhängen!"

Mit diesem Gedanken gab sie ihrem Oheim den Brief zurück. — Suchen wir nun den letztern wieder auf.

Er war grade mit seiner Philosophie, seiner Psychologie und seiner Physiognomik am Ende, als seine Gemahlin eintrat und ihn ohne weiteres mit den Worten andonnerte: „Du bist ein Mann! das muß ich sagen. So sprich dich doch zum wenigsten aus! Man weiß ja gar nicht, woran man ist, noch wo einem der Kopf steht!"

Diese beleidigende Anrede versetzte den sanftmüthigen Mann nicht in Zorn — denn dazu war er eben zu sanftmüthig — auch nicht in Verwunderung — denn er war an solche Anreden schon gewöhnt — sondern nur in Verlegenheit wegen ihres geheimnißvollen und durchaus unverständlichen Inhalts.

„Erkläre dich doch deutlicher, Henriette!" — versetzte er gelassen.

„Erkläre dich doch deutlicher!" — wiederholte die Räthin sarkastisch — „Ich wünsche eben, von dir eine Erklärung zu hören. Sollen wir zu morgen jemanden einladen und wen? Wirst du eine Bowle machen oder den Wein in Flaschen geben? Soll ich einen Napfkuchen backen oder eine Mandeltorte? So rathe und hilf mir doch ein wenig. Der Kopf möchte mir ja zerspringen!"

Hierauf erwiderte der Rath mit der ruhigsten und ernsthaftesten Miene von der Welt: „Von der Bäckerei verstehe ich nichts. Backe einen Napfkuchen oder eine Mandeltorte oder meinetwegen beides. Bowle werde ich nicht machen, da ein Mann, wie Beinling, nur reinen Wein trinkt. Was aber das Einladen von fremden Leuten betrifft, so gib es nur auf. Du weißt doch, welchen Zweck und welche Hoffnungen Robert mit seiner Herkunft verbindet!" — Und als hätte er damit alle Fragen erledigt, und als wollte er einer neuen geheimnißvollen und unverständlichen Anrede ausweichen — er verließ nach diesen Worten das Zimmer seiner Gemahlin und zog sich in das seinige zurück.

Am andern Tage, des Morgens um zehn Uhr, stellte der Rechnungsrath die beiden Gäste, Beinling und Robert, welche er von dem Bahnhofe abgeholt hatte, seiner Gemahlin und Olga vor.

Die Räthin machte gegen Herrn Beinling eine ihrer ehrbarsten und würdevollsten Verbeugungen — sie war der Ansicht, daß der erste Eindruck immer der mächtigste und bleibendste sei — und sagte mit vollkommner Aufrichtigkeit: „Sehr erfreut, Sie kennen zu lernen!“

Olga schaute Herrn Beinling freundlich und zutraulich an und sagte: „Mein Vetter Robert hat so oft und so viel von Ihnen gesprochen und geschrieben, daß ich Sie unwillkürlich wie einen alten Bekannten begrüße.“ — Worauf der Buchhalter lebhaft erröthete, die Augen niederschlug und an den Vatermördern zupfte.

Demnächst bewillkommte Olga ihren Vetter, indem sie ihm so herzlich die Hand drückte und so unbefangen und ehrlich und heiter in die Augen schaute, daß Robert ganz betreten wurde und nicht gleich wußte, was er sagen sollte.

Wieder ein Empfang, welchen seine Phantasie ganz anders ausgemalt hatte, als er in Wirklichkeit ausfiel.

Und sonderbar, Robert, welcher sich unaussprechlich glücklich fühlen wollte, wenn gewisse Wünsche von ihm in Erfüllung gehen sollten, bereute in diesem Augenblicke fast, daß er seinen Freund Beinling mitgebracht hatte.

Zum Theil war es verletzte Eitelkeit, welche dies Gefühl der Reue in ihm erweckte — war doch seine Eitelkeit in der jüngsten Zeit so oft verletzt worden, daß jede neue Verwundung derselben immer schmerzhafter wurde — zum Theil war es der persönliche Einfluß, welchen Olga auf ihn ausübte. Denn trotz seiner Selbstsucht und seinem Ehrgeize (vielleicht gar infolge derselben) war selten jemand so empfänglich für persönlichen Einfluß, als es Robert war — wir haben mehr als einmal Gelegenheit gehabt, dies zu beobachten — und in dem Augenblicke, als ihn Olga so unbefangen und zugleich so herzlich begrüßte, flüsterte ihm wieder die innere Stimme zu: Sie wäre dein guter Engel gewesen! — und gleich darauf flüsterte dieselbe Stimme: Aber jetzt ist es zu spät!

Man kann sich denken, daß sowol die Räthin als Olga die Gäste eben nur begrüßen konnten und sich dann gleich wieder von ihnen trennen mußten. Denn es gab in der Küche so erschrecklich viel zu thun, daß nur eine Frau, wie die Räthin, und unterstützt von einer Nichte, wie Olga, und nur indem beide die allerhöchste Emsigkeit und Thätigkeit entwickelten, mit allem fertig werden konnte.

„Olga wende den Braten um und schöpfe Sauce darauf, damit er nicht anbrennt. — Nun, wie gefällt dir Roberts Freund?" — sagte die Räthin in einem Athem.

„O, ich habe noch nie einen solchen Mann kennen gelernt!" — versetzte Olga gedankenvoll.

„Nun, nun, übertreibe nur nicht!" — entgegnete die Tante gutmüthig lächelnd — „Er mag ein recht braver, rechtschaffener und unbescholtener Mensch sein, und außerdem hat er ein viel größeres Einkommen, als ein Regierungsrath — er soll einen Gehalt von 2000 Thalern beziehn — aber etwas so Außerordentliches habe ich an ihm eben nicht entdeckt."

Olga antwortete nicht, aber sie lächelte; und in diesem Lächeln war der Gedanke ausgedrückt: „Ich glaube es wol, daß Sie das Außergewöhnliche an ihm nicht entdeckt haben; und unter Tausenden wird es immer nur einige geben, die es zu entdecken und zu schätzen fähig sind."

Inzwischen erzählte Robert dem Onkel von seiner Reise, seinen Erlebnissen in London und von der Art und dem Resultate seines Geschäfts. Von seiner Rückkehr und seinem Empfange nach derselben erwähnte er nichts; sei es, daß ihm die Berührung dieser Saite unangenehm gewesen wäre, oder daß er sich bereits überzeugt hatte, daß die Besorgnisse und Befürchtungen, welche der Empfang anfangs in ihm erregt, voreilig und unbegründet waren.

Hierauf lenkte eine Frage des Onkels das Gespräch auf Helene; — wir wissen nicht, ob ihn ein gewisses Interesse für das Schicksal der besagten Dame zu dieser Frage bewog, oder ob er nur hören wollte, wie sich Robert in Beinlings Gegenwart über dieselbe aussprechen würde. Wie dem auch sei, Beinling hatte kaum den Namen Helene aussprechen hören, als sich seiner eine sichtbare Verlegenheit und Unbehaglichkeit bemächtigten, welchen Umstand er dadurch zu verbergen suchte, daß er eiligst eine Prise nahm. Dies brachte ihn jedoch, um sprichwörtlich zu reden, aus dem Regen in die Traufe. Denn kaum war die präservative Prise genommen, als ihm einfiel, daß er erst vor wenigen Minuten den festen Entschluß gefaßt hatte, sich aus gewissen Gründen für heut des Schnupftabaks zu enthalten. Er blickte darauf ängstlich im Zimmer umher, ob ihn etwa jemand — wir können nicht sagen, ob unter dem jemand eine bestimmte Person gemeint war — beobachtet hätte. Nachdem er sich hierüber eine befriedigende Ueberzeugung verschafft, erhob er sich, trat an ein Fenster, als wollte er die Aussicht prüfen, spielte dabei, wie mechanisch, mit der silbernen Dose, welche er noch in der Hand hielt, stellte dieselbe dann, wie aus Zerstreuung, in eine Ecke des Fensters und kehrte endlich mit der Miene jemandes, der soeben eine fast unwiderstehliche Versuchung aus seinem Wege geräumt hat, auf seinen Stuhl zurück.

Was die Verlegenheit und Unbehaglichkeit betrifft, in welche ihn die Erwähnung von Helenens Namen versetzte, so entsprang dieselbe erstens aus Zartgefühl. Beinling wußte oder ahnete vielmehr, daß Roberts Benehmen gegen Helene nicht ganz vorwurfsfrei gewesen war: demgemäß urtheilte er, daß es für Robert peinlich sein müßte, davon zu sprechen. — Zweitens entsprang dieselbe aus dem drückenden Bewußtsein, daß er sich bei der Intrigue gegen Helene mittelbar selbst betheiligt hatte. Und dies Bewußtsein drückte ihn auch noch jetzt, nachdem er erfahren, daß Helene dieser Intrigue ausgewichen war. — Drittens fühlte er sich stets unbehaglich, wenn von dieser Angelegenheit gesprochen wurde, weil er dabei immer mit Entsetzen an die Möglichkeit dachte, daß Robert auf irgend eine Weise etwas von Selmas Verwicklung in die Intrigue erfahren könnte.

Inzwischen erzählte Robert, ohne dem Anschein nach die geringste Unbehaglichkeit zu fühlen, aber mit einem Lächeln, welches zu bitter und gezwungen war, als daß es humoristisch genannt werden könnte, alles, was er von Helenens Geschichte erfahren und gesehn hatte.

Als er damit fertig war, schaute der Onkel nachdenklich vor sich hin und sagte dann: „Es ist mir lieb, daß du diese traurige Geschichte nicht in Olgas Gegenwart erzählt hast. Olga hegt viel Theilnahme gegen dieses unglückliche Mädchen — ich halte es wenigstens für mehr unglücklich, als schlecht — deine Erzählung würde sie gewiß sehr trübe gestimmt haben.“

„O, dann lassen Sie vor ihr doch ja kein Wort davon fallen!“ — rief Beinling mit einer Lebhaftigkeit und einer Gefühlswärme, über welche er im Augenblicke darauf selbst erröthete.

Der Rechnungsrath schaute den Mann, welchen er bis jetzt für ein wenig büreaukratisch, pedantisch, also nicht für sehr eindrucksfähig und gemüthsvoll gehalten hatte, verwundert an. Robert dagegen versetzte mit einem etwas gönnerhaften Lächeln: „Seien Sie nur unbesorgt, ich werde davon kein Wort gegen sie erwähnen!“

Sie plauderten darauf noch viel und lange, und der Rechnungsrath hatte noch einige Male Gelegenheit, bei seinem Gaste hinter die Maske einer pedantischen Würde zu schauen und einen Blick in sein jugendlichfrisches, edles, vortreffliches Herz zu thun.

Endlich aber — es war gegen ein Uhr und die Suppe war immer noch nicht aufgetragen — hielt sich der Rath als Wirth verpflichtet, nach der Küche zu gehn und die Damen auf den hohen Stand der Sonne aufmerksam zu machen; — er pflegte die Zeit gern nach dem Stande der Sonne zu berechnen, während seine Gemahlin sich stets nur nach ihrer Küchenuhr richtete, welche letztere, wie die Eisenbahnuhren, immer um eine Kleinigkeit zu spät ging.

„Das fehlt grade noch, daß du uns treiben und quälen kannst! Es ist ohnedies kein trockner Faden mehr an mir!“ — Also begrüßte ihn Henriette, während sie gleichzeitig die Suppe aufgoß. — „Olga, gib mir die Muskatennuß und das Reibeisen her, geschwind! — Thu mir nur den Gefallen, Hübler, und starre nicht so unablässig nach der Uhr, es wird deshalb nicht später, als ein Viertel über zwölf — und um deine Sonne kümmre ich mich nun einmal nicht — nun, was hältst du von deinem Gaste?“

Die letzte Frage bewirkte, was die ganze vorhergehende Rede nicht hatte bewirken können: Der Rechnungsrath vergaß den Stand der Sonne und die Mangelhaftigkeit der Küchenuhr, lächelte und sagte: „O, er ist ein sehr interessanter Mann! Aber man muß ihn erst näher kennen lernen, um ihn nach seinem vollen Werthe zu schätzen — er ist ein interessanter, vortrefflicher Mensch."

„So?" — versetzte die Räthin — „Nun an seiner Vortrefflichkeit hab ich keinen Augenblick gezweifelt; aber das Interessante — was man so eigentlich interessant nennen kann — hab ich noch nicht herausgefunden."

Olga hingegen warf ihrem Onkel einen Blick der Beistimmung, der Freude und der Dankbarkeit zu.

Wir hätten hier eine schöne Gelegenheit, ein Weites und Breites über eine psychologische Merkwürdigkeit zu sagen, zu erklären nämlich, wie Olga, welche Herrn Beinling nur einige Minuten betrachtet, welche nicht, wie der Rechnungsrath, Gelegenheit gehabt hatte, hinter die Maske seines etwas steifen Außenwesens in sein warmes, jugendliches und edles Herz zu blicken, wie Olga dennoch, sei es durch Inspiration oder durch Ahnung oder Sympathie den Werth desselben augenblicklich erkannt hatte. Gleichwol benutzen wir diese schöne Gelegenheit nicht, weil wir fühlen, daß alles, was wir darüber sagen könnten, unzureichend sein würde. Das menschliche Herz hat trotz aller Psychologie noch seine Geheimnisse und wird sie hoffentlich bis ans Ende der Tage behalten.

Endlich wurde die Suppe aufgetragen, und man setzte sich zu Tische. Es ist eigenthümlich, daß bei einer Mahlzeit vor und während der Suppe keine ordentliche Unterhaltung zu Stande kommt. Wir erwähnen diese Thatsache, ohne sie erklären zu können. Nach der Suppe aber, nachdem die Weingläser gefüllt worden, und der Rath seine Gäste noch einmal willkommen geheißen und mit ihnen „angestoßen" hatte, hielt es die Räthin für ihre Pflicht, (während Olga das Rindfleisch aufschnitt und der Rechnungsrath die geleerten Gläser wieder füllte) den Bildungsgrad des Buchhalters zu sondiren und das Außergewöhnliche und Interessante an ihm, welches ihr bis jetzt entgangen war, zu entdecken. Demgemäß verwickelte sie ihn in eine lebhafte Unterhaltung, indem sie ihn über die Jesuitenpredigten in B., über die dortigen mildthätigen Frauen, den Verein gegen Thierquälerei und über die Maulkörbe befragte, welche in jüngster Zeit den Hunden von B. angelegt worden waren. Da sie an all diese Fragen sehr lange und sehr geistreiche Bemerkungen knüpfte, und da Herr Beinling zum Glück über all diese interessanten Dinge wenig oder gar nichts mitzutheilen wußte, so führte sie größtentheils allein das Wort, welcher Umstand sie endlich zu der Ueberzeugung brachte, daß der Buchhalter in der That ein recht geistreicher und interessanter Mann genannt zu werden verdiente.

Inzwischen hatte der Rechnungsrath seine Gäste einige Male durch Anstoßen mit seinem Glase an die ihrigen zum Trinken aufgefordert. Herr Beinling aber war dieser Aufforderung nur insoweit nachgekommen, daß er schüchtern und vorsichtig, wie ein Mädchen, aus seinem Glase genippt hatte. Als nun der Rechnungsrath seine Verwunderung hierüber äußerte — Robert hatte ihm einmal von ihrer Sonntagsfeier im „fliegenden Drachen“ erzählt — bemerkte Robert: „O, seit Herr Beinling die große Wasserheilanstalt auf Actien gegründet hat, verschmäht er den Wein und trinkt fast nur noch Wasser.“ — Diese Bemerkung wurde im Tone des Scherzes und der Heiterkeit gemacht. Aber Olga, welche ihren Vetter grade anblickte, glaubte zu entdecken, daß der Scherz und die Heiterkeit keineswegs aus dem Herzen kamen.

Beinling entgegnete darauf mit seiner arglosen, ehrlichen, offnen Miene: „Ich kann nicht leugnen, daß ich, seit ich mich von der fast wunderbaren Heilkraft des Wassers überzeugt habe, jetzt weniger Wein trinke, als früher, wiewol ich ihn keineswegs verschmähe, solange ich mich wohl fühle. Was aber die Gründung jener Heilanstalt betrifft, so haben Sie mindestens ebensoviel dazu beigetragen, als ich. Denn eigentlich bin ich erst durch Sie, durch Ihre Aeußerungen und Auseinandersetzungen, zu einem derartigen Unternehmen angeregt worden. Und wenn Sie nicht zufällig so lange verreist gewesen wären, so würde sich das Unternehmen heut in weit geschicktern Händen befinden, als in den meinen, nämlich in den Ihrigen."

Olga hatte Robert nach seiner Bemerkung angeschaut. Sie mußte jetzt natürlich — schon der Billigkeit wegen — auch den Buchhalter nach seiner Entgegnung anschaun. Und nachdem sie ihn angeschaut hatte, lächelte sie zufrieden, fast dankbar, sowie sie in der Küche nach des Onkels Urtheil über Herrn Beinling gelächelt hatte.

Die Erwähnung der Wasserheilanstalt brachte ein Thema in die Unterhaltung, welches reiche Ausbeute lieferte. Die Räthin war ganz einverstanden damit, daß das Wasser als Heilmittel dienen könnte, nur müßte es warm, aber nicht kalt angewendet werden. Denn es wäre doch ungereimt und vernunftwidrig, gegen Uebel, welche, wie der Schnupfen, der Rheumatismus, die Gicht und das kalte Fieber, offenbar von Erkältung herrührten, grade wieder Kälte anwenden zu wollen. „Ich meinerseits" — so schloß sie — „pflege nach jeder Erkältung ein warmes Fußbad zu nehmen, und das hat mir bisher stets gute Dienste gethan."

Es half dem armen Beinling nichts, daß er nun die Grundsätze der neuen Heilkunde, wie er sie von Robert und Strolph hatte kennen lernen, mit großem Eifer und mit einer Lebendigkeit, welche ihm nicht so übel stand, ausführlich und auch ziemlich deutlich erörterte. Die Räthin beharrte auf ihrer Ansicht und sagte: „Nein, nein, ich halte nun einmal nichts von all diesen Neuerungen, welche den Naturgesetzen gradezu Hohn sprechen. Bis jetzt hab ich nur an den Hunden wahrgenommen, daß sie schweißtriefend ins kalte Wasser springen können, ohne vom Schlage gerührt zu werden.“

Während dieses Principienstreites, welcher bis an das Ende der Mahlzeit dauerte, hatte Robert mehre Male versucht, mit dem Onkel sowol, als mit Olga eine Unterhaltung anzuknüpfen. Merkwürdigerweise indeß waren ihm von beiden nur zerstreute Antworten zu Theil geworden, da beide mit der größten Aufmerksamkeit und selbst mit Vergnügen — was Robert ganz unbegreiflich schien — Beinlings Vortrage zuhörten.

Nach Tische waren die Herren wieder lange Zeit allein, da die Damen durch die Geschäfte des „Tischabräumens und Kaffeekochens“ von ihnen fern gehalten wurden. Herr Beinling benutzte diese Zeit dazu, Olgas

23 *

Miniaturbild, welches im Zimmer hing, ehrfurchtsvoll anzuschauen und die Cigarre, welche ihm von dem Rechnungsrath überreicht worden war, siebenmal anzuzünden und immer wieder ausgehen zu lassen.

Endlich erschienen die Damen wieder und zwar in einem Augenblicke, wo Herr Beinling an dem Fenster vor Olgas Blumen stand und dieselben der Reihe nach mit inniger Freude betrachtete.

„Sind Sie ein Blumenfreund?“ — fragte Olga, an seine Seite tretend.

„Ich bin nicht blos ein Freund, sondern ein Verehrer der Blumen“ — entgegnete Beinling. — „Leider gedeihen sie nicht unter meiner Hand, sie gehen mir ein. Blumen bedürfen sorgfältiger Pflege. Ein Geschäftsmann, wie ich, kann ihnen dieselbe nicht immer angedeihen lassen. Und da ich ganz einsam im Leben stehe, da keine befreundete Hand in meiner Abwesenheit die Pflege übernimmt, so verkümmern sie mir und sterben ab.“

Olga versetzte leise, ganz leise: „Ein Mann, wie Sie, sollte stets eine befreundete Hand zur Seite haben.“

Was während des Nachmittags im Hüblerschen Hause gethan und gesprochen wurde, überlassen wir der Phantasie des Lesers.

Mit dem Abendzuge fuhren die beiden Gäste wieder ab. — Robert befand sich in sehr gereizter und unbehaglicher Stimmung. Sein Abschied von den Verwandten war ziemlich steif und frostig. — Ueber Beinlings Stimmung wäre schwer zu sprechen. Er lächelte still vor sich hin, woraus man schließen kann, daß er sich nicht grade unbehaglich fühlte.

Zum Abschiede sagte der Rechnungsrath zu ihm: „Ich spreche jetzt als Mann von Herz, Herr Beinling, nicht im Tone der Höflichkeit. Ich fühle mich stolz und glücklich, Sie kennen gelernt zu haben! Kommen Sie bald wieder zu uns, kommen Sie oft. Die Sonntage in großen Städten sind nicht für jedermann unterhaltend. Bringen Sie die Sonntage bei uns in D. zu. Sie finden bei uns ein stilles, aber keineswegs freudenloses Familienleben. Robert ist noch jung, für ihn besitzt die große Stadt mehr Anziehungskraft, als für uns. Wenn Sie Robert auch nicht begleitet, so kommen Sie allein!“

Und Beinling versetzte: „O, diese Worte thun mir wohl! O, ich werde kommen — oft, sehr oft!“

Hierauf griff er in die Tasche nach seiner Dose und merkte mit Bestürzung, daß er sie auf dem Fenster hatte stehen lassen.

Sechzehntes Capitel.

Helene hatte zu ihrer Versucherin gesagt: „Morgen, morgen werd ich Ihnen Antwort sagen!“

Wer aber also zu einem Versucher spricht, der ist der Versuchung schon unterlegen. — Christus sagte zum Teufel: „Hebe dich weg, Satan!“ — und Luther, der heißblütige Priester, warf ihm gar das Tintenfaß an den Kopf. — Nur so muß man einem arglistigen Teufel antworten, will man sich ihn vom Halse schaffen.

Am andern Morgen brachte die sanfte, fromme Doctorin ein halbes Stündchen auf Helenens Zimmer zu, und als sie darauf wieder in das ihrige zurückkehrte, rieb sie sich mit einem triumphirenden Lächeln die Hände und sagte: „Ich wußte es ja, daß der Ehrgeiz mächtiger, als jede andre Leidenschaft ist. Sie vergißt Liebe, Eifersucht und Haß, um sich zu einer

Gräfin zu machen. — Nun mag sie sich dazu machen! — So leicht ist es nicht, aber auch nicht unmöglich. — Jedenfalls wird sie mich rächen an jenem Weibe — was mir nicht gelungen ist, wird ihr gelingen — und dann ist meine Aufgabe erfüllt, dann ist das mir aufgetragne Werk vollbracht, und mein ist das Verdienst: denn Helene war ja nur ein Werkzeug in meinen Händen!"

Wir haben keinen Grund, anzunehmen, daß die Doctorwittwe den Faden ihres Selbstgesprächs schon an dieser Stelle abgerissen hätte, wenn nicht in diesem Augenblicke an der Hausthür geklingelt worden wäre. Ein solcher Klingelzug aber war ein zu merkwürdiges und seltenes Ereigniß in diesem abgelegnen Hause, als daß man es unberücksichtigt lassen durfte. — Demgemäß ging sie mit ihrem leisen und unhörbaren Schritte bis zur Hausthür und öffnete sie.

„Bon jour, pulcherrima! Neugierde und Vatergefühl führen, ziehen, reißen mich hierher! Das dritte Gefühl, welches mich mit Zaubergewalt zu dieser Stätte zieht, muß ich verschweigen, aus Ehrfurcht vor Ihren Trauerkleidern." — Mit diesen Worten präsentirte sich Amandus Salzer vor der sanften, frommen Wittwe.

Die Frau Doctorin erwiderte dem „geehrten Redner" kein Wort, sondern schaute ihm eine kurze Weile mit ihrem sanften, freundlichen Blicke ins Gesicht. Darauf verschloß sie die Thür, gab Herrn Salzer mit der Hand ein Zeichen, daß ihm die beanspruchte Audienz bewilligt werde, und führte ihn nach ihrem Gemache.

Amandus Salzer hat sich uns bis jetzt stets als einen Mann von Geistesgegenwart und scharfem Verstande „documentirt". Wir haben ihn eigentlich noch nie aus einer Rolle fallen sehn, wir haben ihn vielmehr aus den schwierigsten Situationen, Dilemmen und Alternativen stets als den, der er war und sein wollte, hervorgehn sehn. Um so mehr bedauern wir — der Anblick eines Hinsturzes menschlicher Größe hat immer etwas Rührendes und zugleich Betrübendes — gestehn zu müssen, daß er sich in diesem Augenblicke nicht zeigte als den, der er sonst war und sein wollte.

Sein Auge war glanzlos und eingesunken, seine Wangen waren aufgedunsen und bleich, seine Haltung war schlaff, fast unterwürfig, sein ganzes Wesen zaghaft und ängstlich. — Bei seinem Eintreten in das Haus hatte er vermittelst einer ungeheuern Anstrengung noch über sich vermocht, den Ton früherer — wir könnten sagen gestriger — Größe anzustimmen. Aber der sanfte, freundliche Blick der Doctorin hatte ihn, wie er später gestand, „in sein Nichts zurückgeschleudert", so daß er jetzt im Zimmer mit jämmerlicher Verbrechermiene vor ihr stand.

Um der Neugierde des Lesers Genüge zu thun, sei in der Kürze folgendes bemerkt. Das Bewußtsein, bald Vater einer Gräfin zu werden, welches Bewußtsein ihm noch erhebender erschien, als dasjenige, selbst ein Graf zu sein, hatte ihn am gestrigen Abende so muthig gemacht, daß er als Volontär an einer blutigen Schlacht theilnahm, welche auf einem grünen Tische geschlagen wurde. Der Ausgang der Schlacht war so schrecklich für ihn, daß er sich diesmal nicht, wie sonst in ähnlichen Fällen, mit dem Satze tröstete: in rebus bellicis Fortuna dominatur! Sondern nachdem er entwaffnet und von den Marodeurs vollständig ausgeplündert war, dergestalt, daß er nicht einmal sein Abendbrot (nebst zwei oder drei Flaschen St. Julien) bezahlen konnte, stahl er sich, „wie ein Gauner" — um mit seinen eignen Worten zu reden — vom Schlachtfelde weg, warf von der Straße aus einen schrecklichen, fast drohenden Blick gen Himmel und rief: „Gib mir meine Legionen wieder!"

In diesem Augenblicke verhüllte eine Wolke den Mond, und der Himmel wurde finster, woraus der Unglückliche den Schluß zog, daß der Himmel seine

Forderung ablehne. — Salzer war also jetzt waffenlos; und was kann selbst der Tapferste ohne Waffen beginnen? Er gab den Kampf auf, ließ seinen Stolz fahren und entschloß sich zur Unterwürfigkeit. — Nach dieser Aufklärung kehren wir zu dem tête-a-tête im Zimmer der Frau Doctorin zurück.

Wie anders war es doch gestern gewesen, als sich Amandus in demselben Zimmer, wie ein Pascha von mehrfachen Roßschweifen, auf dem Divan niederließ und ausbreitete und die Wittwe mit den Worten anredete: „Fassen Sie Zutraun zu mir; ich bin nicht der Grausamste unter den Grausamen." — Wie anders war es gestern gewesen, als heute, wo er, den Hut in der Hand, bei der Thüre stehen blieb und der Worte harrte, welche die Wittwe von sich zu geben geruhen würde.

Die Wittwe aber setzte sich heut nicht nieder (wahrscheinlich weil sie nicht wünschte, daß e r sich niedersetzen sollte) sondern schritt, die Arme über den züchtigen Busen kreuzend, im Zimmer auf und nieder und begann: „Sie haben wieder gespielt und alles verloren?"

Beim Wischnu! das waren harte und unverdauliche Worte! Aber Salzers moralischer Magen hätte heut Kieselsteine verdaut. Daher erwiderte er nur kleinlaut und zögernd: „Woher wissen Sie —?"

„Das ist gleichgiltig, woher ich weiß!" — fiel sie mit strengem Blick und Tone ein. — „Uebrigens steht es ziemlich leserlich in Ihrem Gesicht geschrieben. Ich berühre den Umstand nur, um Ihnen die Nothwendigkeit darzuthun, daß Sie sich jetzt von dem Augenblicke an, in welchem Helene das gräfliche Haus betritt, d. h. von morgen an, jeder Annäherung an sie enthalten müssen."

„Sie willigt also ein?" — fragte er hastig.

„Ich habe Ihnen bereits gestern bewiesen, daß ihre Einwilligung außer allem Zweifel war. — Sie müssen sich also von jetzt ab das Ansehn geben und, wo möglich, auch die Ueberzeugung hegen, daß Sie Helenen ganz fremd sind."

„Beim Weltall! nein! das werd ich nicht!"

Die Wittwe zuckte verächtlich mit den Achseln und fuhr fort: „Helene selbst hat mich beauftragt, Ihnen diese Mittheilung zu machen; darum mach ich sie Ihnen, wiewol es ein schweres Stück Arbeit ist."

„Helene, mein Kind, mein einziges Kind, welches ich abgöttisch verehre, welches die Stütze meines Alters werden soll — hat Sie beauftragt, mir diese Mittheilungen zu machen?" — rief Salzer in Verzweiflung.

Die Dame nickte mit dem Kopfe und schwieg eine Weile. Darnach fuhr sie fort: „Ich kann Ihnen nur rathen, sich in das Unvermeidliche zu fügen. Wollen Sie Ihre Tochter compromittiren? Wollen Sie ihr, die jetzt an der Schwelle einer glänzenden, nie geahnten Zukunft steht, ein Hinderniß werden? — Ich kann nicht glauben, daß Sie so grausam und zugleich so beschränkt sein sollten. Später, wenn sie ihr schönes Ziel erreicht haben wird, und wenn sich ihr Vater durch ein rechtschaffenes, achtungswerthes Leben ihrer würdig gemacht haben wird, dann mag dieser Vater seine Tochter wiedersehn, und sie wird ihn als Vater anerkennen. Aber vor der Hand ist die Trennung unvermeidlich."

Salzer senkte das gramerfüllte, schwere Haupt auf die Brust hernieder und starrte, sprachlos und bewegungslos, vor sich hin. Erst nach einigen Minuten vermochte er zu fragen: „Und meine Frau?"

„Ihre Frau wird bei mir wohnen bleiben. Nur unter dieser Bedingung hat Helene eingewilligt. Die Unterstützung von Herrn Trenkmann muß sie in ihrer jetzigen Lage sowol für sich als ihre Mutter ablehnen. Helene wird selbst für den Unterhalt ihrer frommen Mutter sorgen, sie wird sie auch täglich besuchen; und aus diesen Gründen muß die Mutter hier wohnen bleiben."

Und wieder starrte Amandus lange Zeit sprachlos und bewegungslos vor sich hin. Darauf aber kehrte noch einmal der alte Heldenmuth in seine Brust zurück und er sagte, nach der Thür schreitend: „O, ihr habt die Rechnung ohne den Wirth, d. h. ohne mich gemacht! Ich bin ihr Vater, beim Zeus! Ich kenne meine Rechte und das Gesetz, welches mir dieselben verleiht! Ich werde kraft meiner väterlichen Gewalt einen Strich durch eure Rechnung machen, bei meiner Seelenseligkeit!"

Der Gesichtsausdruck der sanften, frommen Wittwe änderte sich blitzschnell. Zorn und Entschlossenheit flammten aus ihren Augen, sie ergriff Herrn Salzer mit leidenschaftlicher Hast am Arm und sagte: „Warten Sie noch! Hören Sie weiter! Und hüten Sie sich, Ihre Tochter, Ihre Frau und sich selbst ins Verderben zu stürzen! — Sie kennen Helene. Sie wird Ihnen fluchen, sie wird Sie verabscheuen und jedes kindliche Gefühl gegen Sie aus ihrem Herzen reißen, wenn Sie sich zwischen sie und eine ehren- und glanzvolle Zukunft stellen. Sie werden dann keine Ruhe und keinen Frieden mehr in Ihrem Hause finden. Außerdem werde auch ich dann gegen Sie auftreten! — Sie kennen mich, und ich kenne Sie; ja ich kenne Sie noch besser, als Sie glauben. Sie werden eine erbitterte Feindin an mir haben, und Sie wissen, daß

Erbittrung nicht meine einzige Waffe gegen Sie sein wird. Hüten Sie sich, einen so ungleichen Kampf herbeizuführen. Er kann nur mit Ihrer Vernichtung enden! —

Wenn Sie hingegen die Wünsche Ihrer Tochter, welche jetzt auch die meinigen sind, erfüllen, wenn Sie sich fügen in das, was unvermeidlich ist; dann werden wir Sie nicht sinken lassen, werden Ihnen zuweilen, wenn es Noth thut, unter die Arme greifen. Und zum Zeichen, daß es uns Ernst damit ist, will ich sogleich den Anfang machen!" — Sie trat nach diesen Worten an einen Schrank, öffnete ihn, zog aus einer Schublade desselben ein Paquet hervor und reichte es dem erstaunten Salzer mit den Worten: „Empfangen Sie diese 25 Thaler in Kassenscheinen, gehen Sie haushälterisch damit um, spielen Sie nicht mehr und suchen Sie nach einer Beschäftigung, welche Sie anständig ernähren kann. Suchen Sie nur, und Sie werden schon finden. Ich bin eine arme Frau, aber ich habe mächtige Freunde und Beschützer. Ich verspreche Ihnen, die Macht dieser Beschützer anzusprechen, um Ihnen zu einer Stellung zu verhelfen, welche Sie anständig ernähren wird. Und nun wählen Sie — Freund oder Feind?"

Amandus Salzer besaß kein verhärtetes Herz.

Einer so einsichtsvollen, liebreichen und nachdrücklichen Sprache vermochte er nicht zu widerstehn. Er nahm das kleine, unscheinbare Paquet mit niedergeschlagnem Blicke in Empfang und stammelte: „Darf ich denn mein Kind noch einmal sehn?“

„Ich habe Helene darüber befragt. Sie wünscht und bittet, daß es nicht geschehe. Unter den jetzigen Verhältnissen würde ein solches tête-a-tête für beide Theile nur peinlich und drückend sein.“

„Nun denn, beim Brahma, so mag es sein!“ — rief Amandus, welcher kaum die Kassenscheine berührt hatte; als er auch wieder etwas von seiner frühern Zuversicht und Muthigkeit in sich fühlte — „Möge sie ihren Pfad wandeln, ich werde auf dem meinigen sachte fürbaß schreiten! Noch bin ich, wenn gleich einem beziehungsweisen Elende preisgegeben, dennoch zu stolz, um selbst mein Weib oder Kind zum süßen, vertraulichen Umgange mit mir zu zwingen. Leben Sie wohl! und hüten Sie sich — denn auch mir stellt die Sprache dieses Wort zur Verfügung — hüten Sie sich, mich oder mein Kind zu täuschen! denn sonst würd ich, beim Universum! der Welt etwas von dem heiligen, unschuldsvollen Treiben einer gewissen gottesfürchtigen Partei offenbaren, was — was — doch satis superque.“

Sprachs und ging weg, ganz anders, als gekommen, nicht kleinlaut, schüchtern, zögernd, sondern männlich würdevoll und zuversichtlich.

Und als er erst der beängstigenden Atmosphäre des finstren Hauses entronnen war, da fühlte er sich wieder ganz als der, der er war und sein wollte. Und mit einem kühnen Blicke um sich her, murmelte er die kühnen Worte:

„Ich fühle Muth, mich in die Welt zu wagen,
Der Welten Weh, der Welten Glück zu tragen,
Mit Stürmen mich herumzuschlagen
Und in dem Schiffbruchsknirschen nicht zu zagen!"

Darauf aber stellte er, sachte fürbaß schreitend, folgende Betrachtungen an, welche ein ganz neues Licht auf seinen Charakter werfen: „Allerdings werde ich kein Hazardspiel mehr versuchen. Denn das Sprichwort: Fortuna juvat fortes — ist eine abgeschmackte Lüge, erfunden, um unerfahrne Gimpel in das Netz des Verlustes zu locken. Ich möchte den sehen, ja, beim Jupiter! — Genitiv Jovis — ich möchte den sehen, der mir die fortitudo der Römer absprechen wollte. Und gleichwol hat mir die feile Metze Fortuna mein bestes Mark ausgesogen. Lächerliches Sprichwort! — Aber die Spiele der Intelligenz und Geschicklichkeit werde ich niemals aufgeben, nunquam;

denn ich fühle mich dazu berufen. Und das Billard, die Kegelbahn, Solo, Whist, Piquet — kurz, jene lange Reihe von Verstandesspielen, welche ein so schönes Bejspiel von menschlicher Invention und menschlicher Combination ablegt, hat mir manchen Genuß und manche Erleichterung in den Mühseligkeiten und Finsternissen des Lebens verschafft.

Was die ernsthafte Beschäftigkeit, die amtliche Stellung betrifft, so fühle ich sowol Neigung als Befähigung dazu in mir. Ich habe nicht umsonst mein Latein gelernt und das Corpus juris durch zwei Semester studirt. Aber ich beanspruche einen Wirkungskreis, welcher meinen Kenntnissen und Fähigkeiten entspricht. Ich habe keine Lakaien-, keine Handlangernatur. Ich bin keine Schreibmaschine. Ich verachte den todten Buchstaben, wenn ich ihm nicht, ihn niederschreibend, Leben einhauchen kann. — Worin ist der Assessor Moll stärker als ich? — Ich wiederhole dieses bedeutsame quaeritur, ohne eine Antwort darauf zu finden. Oder vielmehr die Antwort ergibt sich von selbst und besteht in den beiden unscheinbaren Wörtchen: „In Nichts!“

Gut, da also der Assessor Moll erwiesenermaßen weder mehr Kenntnisse, noch mehr Fähigkeiten, als ich, besitzt, weshalb genießt er dann in der bürgerlichen Gesellschaft mehr Achtung und bezieht mehr Gehalt? — Etwa weil er zwei oder drei Examina mehr, als ich, abgelegt hat? — Ein sauberer Grund das, und eine saubere Gesellschaft, welche solche Gründe gelten läßt! Me Hercule! — Ich wenigstens werde sie nicht gelten lassen, beim Wischnu! — Auch ich werde von heut an Processe führen und Klagen anfertigen und werde mich dafür bezahlen lassen. Jeder Mensch hat vor allem das Recht, seine Kennisse zu verwerthen.

Ich weiß recht wohl, daß ich hierdurch mit dem Gesetz in Conflict gerathe; aber geräth nicht jeder intelligente Mann, welcher seiner Zeit vorausgeeilt ist, mit dem Gesetz in Conflict? lex stammt von legere, und legere heißt: lesen! — Man muß also das Gesetz zu lesen verstehn; sapienti sat!"

Man sieht, Amandus gehörte unbewußterweise zu einer jener sophistischen Schulen, welche sich stets dann bilden, wenn sich in der Geschichte ein System abgelebt hat, und welche dieses abgelebte System solange benagen und zersetzen, bis es in Auflösung (Verwesung) übergeht, und einem neuen, höhern Platz macht. — Es wäre daher eine unverzeihliche Nachlässigkeit von uns gewesen, hätten wir dem Leser dieses charakteristische Selbstgespräch vorenthalten.

Der Fehler wäre um so unverzeihlicher gewesen,

weil Herr Salzer den hier aufgezeichneten Worten sogleich die That folgen ließ, welche That nur durch die Anführung der Worte motivirt werden konnte.

Er etablirte sich nämlich noch an dem nämlichen Tage als „Winkeladvocat“ — eine Bezeichnung, welche er für ganz gleichbedeutend mit der vorzeitlichen Bezeichnung „Ketzer“ ausgab. „Ketzer“ — so erklärte er — „gab es nur vor der Reformation, d. h. vor jener großen geschichtlichen Epoche, welche die sogenannten Ketzer für ehrliche Leute erklärte und ihnen eine gesetzliche Berechtigung zugestand.“ — Er bezweifelte nicht, daß eine neue Epoche auch die „Winkeladvocaten“ als ehrliche und gesetzlich berechtigte Leute anerkennen und dadurch den gehässigen Spitznamen aufheben würde.

Da er einen großen Kreis von Bekanntschaften hatte, besonders unter jener Classe von Menschen, welche vorzugsweise Processe führt — wir meinen unter Gastwirthen, Krämern, Liqueurfabricanten und Bierkellerbesitzern — so wurde er sehr bald mit Arbeiten überhäuft. Und wenn ihm diese Arbeiten auch nicht immer baares Geld einbrachten, so verschafften sie ihm doch einen reichlichen Genuß von Spirituosen und sonstigen Victualien.

Arbeit hält von Thorheiten ab; demnach beging

Herr Salzer nicht mehr so viel Thorheiten, als früher. Hierzu kam noch, daß ihn das Bewußtsein, sich auf ehrliche und selbstständige Weise sein Brot zu erwerben, mit Stolz erfüllte. So geschah es, daß er allgemach ein ganz andrer Mensch wurde, als er früher gewesen war. Er spielte kein Hazardspiel mehr, er warf das sauer erworbene Geld nicht mehr leichtsinnig weg, sondern schaute die Silbergroschen, bevor er sie ausgab, immer noch einmal an, er rauchte keine „importirten“ Londres mehr, sondern gewöhnliche und billige Cigarren; ja sogar seinen Stil veränderte er, indem er ihm einen mehr amtlichen, als schönwissenschaftlichen Anstrich gab.

So saß er einst, nicht mehr als der joviale, chevalereske Bonvivant, welcher er einst gewesen war, sondern als der ernste, gesetzte Mann des Geschäftes, welcher er jetzt war, auf seinem Zimmer an dem trümmerhaften, mit Acten beladenen Tische und fertigte eben die Klage eines Bierkellerbesitzers gegen einen Schauspieler wegen einer Schuld von zwölf Reichsthalern und funfzehn Silbergroschen nebst Zinsen an, als plötzlich die Thür geöffnet wurde, und der Assessor Moll bei ihm eintrat.

Nun war dies, offen gestanden, grade derjenige Mann, dessen Besuch Amandus am wenigsten unter allen menschlichen Besuchen erwartete und besonders auch wünschte. Daher verlor er sogleich seine zuversichtliche Amtsmiene, erhob sich mit einer zwar mäßigen, aber doch sichtbaren Bestürzung und stammelte etwas von Ueberraschtsein, Freude, Ehre und Vergnügen.

Moll hingegen setzte sich ohne weiteres auf den alten Lehnsessel, dem Hausherrn gegenüber und sagte mit einem schlauen Blicke auf die umherliegenden Papiere: „Schon gut, schon gut, mein geehrter Herr College, schon gut!"

Das war, wenn man will, eine ziemlich unhöfliche, ja sogar beleidigende Begrüßung. Indeß der Advocat, welcher inzwischen seine Fassung wiedererlangt hatte, nahm sie gutmüthig lächelnd auf und versetzte: „O, Sie scherzen, Herr Assessor, ich erweise nur einigen Freunden, welche weder mit der Feder noch mit der Form des Rechtswesens vertraut sind, einen kleinen Freundschaftsdienst. Manus manum lavat!"

„Sehr freundschaftlich, edel und lobenswerth, College;" — entgegnete Moll, eine Cigarre anzündend — „indeß die Welt ist verteufelt undankbar und begeifert alles Edle und Lobenswerthe mit dem Gift des Neides und der Lästerung. Um nur eines Beispiels zu erwähnen, so haben Sie erst vor kurzem einer gewissen steinreichen Dame einen ungeheuern Freundschaftsdienst erwiesen, haben sich um ihretwillen, streng genommen, einer Fälschung schuldig gemacht. Und was thut jetzt diese Dame aus Dankbarkeit gegen Sie? — Sie klagt Sie an wegen Betruges! — Ein hübsches Pröbchen von Dankbarkeit, he?"

Was doch der Mensch durch die bloße Betonung für einen langen Sinn in ein kurzes Wörtchen legen kann! Dieses einfache „he?" klang dem Advocaten so inhaltsreich und tiefsinnig in die Ohren, daß er ganz gedankenvoll wurde, die Augen niederschlug und sich zwei oder dreimal mit der Hand durch die schwarz und weiß gesprenkelten Haare strich. — Darauf erst stammelte er: „O, Sie scherzen, Herr Assessor!"

„In Amtssachen scherzt man nicht, College, das wissen Sie wohl" — sagte der Assessor, mit dem Finger auf die umherliegenden Papiere deutend — „doch ad rem! (wie Sie sagen würden). — Vor acht Tagen habe ich die Ehre gehabt, Ihre Tochter hier in B. zu sehn. Ich war deshalb weiter nicht überrascht; denn an das Märchen mit der alten Tante in dem polnischen Dörfchen habe ich nie geglaubt. Ich kenne meine Pappenheimer! — Bald darauf aber erfuhr ich den höchst genialen Streich, welchen Sie der besagten vornehmen Dame gespielt haben; und zu gleicher Zeit erfuhr ich, daß Ihre Tochter in Begleitung einer ältlichen, schwarzgekleideten Dame einen langen Besuch im Hause des Grafen R. abgestattet habe." — Der Leser kann sich denken, daß er beides von Molly erfuhr. — „Dieser letztere Umstand erregte, ich gestehe es, meine Neugierde. Ich zog Erkundigungen ein und gelangte endlich zu der höchst merkwürdigen Entdeckung, daß jene ältliche schwarzgekleidete Dame niemand anders, als die bisherige Hauswirthin Ihrer Tochter und Frau gewesen sei, daß selbige Hauswirthin sich Frau Doctorin Hanke nenne und daß Frau Doctorin Hanke vor einigen Jahren als Erzieherin im Hause des Grafen R. gewesen, jetzt aber eine warme Anhängerin der hier anwesenden Väter Jesu sei. — Diese sonderbare Entdeckung bewog mich zu folgender Combination: Die Frau des Grafen R. ist Protestantin. Ihre beiden Töchter sind bisher in dem Glauben der Mutter erzogen worden. Für eine Dame, wie die fromme, rechtgläubige Doctorin, ist dies ein ärgerlicher Umstand, welchem sie in eigner Person abzuhelfen leider nicht vermocht hat. Helene ist schön, hinreißend schön, eine personificirte Verführung. Helene ist außerdem ehrgeizig, mächtig ehrgeizig. Wie könnte sie gewissen Vorspiegelungen widerstehn? Helene wurde demnach im gräflichen Hause als Erzieherin untergebracht — sapienti sat! — wie Sie sagen würden."

Herr Salzer neigte das „alternde Haupt“ demuthsvoll auf die Brust hernieder, (durch welche Geberde er, wie wir häufig bemerkt haben, seine höchste Verzweiflung und gänzliche Ergebung an das Schicksal auszudrücken pflegte) und aus zusammengepreßter Brust rang sich mühsam ein schwerer, langer Seufzer empor.

„Ja, seufzen Sie nur, leichtsinniger, unverbesserlicher Mensch!“ — fuhr Moll in strengem Tone fort — „Gehen Sie in sich, bereuen Sie und versuchen Sie, sich zu ändern. Sie haben durch Ihren Leichtsinn Ihre Tochter, welche von der Natur mit den herrlichsten Gaben ausgestattet ist, zu dem blinden Werkzeuge der Niederträchtigkeit gemacht! Sie wird Stufe für Stufe auf der Leiter des Ehrgeizes, auf welche Sie sie gewaltsam gedrängt haben, emporsteigen, und auf jeder Stufe wird sie ein Stück von dem Guten, das noch in ihr ist, zurücklassen. Mit Entsetzen wird sie einst gewahren, daß die Leiter ohne Ende ist, mit Grausen wird sie zurückblicken und wahrnehmen, daß keine Rückkehr möglich ist, und so, zwischen Himmel und Erde schwebend und zitternd, wird sie einen Fluch ausstoßen, einen Fluch gegen den, der sie auf diese verhängnißvolle Leiter getrieben hat. — Und womit werden Sie sich gegen den Fluch schützen? — Sie stehn an der Schwelle des Alters. Ihr Leben war bis jetzt nur dem sinnlichen Genusse, dem Spiele, der Lüge und dem Betruge geweiht. Und Sie haben nicht einmal die Entschuldigung, daß Sie an die anmuthigen Vorwände und sinnreichen Ausflüchte, mit welchen Sie sich und andre zu täuschen suchten, immer geglaubt haben; denn ich kenne Sie und weiß, daß es Stunden gab, wo Sie zur Selbstkenntniß gelangten, wo Ihr Gewissen sich regte. Bessern Sie sich, Mann, und suchen Sie Ihre Tochter zu retten. Das letztere wird schwer, vielleicht unmöglich sein; aber wenigstens werden Sie durch Ihre Besserung und durch die Bemühung, sie zu retten, einen Schild gewinnen, woran der Fluch, von dem ich sprach, abprallen wird!"

Amandus hatte bis hierher aufmerksam und ohne sich zu regen zugehört. Aber jetzt wurde sein Gefühl plötzlich so gewaltig, daß ers nicht mehr länger beherbergen konnte, und er rief im Tone einer aufrichtigen Begeisterung: „O, o, warum sitzen Sie nicht in der Kammer! Diese Gewalt des Wortes und des Gedankens — glorios! — divin! — fabelhaft!"

Der Assessor, der doch sonst nicht so leicht außer Fassung gebracht werden konnte, saß völlig wie versteinert auf dem alten Lehnsessel und starrte sein vis-à-vis sprachlos an. Hätte er nur eine Spur, eine schwache Andeutung von Ironie, oder Hohn in Salzers Gesicht entdeckt, so wären ihm seine Worte verständlich geworden. Aber der verketzerte Winkeladvocat hatte den Ausruf mit einer so aufrichtigen, so durchaus naiven Miene gethan, daß Moll weder auf Hohn noch auf Ironie schließen und demnach den Sinn seiner Worte nicht fassen konnte.

Und doch wäre es für Moll gar nicht so schwer gewesen, diesen sonderbaren Ausruf richtig zu beurtheilen. Er kannte ja dieses kleine Individuum mit den schwarz und weiß gesprenkelten Haaren und dem aufgedunsenen, spirituös gerötheten Gesichte durch und durch. Er hatte es leichtsinnig und unverbesserlich genannt. Er wußte außerdem, daß das gedachte Individuum, Amandus Salzer genannt, die glückliche Gewohnheit hatte, sich in schwierigen Fällen vermittelst einer halb erkünstelten, halb angebornen Ueberspanntheit durchzuhelfen. Er brauchte dies nur zu erwägen, zu berücksichtigen, so wäre ihm die Bedeutung des unbegreiflichen Ausrufes sogleich begreiflich geworden. Aber er berücksichtigte dies erst, nachdem er den Winkeladvocaten eine Weile angestarrt hatte. Und dann wurde ihm natürlich alles klar, dann sprang er entrüstet in die Höhe und sagte: „Sie verdienen kein Mitleid, keine Theilnahme. Wandeln Sie den Pfad der Schande und Ehrlosigkeit weiter, bis Sie das Gesetz erfassen und züchtigen wird! Ich überlasse Sie Ihrem bösen Geiste!

Bevor ich aber gehe, habe ich Ihnen noch folgende Erklärung zu machen: Wenn Sie wünschen, daß man Ihre Hinterlist, Ihre Fälschung und Betrügerei verzeihen und Sie nicht zur Rechenschaft ziehen soll, so haben Sie zweierlei zu thun: Erstens müssen Sie alles, was zwischen der bewußten reichen Dame und Ihnen vorgegangen, so vollständig aus Ihrem Gedächtnisse radiren, daß auch nicht ein Buchstabe davon zurückbleibt; und wer Sie auch immer darüber befragen sollte, Sie dürfen davon kein Wort mehr wissen! Die bewußte Dame war entschlossen, Ihnen diese Erklärung selbst zu geben, aber ich duldete nicht, daß sie sich noch durch die geringste Annäherung an Sie beschmutzte, und habe diese Angelegenheit in *meine* Hände genommen.

Zweitens müssen Sie Ihrer Tochter sagen oder schreiben, daß sowol ich als noch einige andre von ihrer frühern Bekanntschaft in gewisse Geheimnisse von ihr eingeweiht sind, daß wir wissen, welche Rolle sie gegenwärtig spielt. Sie müssen sie davon in Kenntniß setzen, daß verschiedentliche Augen auf ihr Treiben gerichtet sind, und *daß sie sich hüten soll*, zu weit zu gehn! — Wollen Sie diese beiden Verpflichtungen übernehmen, und ihnen getreulich nachkommen?"

„Ich schwöre es!" — sagte Herr Salzer feierlich, während er sich gravitätisch aufrichtete und die Stellung eines Schwörenden annahm.

„Sie kennen mich, Herr Salzer;" — fuhr Moll in einem Tone fort, in welchem Warnung und Drohung lag — „wenn Sie jemals so unglücklich sein sollten, diesen Schwur zu brechen —"

„Beim Weltall, nie!" — rief er.

„Gut" — sagte Moll, nur vermittelst einer ungeheuern Anstrengung seine ernste Miene bewahrend — „gut, ich verlasse mich darauf. Und nun zum Abschied noch einen nachdrücklichen Rath: „„Winkeljuristerei wird von dem Gesetze"" — die nächstfolgenden Worte flüsterte er Herrn Salzer ins Ohr, und darauf verließ er das Zimmer.

Nachdem Moll hinweggegangen war, starrte Amandus zunächst einige Minuten finster auf die vor ihm liegenden Papiere. Darauf warf er dieselben hohnlächelnd durcheinander und zerriß einige davon. Darauf kreuzte er die Arme über der Brust, der stürmevollen, schritt mit großer Aufregung im Zimmer auf und nieder und begann: „Es ist wahr, ich fühle mich nicht berufen, für ein Paar jämmerliche Groschen, mit welchen sich nur kümmerlich des Leibes Nahrung und Nothdurft gewinnen läßt, das Handwerk eines feigen Häschers auszuüben, spießbürgerliche Klagen aufzusetzen, um arme, zahlungsunfähige Teufel in das perfide Netz eines sportelsüchtigen Gerichtshofes zu treiben! Es ist wahr, dies Handwerk hat mich ernährt und mir zu der Ehrbarkeit eines gesetzten Geschäftsmannes verholfen; aber bin ich denn der Mann, der sich von der geistlosen, stupiden Zufriedenheit des Philisters gesättigt sieht? — Nein, beim Urquell des Lichtes und Feuers, ich bins nicht! Ich bin nicht der Mann, ein „„leidliches Mittelglück““ in Ruhe zu genießen! Ich muß hinaus ins Ungewöhnliche streben und rufe mit dem Dichter:

„„Raum, ihr Herrn, dem Flügelschlag
Einer freien Seele!““

Fort mit euch, ihr Zeugen meiner Erniedrigung!“ — Hier warf er die Papiere, mit einem Blicke zermalmender Verachtung, vom Tische herab auf den Boden — „Ihr habt den Spiegel meines Rufs befleckend angehaucht, so daß ich mir den Vorwurf des Betrugs ins Antlitz schleudern lassen mußte! O, wär ich nie geboren!“

Es ist unglaublich, in welchem Grade sich der

Mensch selbst zu täuschen vermag. Nach den letzten Worten stürzten dem Winkeladvocaten die Thränen aus den Augen, seine Züge drückten Zerknirschung und Verzweiflung aus, und er sank, wie vom Schmerze betäubt, in den Lehnsessel. Er hatte sich in Schmerz und Zerknirschung so hineingeredet, daß er sie wirklich fühlte.

Jedoch die Zerknirschung, der Schmerz und die Verzweiflung dauerten nicht lange bei ihm, nicht länger als drittehalb Minuten. Nach diesem Zeitraume erhob er sich, gestärkt und getröstet, wie man aus seinen Mienen schließen konnte, schritt wieder eine Weile, aber diesmal schweigend, im Zimmer auf und nieder, kleidete sich dann an (er hatte den Assessor im Kattunschlafrocke empfangen, und die Ueberraschung hatte ihm kurzweg alle Schicklichkeitsgedanken abgeschnitten; daher steckte er noch in dem himmelblauen) und sagte, während er vor dem Spiegel die Halstuchschleife knüpfte: „Ein köstlicher, unvergleichlicher Spaß, sie grade in dem Augenblicke zu betrachten, wo ich ihr des Assessors Rede, soweit sie Helene und sie betrifft, verbo tenus mittheilen werde! Wenn sie hören wird: „„Für eine Dame, wie die fromme, rechtgläubige Doctorin, ist der Umstand, daß die Gräfin und ihre Töchter protestantisch sind, sehr ärgerlich; um so ärgerlicher, als sie demselben in eigner Person nicht abzuhelfen vermochte!“‟

Beim Wischnu! sie soll die Pillen und Pulver hinunterwürgen, und wenn sie daran ersticken müßte! O, das wird ein köstlicher, unbezahlbarer Spaß werden! Die sanfte, taubenhafte Hyäne! die milde, keusche Heuchlerin! Heut wird sie mich nicht wieder bei der Thür stehen lassen; beim Brahma, heut nicht! — Und am Ende werd ich sie an gewisse Versprechungen und Vorspiegelungen erinnern und sie ins Bockshorn jagen! Ha, ha! Ich werde ihr zu Leibe rücken — ich spreche natürlich vom moralischen Leibe; ja, beim Sternenlicht! nur vom moralischen; denn ihr physischer Leib ist unnahbar, ist mit der physikalischen Eigenschaft: Repulsion behaftet — ich werde Sturm laufen gegen sie, und nur mit einem von den kleinen unscheinbaren Packetchen des Schranks laß ich mich abfinden, besänftigen, beim Wischnu!“

Er steckte jetzt vollständig in dem mylordmäßigen Anzuge, welchen wir kennen (wiewol sich derselbe im Laufe der Zeit, besonders an den Aermeln, wesentlich verändert hatte), und ging des gedachten Spaßes wegen zur Frau Doctorin Hanke.

Siebzehntes Capitel.

Wir erinnern uns, daß Moll zu Robert gesagt hatte: „O, ich sehe in Helenens Carrière nur ein Beispiel, wohin der Ehrgeiz ein Weib ohne Gemüth und ohne Grundsätze führt!" Und nachdem der Assessor hierauf das Schauspiel in der Kirche gehörig erläutert hatte, hörten wir Robert in ein gezwungnes Gelächter ausbrechen und die Worte äußern: „Haec fabula docet, daß Ehrgeiz ein schändliches Laster ist!"

Roberts innere Stimme, welche so oft laut wurde, hatte ihm nämlich zugeflüstert: „Ob Mann oder Weib, das ist gleich: der Ehrgeiz führt sie an das nämliche Ziel! Und da auch du, gleich Helenen, ein Spielball des Ehrgeizes bist," — hier hatte Robert die innere Stimme, welche nicht schweigen wollte, mit jenem gezwungenen Gelächter und dem ihn selbst anklagenden Ausrufe unterbrochen.

Als sich Robert von seinem Freunde getrennt hatte, stellte er bei sich die Frage auf: „Sollte sie, sollte ihr Vater mich durchschaut haben? Und sollten sie mich darum, also meines Ehrgeizes wegen, so kalt und abstoßend empfangen haben?“ — Natürlich konnte er sich für den Augenblick diese Fragen nicht beantworten. Er mußte warten, mußte abwarten, wie sich beide, Vater und Tochter, ferner gegen ihn benehmen würden.

Aber auch dieses fernere Benehmen beider gegen ihn klärte ihn nicht vollständig auf. Herr Trenkmann nämlich zeigte sich gegen Robert so freundlich, gütig, herzlich wie früher, wenn nicht in noch höherem Grade. Selma dagegen benahm sich zwar herzlich und freundlich gegen ihn, legte aber dabei eine Ruhe und eine Unbefangenheit an den Tag, welche ihrem frühern Wesen ganz fremd gewesen waren. Außerdem entdeckte er an ihr etwas, was er nicht anders als durch „Würde der Demuth, der Bescheidenheit“ zu bezeichnen wußte, etwas, was so grell gegen ihren frühern, anfröstelnden Hochmuth abstach, daß er nicht begreifen konnte, welcher außerordentliche Umstand eine solche seltsame Umwandlung herbeizuführen vermocht hätte. Er fühlte recht wohl, daß er mit dem universellen Erklärungsgrundsatze: „les extrêmes se touchent“ hier nicht auskäme. — Er hätte gern an dieser Veränderung, welche ihm Unglück weissagend erschien, gezweifelt, aber sie war eine Thatsache, welche sich wie ein Gedankenschlagbaum, vor seinen Geist hinstellte. — Mit dieser Ungewißheit, welche ihn reizbar und mißtrauisch machte, reiste er in Begleitung Beinlings nach D. zu seinen Verwandten.

Robert hatte seinem Oheim die Wahrheit geschrieben: Er brachte seinen Freund Beinling in der aufrichtigen Absicht mit nach D., um eine „Partie“ zwischen ihm und seiner Muhme Olga zu Stande zu bringen. Aber Olga hatte ihm deswegen, hinsichtlich ihrer Hintergedanken, nicht ganz Unrecht gethan. Robert hatte sich mit der sehr schmeichelhaften Hoffnung gekitzelt, Olga würde Herrn Beinling wol annehmen, aber nur nach langem Widerstreben und nur, weil er, Robert, ihn empfohlen hätte, und weil er, Robert, für Olga unerreichbar wäre.

Wir haben gesehn, wie diese seine schmeichelhafte Hoffnung getäuscht wurde, und wie der persönliche Einfluß, welchen Olga auf Robert ausübte, diese Täuschung noch bittrer machte. Wir haben gesehn, wie seine Reizbarkeit noch erhöht, wie seine Eitelkeit gröblich verletzt, wie er einem Manne, welchen er bisher so tief unter sich gestellt hatte, hintenangesetzt wurde.

O, als er neben Beinling in dem Eisenbahnwagen saß, der sie zurück nach B. führte, und als er sich die Worte, welche den Tag über gesprochen, und die Blicke, welche ausgetauscht worden, ins Gedächtniß rief, da war er nahe daran, den ehrlichen und bescheidenen Biedermann neben ihm zu hassen, ingrimmig zu hassen.

Als er sich aber beruhigt und gefaßt hatte, sagte er bei sich: „Ist das nicht auch ein Beispiel, wohin der Ehrgeiz einen Menschen ohne Gemüth und Grundsätze führt? — Er verliert die Liebe, die Anhänglichkeit sogar derjenigen, welche durch die Bande des Blutes an ihn geknüpft sind!“ — Und nach einer Weile fuhr er fort: „Und hat nicht dieser harmlose, anspruchslose, seelengute Mann neben mir in der That einen weit größeren Werth, als ich mit meiner Selbstsucht, meinem Ehrgeize? — Was habe ich Gutes, Achtungswerthes und der Menschheit Ersprießliches gethan? Während er Thränen trocknete, Herzen gewann und sich still und bescheiden tausendmal opferte! Und ich habe ihn geringgeschätzt, und war fast auf dem Punkte, ihn zu hassen!“ — Robert schaute Beinling an, und Beinling, welcher in süße Betrachtungen versunken durch das Wagenfenster geschaut hatte, fühlte, ahnte Roberts Blick und wandte den Kopf um, und ihre Blicke begegneten sich. — Robert ergriff des Buchhalters

Hand und drückte sie mit Wärme, indem er ihn innerlich um Verzeihung bat; Beinling aber lächelte glückselig, zupfte mit der linken Hand an dem linken Vatermörder und sagte: „Sie sind ihr sehr ähnlich, auffallend ähnlich, sowol den Zügen, als auch dem Wesen nach!“

Robert erröthete stark und schüttelte mit dem Kopfe. Darauf drückte er aufs neue Beinlings Hand und versetzte: „Sie werden sie glücklich machen, sehr glücklich; ich weiß es!“ — Innerlich fügte er hinzu: „Ich würde sie nicht glücklich gemacht haben!“

Was Beinling darauf erwiderte, ist nie bekannt geworden. Aber er erwiderte etwas, wovon Robert nur das erste Wort: O! verstand. Darauf riß er (Beinling) das Wagenfenster auf und blickte mit geröthetem Antlitz in die purpurne Abendsonne. Und als die Sonne endlich untergegangen war, lehnte er sich zurück in den einen Winkel des Wagensitzes und blieb dort schweigend und unbeweglich sitzen, bis der Zug in B. angekommen war.

Am nächsten Tage machte Robert eine neue Entdeckung: Selma, welche es ihrem Vater gegenüber zwar nie an Ehrerbietung und Gehorsam hatte fehlen lassen, welche aber auch nie echt kindliche Innigkeit gegen ihn an den Tag gelegt hatte, schien jetzt das glühende Verlangen zu fühlen, alles Steife, Kühle, Ceremonielle, was bisher zwischen ihr und dem Vater gewaltet, zu verbannen und die kindliche Liebe allein walten zu lassen. — Dieses glühende Verlangen und seine stündlich wachsende Befriedigung verliehen ihrem ohnedies schon so vortheilhaft veränderten und veredelten Wesen einen neuen Reiz; und Robert, dessen Gemüth noch von gestern erwärmt war, empfand heut zum ersten Mal eine gewisse Freude über die Veränderungen, welche an Selma vorgegangen, und wurde sich heut zum ersten Male bewußt, daß er jetzt in Selma noch etwas Anderes, als die reiche, unermeßlich reiche Erbin erblickte.

Als an dem nämlichen Tage die Familie (d. h. Trenkmann, Selma, Robert und Beinling) des Nachmittags an dem Kaffeetische saß, begann Robert, da grade in der allgemeinen Unterhaltung ein Stillstand eingetreten war: „Ist Ihnen" — die Frage wurde an Selma gerichtet — „ist Ihnen schon bekannt, daß Fräulein Helene sich gegenwärtig als Erzieherin in dem Hause des Grafen R. befindet?"

Herr Beinling rückte mit sichtbarer Unbehaglichkeit auf seinem Stuhle hin und her, griff nach der Tasse und nippte daraus, stellte die Tasse wieder auf den Tisch und zog das Schnupftuch hervor, schnäuzte sich und ließ aus Versehn das Schnupftuch zur Erde fallen; was zur Folge hatte, daß er sich bücken, das Tuch aufheben, und, damit es nicht wieder zur Erde fiele, wieder einstecken mußte. Darüber verging immerhin eine ganze Menge träger Secunden, welcher Zeitraum genügte, ihm zu einer erträglichen Fassung zu verhelfen.

Während nun Trenkmann dem wunderlichen Treiben seines lieben und treuen Factotums lächelnd zuschaute, versetzte Selma ein wenig erröthend: „Es ist uns“ — dieses „uns“ wurde von einem Blicke auf ihren Vater begleitet — „hierüber alles bekannt.“

Robert aber fuhr fort: „Es ist mir bei der ganzen Geschichte nur das unbegreiflich, daß Fräulein Helene sich ohne scheinbaren Grund einer Unwahrheit schuldig gemacht hat. Sie hat, wie Sie wissen werden, ihrem Vorgeben zuwider, unsre Stadt niemals verlassen.“

„Ich kann Ihnen hinsichtlich dieser Angelegenheit die Versicherung geben,“ — versetzte Selma eifrig und mit Betonung — „daß die Unwahrheit nicht von Helene ausgegangen, daß sie zu derselben gewaltsam gedrängt worden ist.“

Robert merkte aus Selmas Miene, daß sie hiermit das Gespräch über diesen Gegenstand beendet wissen wollte. Nun würde er es zwar auch ohne diese Bemerkung kaum fortgesetzt haben, da ihn Selmas Worte in ein Labyrinth von Vermuthungen und wirren Gedanken gestürzt hatten. Andrerseits aber müssen wir bekennen, daß ihn auch schon der bloße Wunsch in Selmas Miene, trotz aller Neugierde, zur Unterwerfung, zum Gehorsam, d. h. zum Schweigen bewogen haben würde. — Denn sie hatten in der jüngsten Zeit die Rollen gewechselt. Jetzt war es Robert, der in Selmas Augen nach einem Wunsche forschte und stets bereit und glücklich war, denselben zu erfüllen. Wir wollen nicht grade behaupten, daß Robert ein Sklave ihrer Launen war, oder daß sie um ihre Herrschaft wußte und dieselbe benutzte. Jedenfalls aber hatte Selma die Fesseln ihrer frühern Sklaverei zerbrochen, und Robert war fast ängstlich bemüht, ihr seine Ergebenheit auf jegliche Weise an den Tag zu legen.

Selma hatte einmal zu Molly gesagt: „Der Hochmuth hat mich zur Erniedrigung geführt.“ Robert hätte vom Ehrgeize dasselbe in Bezug auf sich sagen können. Solange Robert sein Ziel — die Vereinigung mit Selma — noch fern wußte, solange ihn der Ehrgeiz noch nicht so erfaßt und verblendet hatte, daß er die Möglichkeit, das Ziel *nicht* zu erreichen, gar nicht mehr denken konnte, solange hatte er Stolz und Kühnheit zu Begleitern auf seinem Wege gehabt. Jetzt aber, da er diesem Ziele schon nahe gerückt war, da er schon so viel, ach! so viel an die Erreichung desselben gesetzt hatte, daß ihm eine Verfehlung desselben ganz wie Schande, Elend und Vernichtung erschien, jetzt wurde er zaghaft, ängstlich, furchtsam, jetzt war er bereit, auch noch das letzte von seiner geistigen Habe, nämlich seinen Stolz, seine Selbstachtung an die Erreichung des Zieles zu setzen. — Solange er in Selma eine Sklavin erblickt hatte, war er übermüthiger Tyrann gewesen. Jetzt da er in ihr ein freies Wesen erblickte, war er auf dem Wege, selbst die Rolle des Sklaven zu übernehmen. Denn der Ehrgeiz predigte ihm: Du mußt Dein Ziel erreichen oder sterben!

Hierzu kam noch, daß er anfing, Selma zu achten, zu bewundern, so daß ihm jenes Ziel immer herrlicher, beneidenswerther erschien.

Und Selma? —

Nun wir wissen, welche große Veränderung mit ihr vorgegangen war, seitdem sie in der gefährlichen Krisis ihres Lebens in Molly eine Retterin gefunden hatte. Seitdem fühlte sie ihre Verirrung, ihre Erniedrigung; und dies Gefühl erzeugte Reue und

Besserung; und so erhob sie sich wieder, während Robert im Begriff war, noch tiefer zu fallen.

Was vermag nicht eine Freundin, wie Molly, und ein Vater, wie Trenkmann? Denn Selma hatte ihrem Vater nach seiner Rückkehr alles gebeichtet. Und von ihm und Molly gestützt und gehoben, richtete sie sich wieder auf und genaß allgemach.

Wir leben nicht mehr in dem Jahrhundert, in welchem die reuige Sünderin bei der Zerknirschung stehen bleibt, einen Schleier über sich und die Vergangenheit wirft, und unter dem Schleier, seufzend und jammernd, langsam verkümmert. Die Zeit der passiven Buße und Läuterung ist vorbei. Wir wissen, daß es eine edlere und ersprießlichere Buße gibt.

Selma wußte und fühlte dies auch. Sie brach mit der Vergangenheit, aber nur, um sich eine bessere Zukunft zu gründen. Und damit der Bruch ernst und entscheidend würde, mußte sie Strenge walten lassen.

Zweierlei hatte sie nach ihrer Ueberzeugung zur Verirrung geführt: die alle Schranken durchbrechende unbändige Leidenschaft für Robert, und das kalte, unnatürliche Verhältniß zwischen ihr und ihrem Vater.

Sie mußte ihre Besserung also damit beginnen, die Leidenschaft zu bändigen, zu beherrschen und den

Vater durch ihre gänzliche Hingebung zur seinerseitigen Hingebung zu zwingen.

Nun war aber Selma, wie wir wissen, ein starkes, willenskräftiges Weib; und als sie versuchte, die Zügel der Leidenschaft straff anzuziehn, gelang ihr dies über alle Erwartung, so daß sie ganz verwundert darüber nachdachte, wie ein so leicht zu zügelndes Roß jemals hatte mit ihr durchgehen können.

Was die Umgestaltung des Verhältnisses zu ihrem Vater betrifft, so gelang ihr dieselbe, da ihr das Vaterherz auf halbem Wege liebebedürftig entgegenkam, noch viel leichter; und vielleicht trug grade dieser Umstand sehr viel zur Zügelung ihrer Leidenschaft bei, insofern das Erstarken der kindlichen Liebe ein Abnehmen der andern Liebe zur Folge hatte.

Wie dem auch sei, als Robert nach seiner Rückkehr von London zum ersten Mal vor sie trat, empfand sie wol Freude, ihn wieder zu sehn; aber dabei fühlte sie sich so ruhig und unbefangen, daß sie erst infolge dieser Ruhe und Unbefangenheit nachdenklich wurde.

Einige Tage darauf (an dem Sonntage, welchen Robert und Beinling in D. zubrachten) sagte Selma zu Molly: „Ich hätte mir nie gedacht, daß es so leicht wäre, eine Leidenschaft zu zügeln.“ — Und darauf erzählte sie der Freundin die Gefühle, mit welchen sie

Robert nach seiner Rückkehr von London empfangen hatte.

Molly erwiderte kein Wort, sondern suchte vielmehr das Gespräch dadurch auf einen andern Gegenstand zu leiten, daß sie ihren kleinsten Knaben auf den Arm nahm und mit ihm im Zimmer herumtanzte. Aber später, als sie mit Moll allein war, äußerte sie mit besorgter Miene: „Der arme Robert! Ich fürchte, er wird eine bittere Täuschung erleben. Selma hat aufgehört, ihn zu lieben."

„Das fehlte noch!" — brummte Moll, indem er seine Betrübniß hinter seiner finstersten Räubermiene verbarg — „Dann wäre Robert für diese Welt verloren, und dann hätte Strolph, der Unglücksprophet, recht gehabt!"

„O, ich glaube, Robert würde sich doch von einer solchen Niederlage bald wieder aufrichten" — sagte Molly theilnehmend.

„Nimmermehr!" — versetzte Moll, und sein Gesicht wurde noch finsterer — „Nimmermehr! denn er hat alles, alles, Ehre, Glück und Hoffnung auf diesen einen Wurf gesetzt! Ich hab es ihm angesehn, als ich vor zwei Tagen mit ihm über seinen Empfang nach der Rückkehr von seiner Reise sprach. Er ist schon jetzt trostlos, muthlos; und dadurch wird er seine Angelegenheit vollends hoffnungslos machen. — Hat dir Selma gesagt, daß sie ihn nicht mehr liebe?"

„O, sie weiß es selbst noch nicht, wird es aber, fürcht ich, bald erkennen," — erwiderte Molly. — „Ich glaube sogar, Selma hat ihn nie innig und wahr geliebt. Er war der erste Mann, der ihr mit Kälte und Gleichgiltigkeit, ja wol gar mit einer herausfordernden Unhöflichkeit begegnete, und dazu war er der zweite Commis ihres Vaters. Das reizte und erbitterte Selma und stachelte sie zu dem Wunsche und dem Bestreben an, seine Kälte, seine Gleichgiltigkeit um jeden Preis zu besiegen und vielleicht zu bestrafen. Zum Unglück betrat grade zu jener Zeit Helene das Trenkmannsche Haus. Sei es nun, daß Robert wirklich etwas für das schöne, verführerische Mädchen empfand," — Molly schlug bei diesen Worten die Augen zu Boden — „oder sei es, daß er Selma herausfordern oder ihren Stolz verwunden wollte, genug, er spielte den Beschützer und Verehrer des armen, abhängigen Mädchens, gab deutlich zu verstehn, daß er ihm den Vorzug vor der stolzen Millionärin gäbe, und steigerte dadurch das Bestreben Selmas bis zur Leidenschaft. Daher ist es auch gekommen, daß Selma durch diese Leidenschaft, weil dieselbe nur eine Verirrung war, zu neuen Verirrungen getrieben wurde. — Aber plötzlich kam Selma zur Besinnung, sie erkannte ihre Verwirrung. Und das Nachdenken darüber führte sie zu der Quelle derselben, zu ihrer Leidenschaft."

„Richtig!" — fiel Moll ein — „Und als stolze Erbin war sie bemüht, diese unpassende Leidenschaft zu zügeln, und diese Bemühung wurde durch den glücklichsten Erfolg gekrönt. Ich begreife. Und wenn sie jetzt noch entdecken wird, daß die Kälte und Gleichgiltigkeit des Helden vollständig besiegt sind, daß dieser gewaltige Held als gefesselter Sklave zu ihren Füßen liegt, dann hat sie ja ihr schönes, glorreiches Ziel erreicht, hat das geistreiche Spiel gewonnen und beginnt der Abwechselung wegen eine neue Partie. O, ich verstehe, ich verstehe!"

„Du thust Selma großes Unrecht, Karl."

„O, ich verstehe, ich verstehe!" — fuhr Moll gereizt und aufgeregt fort — „Strolph hatte wol recht, diese Nabobs haben kein Gefühl oder treiben ewig ihr Spiel damit. Aber was Robert betrifft, so soll Strolph nicht recht haben. Robert muß gerettet werden! Ich werde mit ihm reden, werde ihm die Augen öffnen. Er muß einen kühnen Schritt thun, und zwar bald, augenblicklich. Noch kann er sein Spiel durch Ueberraschung gewinnen!"

„O, Karl, bedenke, in welche zarte Angelegenheit du dich mischen willst!“

„Ich sage dir, Molly, Robert muß gerettet werden! Soll ein solch hoffnungsvoller Mensch durch eine Weiberlaune zu Grunde gehn? Robert muß sie heirathen, zwar nicht mehr die Selma, welche ihn liebte, sondern das Fräulein Trenkmann, welches ein paar Millionen erben wird! Dadurch sind sie beide bestraft, sie wegen ihres frevelhaften Spieles, wegen ihres Hochmuthes und Leichtsinnes, er wegen seines Ehrgeizes und seiner Selbstsucht. Und beim Himmel! sein Ehrgeiz ist tausendmal eher zu entschuldigen, als das frevelhafte Spiel ihres Hochmuths! — Ja, er muß sie heirathen! denn sie wird dadurch wahrlich! nicht unglücklich werden — Mädchen ihres Standes heirathen ja niemals nach Liebe; und sie kann sich noch glücklich preisen, daß sie statt eines kaltherzigen, geldgierigen Börsenmannes einen Menschen von Herz und Kopf zum Gemahl erhält — und für ihn wird diese Heirath eine wahre Wiedergeburt sein. Er wird durch dieselbe ein neuer Mensch werden, wird nach derselben seinem Ehrgeize eine andre Richtung geben — eine Richtung, welche nicht zum Falle und zur Erniedrigung führt — er wird jetzt, nachdem er sich in eine Sackgasse verrannt und sich den Kopf bestoßen hat, vorsichtiger und bedachtsamer seines Weges gehn, wird anfangen, seinen wahren Beruf zu erkennen, wird die Selbstsucht fahren lassen und der Menschheit dienen; er wird mit großen Mitteln, gutem, redlichen Willen und frischer Kraft Großes, für die Menschheit Ersprießliches leisten, er wird endlich jenes Glück, welches er durch Liebe und Selbstsucht nicht zu erreichen vermochte, in der treuen, redlichen Ausübung seiner Menschenpflicht suchen und finden. Ich möchte für ihn bürgen trotz seinen Fehlern und seiner jetzigen Muthlosigkeit.

Und am Ende wird Selma seinen Werth schon erkennen, die Stimme der Welt wird sie bekannt damit machen; und was sie ehedem infolge eines maßlosen Hochmuthes und verletzter Eitelkeit that, wird sie später vielleicht aus Hochachtung, Bewunderung und wirklicher Zuneigung thun, sie wird ihn lieben!

Ja, Robert ist vielleicht noch zu retten, d. h. glücklich zu machen. Er muß nur schnell und mit Kühnheit handeln, er muß sie überraschen, überrumpeln! Diese List wird für beide zum Heile ausschlagen. Noch ist er ihr nicht gleichgiltig, noch glaubt sie an ihre, wenn auch nicht leidenschaftliche, so doch warme Zuneigung zu ihm. Und diesem Glauben wird ihre jetzige Hingebung gegen ihren Vater zu Hilfe kommen. Sie weiß, daß er diese Verbindung glühend wünscht. Sie wird keinen Augenblick zögern, ihm diesen Wunsch zu erfüllen!"

„Deine Liebe zu Robert verblendet dich, Karl!" — sagte Molly, ihm die rabenschwarzen Haare von der Stirn streichend — „Wäre es wol edel, wäre es ehrlich, wenn Robert Selmas gegenwärtige Stimmung und Lage zu einem selbstsüchtigen Zwecke benutzte? Warum soll er denn nicht mit seinem Antrage warten, bis Selma klar über und einig mit sich ist?"

Moll trocknete sich mit dem Taschentuche den Schweiß von der Stirn; denn es war heiß, und er hatte sich gewaltig ereifert. Darauf aber warf er sich, schwer athmend, auf das Sopha und antwortete:

„Sieh, Molly, mein liebes, sanftes, herziges Weib," — er zog die Erröthende auf das Sopha nieder — „sieh, Molly, es gibt zwei sehr verschiedene Arten von aufstrebenden, nützlichen und talentvollen Leuten, die Strolphs und die Roberts.

Die Strolphs sind kalt wie Eis, zäh wie Leder, hartnäckig, wie ein stätisches Pferd, und geduldig wie ein Jude, der immer noch auf den Messias wartet. Sie schöpfen ihre Kraft und Energie zum Handeln aus sich selbst. Sie leben still und meist im Dunkeln, wiewol sie für das Licht arbeiten, und bleiben im Glück und Unglück standhaft und fest bis zum Tode.

Die andern aber, die Roberts, sind weich, eindrucksfähig, leicht entzündet und dann stürmisch, aber auch flatterhaft und veränderlich. Sie haben ihren Halt außer sich, sie bedürfen zum Handeln eines Anstoßes von außen, bedürfen der Ermunterung, des Beifallklatschens, der Auszeichnung, des Glanzes, der Ehre, des Ruhmes. Wird ihnen dies alles bald von Anfang ihrer Laufbahn zu Theil, greift das Glück ihrem Talente hilfreich unter die Arme, dann leisten sie oft Ungeheures. Mißlingen ihnen dagegen die ersten Schritte, erleiden sie bald am Anfange Niederlagen, dann geben sie nur zu schnell den Kampf auf, werfen die Büchse ins Korn und — es ist schon manches Genie (und manches Talent) auf dem Schindanger verfault!

Verstehst du jetzt, warum es so wichtig, so entscheidend für Robert ist, daß er das, woran er alles, alles, Ehre, Glück und Hoffnung, gesetzt hat, auch erreiche, daß er Selma heirathe? Und um dies zu erreichen, muß er sie da nicht überraschen, sie zur Entscheidung drängen, bevor er ihr gleichgiltig geworden ist, bevor jede Hoffnung für ihn verloren geht? Und ist denn im Grunde ein Liebender sträflich oder tadelnswerth, wenn er, um die Geliebte zu gewinnen, den günstigsten Moment benutzt?"

Molly sann eine Weile nach und versetzte dann,

mit dem Kopfe schüttelnd: „Es ist immer nicht edel, nicht ehrlich, wenn er einen, wol für sich günstigen, aber für die Geliebte ungünstigen Augenblick wählt. Wenn Robert noch heut, aber aus eignem Antriebe und weil er ihren Seelenzustand nicht ahnte, ihr einen Antrag machte, dann wäre er frei von jedem Tadel. Im entgegengesetzten Falle aber wäre er ebenso zu tadeln, als der, der ihn zu dieser Ueberraschung aufmunterte."

Sie erhob sich nach diesen Worten und verließ das Zimmer.

Moll blickte ihr nach und flüsterte: „Du guter, ahnungsvoller Engel, du!

Der gute Mensch in seinem dunklen Drange
Ist sich des rechten Weges wohl bewußt! —

Aber dennoch muß ich Robert zu dem tadelnswerthen Schritte rathen. Es gilt, ihn vor einer vollständigen moralischen Vernichtung zu bewahren. Thut er diesen Schritt, nun, so gewinnt er durch denselben eine Zukunft, welche ihm Gelegenheit bieten wird, vergangne Schwächen und Thorheiten gut zu machen. Thut er ihn nicht, um so besser. Dann ist er stärker, hochherziger, als ich glaubte! Er soll alles wissen, und dann mag er wählen! Punktum!"

Am nächsten Tage ging Moll zu Robert. Er fand

ihn auf seinem Zimmer, in tiefes Nachdenken versunken. Robert grübelte über die Antwort, welche ihm Selma einige Stunden vorher hinsichtlich Helenens Unwahrheit gegeben hatte.

Molls Besuch dauerte eine Stunde. Als er wieder wegging, begleitete ihn Robert bis zur Promenade, und beim Abschiede sagte noch der Assessor: „Wer weiß, ob wir nicht gar gegen Windmühlflügel kämpfen. Molly kann sich getäuscht haben, wiewol die Weiber verteufelt schlau in diesen Dingen sind. Jedenfalls sind Sie nach allem, was vorhergegangen ist, zu diesem Antrage vollkommen berechtigt. Es gibt Situationen, in welchen zarte Bedenklichkeiten höchst unpraktisch sind. Abgemacht! Glück auf! das Glück eines Mannes ist mehr werth, als die Laune eines Weibes!“

Und da ging er nun — wir meinen Robert — in den Abend hinein, hinaus aus der Stadt, der ruhelosen und menschenvollen; er ging quer über die Felder hin, wie ein gestörter, flüchtiger Dieb; er eilte rastlos fort und fort, bis in die Nacht hinein, hinein in den Wasserdunst, der dick und qualmig aus Wiesen und Sümpfen und aus dem nahen Flusse stieg. Aber er konnte der innern Stimme nicht entfliehn; nicht dem Wurme, der an seinem Herzen nagte; nicht den brennenden, stechenden, zuckenden Gedanken, die seinen

Kopf zu einer Hölle machten. Die Scham, die Reue, die Angst, die Verzweiflung und seine lodernde Phantasie hatten ihn bis zu einem Grade von Aufregung, von Wahnsinn, angestachelt, daß alles, was er sah, hörte, fühlte, dachte, unnatürliche, gigantische Proportionen annahm. Er drückte zuweilen mit der glühenden Hand gegen die Brust und rieb die Stirn, aber der Wurm im Herzen nagte weiter, und die Gedanken brannten und stachen und zuckten fort. Er warf sich in das vom Thaue befeuchtete Gras und starrte irr und finster gen Himmel; aber da war alles Licht und Glanz, Ordnung und Ruhe, Friede und Einklang, und stimmte nicht zu der Finsterniß, der Unruhe, dem Kampfe, dem Chaos in seinem Innern. Er stöhnte auf, tief und qualvoll, und flüsterte: „Zu wählen zwischen Schmach und Vernichtung! Nein! Zwischen Schmach und schmachvoller Vernichtung! — O, zwischen zwei Uebeln wählt man ja das kleinere! — Moll, Moll, aus dem Tone und aus der Miene, mit welchen du mir zu dem arglistigen Schritte riethest, hab ich erkannt, daß du ihn innerlich verdammst, ihn für schmachvoll hältst! Mitleid und Besorgniß haben dich zu diesem Rathe bewogen! Du weißt, daß ich jämmerlich und schmachvoll verkommen würde, wenn ich mein Ziel verfehlte; wenn ichs dagegen erreichen sollte, so hab ich noch eine Zukunft vor mir und kann sie von mir abwaschen die Schmach, mit welcher ich mich, um es zu erreichen, beflecken mußte! O, du hast recht, gütiger Freund! Ich werde deinem Rathe folgen! Denn mit welcher Miene soll ich ihnen allen unter die Augen treten, wenn ich bekennen müßte: Mein Schiff ist gescheitert! Die schöne, herrliche Fracht ist ein Raub der Wellen geworden; ich habe nichts gerettet, als das nackte Leben und meine Stellung als zweiter Commis mit 600 Thalern des Jahres! — Was würden sie sagen — Strolph, Helene, Olga, Onkel, Tante und alle die andern?" — Und er brach in ein gellendes, weit hin schallendes Lachen aus. Er sprang auf und blickte umher. Der Schall seines Gelächters hatte ihn erschreckt. Und er lachte wieder, aber leiser, mehr innerlich. — Jetzt erst merkte er, wie weit er sich von der Stadt entfernt hatte. Er trat den Rückweg an und sagte dabei, bitter lächelnd: „Das Gewissen macht Memmen aus uns allen! Bin ich nicht wie ein Knabe vor der Ruthe ins Weite gelaufen, ohne zu wissen, wohin, und ohne der Ruthe zu entfliehn?" — Er schritt eine lange Weile schweigend weiter und fuhr dann fort: „Bin ich denn verrückt gewesen, daß ich wie ein Dieb, wie ein Mordbrenner durch die Felder rannte, ohne Grund und ohne Zweck? Denn bei dem funkelnden Sternenlichte da oben! ich kann jetzt, da die Nebel aus meinem Kopfe heraus sind, keinen Grund finden, weshalb ich in einen Zustand gerieth, der an Wahnsinn streifte! Können denn einige alberne Bedenklichkeiten einen vernünftigen Menschen von Sinnen bringen? Was ist es denn, was ich im Begriff stehe zu thun, und was mein zartes, difficiles Gewissen so über die Maßen alterirt hat? Ist es Betrug, Mord, Ehebruch, oder was sonst? — Ich will einem Mädchen, das mich glühend geliebt hat, das mich vielleicht noch liebt, das ich jetzt auch wenigstens hochschätze und bewundere, einen Heirathsantrag machen! Daß dieses Mädchen eine Millionärin ist, liegt darin etwas Abschreckendes, Anstößiges?" — Und Robert lachte wieder, wie es schien, heiter und harmlos, und dann richtete er sich stolz in die Höhe, wie ein Mensch, der alle Ursache hat, mit sich zufrieden zu sein, und ging ruhigen und gemessenen Schrittes weiter.

Als er sein Zimmer betrat, war Mitternacht längst vorüber. Er warf sich aufs Sopha, nachdem er eine Kerze angezündet hatte, und schaute gedankenvoll nach der Decke. Woran dachte er denn noch? — Was überlegte er denn noch? — Er hatte ja die „albernen Bedenklichkeiten" überwunden, war ja einig mit sich und klar über das, was er thun müßte! Was hielt ihn denn noch wach und bewirkte, daß er sich seufzend hin und her wälzte? — Er war ja beruhigt und entschlossen und noch dazu sehr ermüdet!

Die Morgensonne warf ihre hochrothen Strahlen ins Zimmer — merkwürdigerweise ging die Sonne auch heut zu derselben Stunde, wie gestern, auf — und draußen auf der Straße rührte und regte sichs wieder, als Robert in einen unruhigen, unerquicklichen Schlummer versank. — Warum rief wol der Schlummernde die Namen: Strolph und Olga so oft und in so ängstlichem Tone?

Es war acht Uhr, als Robert erwachte. Er öffnete das Fenster und athmete in langen Zügen die frische Morgenluft. Er blickte hinab auf die Straße, auf das Gewühl der Menschen; und er wunderte sich, daß diese Menschen so gleichgiltig an dem Hause vorübergingen, daß niemand zu ihm heraufschaute und ihn anstarrte, als einen, der etwas Außerordentliches, Ungeheures auszuführen im Begriff stände. Er murmelte die Worte: „Selbstsüchtige Welt!“ — und es that ihm sehr wohl, daß er diese Worte mit Ueberzeugung ausrufen konnte. Wenn Selbstsucht eine allgemeine Eigenschaft war, was hatte dann er für Ursache, sich für entehrt zu halten, weil er sie auch besaß? — Er kehrte sich vom Fenster weg, trat ins Zimmer zurück und begann, sich anzukleiden. Als gleich darauf der Diener den Kaffee brachte, befahl er ihm, bei Fräulein Selma anzufragen, wann er, Robert, die Ehre haben könnte, sie zu sprechen. Der Diener ging und brachte sogleich die Antwort zurück: Fräulein Selma sei bereit, Herrn Hübler zu empfangen.

Ein Lächeln der Freude, fast des Triumphes, glitt über Roberts Züge. Seine blassen Wangen rötheten sich leicht, und seine matten trüben Augen leuchteten auf, und begannen zu funkeln. „Sie liebt mich noch, da sie mich zu dieser Zeit empfängt!" — flüsterte er und ging mit stolzer Haltung und ruhigem, gemessenem Schritte nach dem grünen Saale.

Selma stand, als er eintrat, am Fenster und schaute, ganz wie Robert kurz vorher gethan hatte, hinab auf die Straße und auf das Gewühl der Menschen und dachte bei sich: Wer von euch allen, ihr gleichgiltigen Menschen, wer sagt mir denn, was ich jetzt thun, wofür ich mich entscheiden soll?

Als Robert in den Saal getreten war und auf sie zuschritt, drehte sie sich um und schaute ihn an, und er schaute sie auch an, fest und stolz, wie ehedem, bis sie die Augen niederschlug.

Er ging aber bis zum Fenster, blieb dicht vor ihr stehn und verbeugte sich schweigend.

Selma schlug die Augen auf, blickte ihn an, fest und ernst, und fragte: „Was haben Sie mir so früh am Tage zu sagen, Herr Hübler?“

Robert antwortete mit seiner weichen, biegsamen Stimme und mit einem jener stolzen, glühenden Blicke, denen Selma ehedem nicht hatte widerstehn können (und welcher auch jetzt noch bewirkte, daß sie erröthete): „Wenn es in Ihrem Herzen nicht eine Stimme gibt, welche Sie auf das, was ich jetzt sagen möchte, vorbereitet hat, wenn Sie nicht errathen, nicht ahnen, nicht empfinden, was ich Ihnen zu sagen habe, dann werde ich nicht erst sprechen, dann bleibt mir nur übrig, Sie um Entschuldigung zu bitten, daß ich Sie in so früher Stunde belästigt habe.“

Selma hatte ihn nicht ohne Bewegung angehört. Stand doch der stolze, selbstbewußte Robert von ehedem mit seiner schönen Männlichkeit vor ihr, ruhte doch sein glühender, bezaubernder Blick, wie ehedem, auf ihr; und dennoch zögerte sie, dennoch fühlte sie eine unbegreifliche Beklemmung, dennoch stand sie schon im Begriff, eine ausweichende Antwort zu geben, sich Bedenkzeit zu erbitten. In diesem Augenblicke rollte unten auf der Straße ein Wagen vorüber, und Selma schaute unwillkürlich hinab. Eine Purpurröthe übergoß ihre Wangen, ihr Auge begann zu flammen, die

Brust zu wogen — „Robert, ich errathe, ich ahne, ich empfinde, was Sie mir sagen wollen!“ — rief sie, in höchster Aufregung ihm die Hand reichend — „Robert, sprechen Sie!“

Eine Viertelstunde darauf legte Herr Trenkmann seiner Tochter Hand in die seines zweiten Commis. „Ich halte diese Stunde für die glücklichste meines Lebens!“ — sagte er! und schloß Tochter und Sohn gerührt in seine Arme.

Als Robert später wieder in sein Zimmer zurückgekehrt war, trat er ans Fenster und schaute hinab, finster und düster.

„Ich danke dir, Helene!“ — sagte er — „Ich verdanke dir Reichthum, Ehre und — eine liebende Gattin! Wärest du nicht in dieser verhängnißvollen Stunde hier vorübergefahren, und hättest du nicht einen deiner stolzen, herausfordernden Blicke herauf nach dem grünen Saale geworfen, so war dies alles rettungslos für mich verloren! Ich danke dir!“

Achtzehntes Capitel.

„Hochgeehrtes Fräulein!

Wenn Sie in diesen Zeilen etwas Unschickliches, Anmaßliches oder wol gar etwas Lächerliches ersehn sollten, so würde dies nur die wohlverdiente Strafe eines vierzigjährigen Hagestolzes sein, welchen weder der Ernst seines Berufs, noch eine lange, lange Erfahrung vor Thorheit zu bewahren vermochte. Nehmen Sie mir in diesem sehr wahrscheinlichen Falle, ich bitte, wenigstens den Umstand als Entschuldigung an, daß, während mein Herz mir diese Zeilen dictirt, die Vernunft mich warnt, sie niederzuschreiben. — Ich gehorche dem Herzen, weil dasselbe bei mir stärker und mächtiger ist, als die Vernunft!

Ich kam heute hierher, um Ihnen das alles mündlich zu sagen. Aber unterwegs hat mich der Muth verlassen und die Befürchtung sich meiner bemächtigt, ich könnte Ihnen gegenüber unfähig werden, mich zu erklären und mir, vermittelst dieser Erklärung, wenigstens Ihre Nachsicht zu erwerben.

Ich bin also hier auf dem Bahnhofe geblieben, trage Ihnen meine Sache schriftlich vor und werde hier Ihre Entscheidung, wie sie auch immer ausfallen möge, gefaßt und mit Ergebung entgegennehmen.

Meine Blumen verwelken und sterben ab, weil ihnen in meiner Abwesenheit keine befreundete Hand Pflege angedeihen ließ. Ich hatte mich darein schon gefunden, wie in ein unvermeidliches Schicksal, als Sie — ja Sie waren es! — mir sagten: „Ein Mann, wie Sie, sollte stets eine befreundete Hand zur Seite haben!"

O, zürnen Sie mir nicht, wenn diese, wahrscheinlich nur aus Mitleid und aus dem Ihnen angebornen Wohlwollen hervorgegangnen Worte allgemach Hoffnungen und Wünsche in mir erregt haben, welche erregen zu wollen Ihnen wol sehr fern lag. Ich habe lange versucht, sie niederzukämpfen, aber die Freundlichkeit, Huld und Güte, mit welcher Sie mich Undankbaren später noch überschütteten, haben mich berauscht, verblendet. Ich kann den Kampf nicht für mich allein beenden. So beenden Sie ihn denn, beenden Sie ihn, indem Sie durch ein Machtgebot die thörichten Hoffnungen unterdrücken und die verwegnen Wünsche zum Schweigen bringen!

Genehmigen Sie, hochgeehrtes Fräulein, daß ich mich zeichne als

Ihren

Bahnhof D., ergebenen
den 7. November 1853. Beinling."

Dies war der Brief, welchen Herr Beinling nach einem Verbrauch von elf Briefbogen auf dem Bahnhofe von D. endlich in solcher Gestalt zu Stande gebracht hatte, daß er ihn für würdig hielt, vor die unbeschreiblichen Augen einer gewissen unbeschreiblichen Dame zu gelangen. Nachdem er ihn noch siebenmal durchlesen und jedes Wort noch siebenmal bis auf den Scrupel abgewogen hatte, versiegelte er ihn, schrieb mit zitternder Hand die Adresse darauf und schickte ihn ab.

Darauf schaute er dem abgehenden Boten nach, bis derselbe sich ungefähr hundert Schritte von ihm entfernt hatte. Darauf rief er denselben hastig zurück und legte ihm unter Verdoppelung des Trinkgeldes ans Herz, wenigstens noch einmal so schnell zu gehn, als er die ersten hundert Schritte gegangen war.

Und nachdem der Bote, der Weisung des Absenders gehorchend, im Sturmschritt davon gerannt und hinter der nächsten Straßenbiegung verschwunden war, starrte Herr Beinling mit der Miene eines Schuldbewußten in die leere Luft, schlug sich vor die Stirn und rief: „Gott, was hab ich gethan!"

O, hätte er jetzt ein Pferd zu seiner Verfügung gehabt, hätte er dem Boten nachreiten, ihn einholen und ihm den verhängnißvollen Brief wieder abnehmen können, er würde das Wagniß, wiewol er niemals in seinem Leben ein Pferd bestiegen hatte, auf die Gefahr hin, den Hals zu brechen, unternommen haben! Ja er würde es! Er fühlte die felsenfeste Ueberzeugung in sich, daß er es gethan haben würde. Und diese Ueberzeugung linderte gewissermaßen den Schmerz darüber, daß er es leider nicht thun konnte.

Beinling schritt, unruhig und schwer aufathmend, in dem Bahnhofsgarten auf und nieder. Es war ein herrlicher Herbstmorgen, und von der Stadt tönte das Sonntagskirchengeläut, wie eine Aufforderung zur Hoffnung, zu ihm herüber. Er blickte hinauf zu dem klaren, blauen, unbeweglichen Himmel und umher in die friedvolle, schöne Herbstnatur, und er horchte auf den hellen, aufmunternden Glockenklang, und es kehrten wieder Ruhe und Hoffnung in seine Seele ein. „O, ich hoffe ja nur stille, warme Zuneigung!" — sagte er — „und ich beneide ja Robert nicht, daß er viel mehr, als ich hoffe, daß er glühende Liebe gefunden hat. Er ist ein junger, frischer, feuriger Mann; und ich befinde mich im Herbste des Lebens, stehe an der Schwelle des Alters!"

„Ich halte den Herbst für die schönste Jahreszeit." — sagte ein kleiner Mann, welcher, gleich Beinling, im Garten spazieren ging und dem letztern begegnete — „Es liegt etwas Charaktervolles, männlich Schönes in der Herbstnatur. Finden Sie das nicht auch, mein Herr?"

„O, allerdings, allerdings, mein Herr!" — versetzte Beinling, lebhaft erröthend und den Fremden, welcher ihn angeredet hatte, mit flüchtigem Gruße wieder verlassend — „O, allerdings, allerdings!" — murmelte er dann vor sich hin und verlor sich in tiefes Nachsinnen.

Er trat, scheinbar ganz unabsichtlich, zufällig, aus dem Garten heraus, befand sich, ganz zufällig, auf der Straße, welche nach der Stadt führte, und schritt auf derselben ein gutes Stück fürbaß. Doch plötzlich stand er still, erröthete, zupfte an den Vatermördern und flüsterte: „Himmel, wenn man mich beobachtete! Wie unmännlich, wie kindisch! Sollte das ein Symptom des herannahenden Alters sein?"

Er war eben im Begriff, wieder umzukehren, als

er in der Ferne eine männliche Gestalt erblickte, welche etwas Weißes triumphirend in der Luft hin und herschwenkte.

Herr Beinling kann sich noch jetzt nicht erklären, auf welche Weise er an jenem merkwürdigen Tage und in jenem entscheidenden Augenblicke den Raum, der noch zwischen ihm und dem Rechnungsrathe (als solcher gab sich die männliche Gestalt mit dem weißen Etwas in der Hand zu erkennen) lag, blitzschnell zurückgelegt hat. Er erinnert sich nur, — und er nimmt stets eine geheimnißvolle und sehr feierliche Miene an, wenn er diese Erinnerung heraufbeschwört — daß, sobald er den Rechnungsrath erblickte, er auch sogleich die Arme öffnete und denselben an sein Herz drückte, daß er, noch während dieser Umarmung, etwas Papiernes in seiner Hand fühlte, daß dieses papierne Etwas bei näherer Besichtigung das Ansehn eines Briefes gewann, und daß er, von einem Gefühle, welches „sowol Todesangst als himmlische Seligkeit“ war, durchzuckt, im Briefe die Worte las:

„Ich gebiete Ihnen, Ihre Hoffnungen und Wünsche ja nicht aufzugeben und bürge für deren Erfüllung!

Die Ihrige

Olga.“

Es ist eine sehr traurige, aber durch die ehrwürdigsten Autoritäten bestätigte Wahrheit, daß es in unsrer sublunarischen Welt durchaus kein Licht ohne Schatten gibt. Wenn man bedenkt, was alles der grundgütige Himmel in der jüngsten Zeit hatte geschehn und nicht geschehn lassen, um den Lebenspfad der Räthin Hübler mit Glück und Freude auszustatten, so fühlt man sich versucht, zu glauben, sie müßte einen solchen Grad von überschwenglichem Glücke erreicht haben, daß sie für Sorge und Betrübniß fortan unnahbar gewesen wäre. — Aber ach! — der Schatten, der Schatten!"

Herr Trenkmann hatte sichs nämlich in den Kopf gesetzt („wie das so reicher Leute Art ist, sich Schrollen in den Kopf zu setzen" — äußerte die Räthin), daß Robert und Beinling an einem Tage Hochzeit machen sollten. Daraus folgte nothwendig, daß beide Hochzeiten auch an einem Orte stattfinden müßten (da die Hochzeitgäste des einen Paars zugleich auch die des andern waren). Und daraus folgte wieder, daß Olga in B. getraut werden sollte (denn ein Millionär durfte doch die Hochzeitsfeier seiner einzigen Tochter nicht in fremdem Hause stattfinden lassen).

Diese „Inkopfsetzung" aber war erstens gegen das Herkommen, gegen die alte ehrwürdige Sitte, nach welcher eine Hochzeit stets an dem Heimatsorte der Braut stattfinden, also Olga mit Beinling in D. getraut werden mußte. Zweitens konnte diese „Schrolle“ des reichen Mannes als ein Eingriff in die Rechte und Befugnisse und Obliegenheiten der Räthin angesehn werden. Und drittens verlor die letztere, wenn Trenkmann seinen Willen durchsetzte, eine herrliche, köstliche, nimmer wiederkehrende Gelegenheit, die Welt von D. einmal mit Erstaunen, Bewunderung und Neid zu erfüllen, wie solches seit Erbauung der Stadt noch nie geschehen war.

Man denke sich also den Schrecken, die Bestürzung, die Entrüstung der Räthin, als sie durch einen Brief von Robert von dem wunderlichen, „naturwidrigen“ Projecte des Millionärs in Kenntniß gesetzt wurde. Sie erbleichte, zitterte und starrte sprachlos vor sich hin; darauf klagte sie, jammerte und drohte sie; und es läßt sich gar nicht berechnen, wie weit sie die gerechte Entrüstung fortgerissen haben würde, hätte nicht Herr Trenkmann einen ebenso artigen als herzlichen Brief „eigenhändig“ an sie geschrieben, wodurch sie besänftigt und zur Nachgiebigkeit bewogen wurde.

Die beiden Hochzeiten fanden also in B. und die Nachfeier derselben im Trenkmannschen Hause statt; und wir dürfen dem Leser die Versicherung geben, daß die Räthin ihre Nachgiebigkeit bis jetzt noch nicht bereut hat. Denn diese Hochzeitfeier im Trenkmannschen Hause bietet ihr noch heut einen unerschöpflichen Stoff zur Unterhaltung, wenn sie in den distinguirten Thee- und Kaffeegesellschaften von D. präsidirt (was jetzt immer geschieht, sobald überhaupt eine solche gewählte Gesellschaft zusammenkommt). Seit diesem denkwürdigen Hochzeittage bringt sie auch eine ganz neue Zeitrechnung in Anwendung, indem sie, um einen Zeitpunkt aus der jüngsten Vergangenheit zu bezeichnen, sich stets der Redeweise bedient: „So und und so viel Tage oder Wochen nach der Hochzeit meiner Nichte und meines Neffen —“

Ihre Nichte vermißt sie nicht sonderlich; denn sie hat eine neue Köchin gemiethet und hat demnach zu jeder Zeit einen lebendigen Gegenstand zur Hand, welchem sie ihre jedesmalige Seelenstimmung sogleich mittheilen und einverleiben kann. Für sie ist Olga also beinahe ersetzt; ihr ist ja Olga selten etwas Anderes, als ein gehorsames arbeitsames Mädchen gewesen.

Der Rechnungsrath dagegen ist seit der Hochzeit noch kleinlauter und schweigsamer, denn früher. Es fehlt ihm etwas daheim, und zuweilen promenirt er, was er sonst nie that, aus einem Zimmer in das andere, als suchte er und hoffte er zu finden, was ihm

27*

fehlt. Am liebsten hält er sich in Olgas früherem Zimmerchen auf und begießt und pflegt ihre Blumen, welche sie ihm zum Andenken zurückgelassen hat. Ach, er vermißt Olga gar sehr, ihm war sie mehr, als ein arbeitsames, gehorsames Mädchen!

Es gibt Dinge von viel feinerem Gewebe, als alle Pracht und Garderobe der Königin Pomare, es gibt sanfte, stille, bescheidene Veilchenseelen, die an verborgenem, ruhigem Platze blühen und duften. Solch feine, zarte Gewebe, solch bescheidene Blumen werden nur von dem Auge eines ganz besonderen Kenners gewürdigt (der Rechnungsrath war ein solcher Kenner und wußte seine Nichte zu würdigen); — während die Welt im allgemeinen (worunter ohne Zweifel auch die Räthin zu rechnen ist) dem Atlas und Hermelin den Vorzug vor jedem Gewebe gibt, und, was die Blumen betrifft, die Tulpen, Klatschrosen und Georginen für die schönsten hält.

Aber wenn sich auch der Rechnungsrath daheim jetzt schweigsamer und kleinlauter zeigt, so folgt noch nicht daraus, daß er grade sehr traurig, sehr betrübt oder melancholisch ist. Ach, nein! Jeder Sonntag ist ja für ihn ein Tag unbeschreiblicher Lust und Freude; denn dann fährt er entweder nach B., oder Beinling und Olga kommen nach D. An den Wochentagen aber zählt er, still vor sich hinlächelnd, die Stunden, welche bis zum nächsten Sonntage noch vergehen müssen; vorausgesetzt, daß er nicht in der Zeitung liest und loci memoriales sammelt.

Robert ist nun ein angesehener, hochgeachteter Mann, der Gemahl der reichsten Erbin von B. Die Firma des Hauses lautet jetzt „Trenkmann und Hübler". Und es ist nicht zu leugnen, daß er sich in Augenblicken, in welchen sich sein Ansehn geltend macht, oder auch, wenn er zuweilen die Adresse eines an die neue Firma gerichteten Briefs näher betrachtet, stolz und glücklich fühlt. Aber dieses Glück bleibt doch nur immer ein momentanes; und wenn sich auch Robert, als ein geistreicher Mann, mit der unleugbaren Wahrheit zu trösten sucht, daß ja alles und jedes Glück vergänglich sei, so macht er doch auch, als ein scharfsichtiger Mensch, die Bemerkung, daß es Menschen gibt, und zwar ganz in seiner Nähe unter seinen Freunden und Verwandten, an denen sich die Vergänglichkeit des Glückes wenigstens nicht bemerklich macht.

Zuweilen flüstert ihm seine immer noch gesprächige innere Stimme zu: „Du wolltest ja die Schmach abwaschen, mit welcher du dich, um dein grandioses Ziel zu erreichen, beflecken mußtest! Du wolltest ja Strolph, deinem Lehrer, beweisen, daß du, am Ziele deines ehrgeizigen Strebens angelangt, in einer Minute mehr zur Menschenbeglückung beitragen würdest, als Strolph in seinem ganzen Leben! Was thust du denn nun, während Strolph eine neue Lehre über die Welt verbreitet und ausübt, eine Lehre, welche einst das krankhafte entnervte Geschlecht der Menschen wieder gesund und frisch und kräftig machen wird?"

Robert antwortet dann zuweilen der innern Stimme: „Noch bin ich nicht selbstständig, nicht unabhängig. Noch kann ich nicht so handeln, wie ich gern möchte und sollte! Aber wenn ich einst ganz mein eigner Herr sein werde —" Hier bricht Robert, vor Scham erröthend, ab. Er fühlt, daß er einen entsetzlich selbstsüchtigen Gedanken aussprechen wollte. — Manchmal aber hat er nicht den Muth zu dieser Antwort, sondern kehrt in sich, beschaut seine Vergangenheit und Gegenwart und entwirft sich ein Bild von der Zukunft; und dann geräth er in jenen Zustand der Zerknirschung und Verstörtheit, in welchen er in der Nacht vor seiner Verlobung gerieth, und darauf stürzt er sich, um den inneren Schmerz zu betäuben und die bösen, schrecklichen Gedanken zu verscheuchen, auf den Tummelplatz des Genusses und Rausches und wüsten Vergnügens.

Aber besitzt Robert nicht eine Gattin, besitzt er nicht theilnehmende Freunde, an deren Brust er Linderung seines Schmerzes und Trost und Frieden finden könnte? — Robert zieht sich von seinen Freunden zurück, weil er sich vor ihnen schämt; er meidet sie, fürchtet sie und flieht sie! Und von seiner Gattin weiß er ja, daß sie ihn nicht mehr liebt; und wenn ers nicht wüßte, so würde ers bald entdecken müssen, denn sie zeigt ihm gegenüber weder Zärtlichkeit, noch Hingebung. Sie thut schlechtweg ihre Pflicht. „O, ich habe ja nicht nach Liebe heirathen wollen!“ — sagt er manchmal zu sich, wenn er ihr Benehmen gegen ihn überdenkt. Und für den Augenblick wirkt dieser Gedanke besänftigend und tröstend. Aber wenn er dann Beinling und Olga sieht, wenn er ihr stilles, friedfertiges und anheimelndes Glück beobachtet, dann verliert jener Trostgedanke seine Wirkung, und er schlägt sich vor die Stirn und ruft: „Sie hätte können mein guter Engel sein!“ — Und Selma? — O, Selma ist so glücklich, als es reiche Damen in der Regel sind! Die Winterbälle haben begonnen, die Oper ist vortrefflich besetzt, und die vornehme Welt von B. beurtheilt den Umstand, daß die Millionärin den schönen, geistreichen Commis ihres Vaters geheirathet hat, auf die günstigste Weise. Fräulein Trenkmann war ja von jeher ein seltsames, außergewöhnliches Wesen; sie hat, indem sie Herrn Hübler heirathete, nur eine ihrer seltsamen geistreichen Launen befriedigt. — Es ist wahr, daß sie zuweilen unwillkürlich darüber nachdenkt, wie anders sie das Eheglück geträumt hatte, als es in Wirklichkeit sei, und wie anders ihr Robert jetzt erscheine, als er ihr ehedem erschienen war — wie denn auch der geistreichste Mensch zuweilen auf wunderliche Gedanken verfällt — indeß sie besitzt Seelenstärke und Selbstbeherrschung genug, derlei Gedanken stets in die gehörigen Schranken zurückzuweisen, so daß ihr dieselben bis jetzt noch nicht das Leben zu verbittern vermochten. Außerdem besitzt sie ja in Molly eine wahre, aufrichtige Freundin, in Olga eine liebe, stets angenehme und aufheiternde Gesellschafterin — da Selma und Olga in demselben Hause wohnen, so sind sie einen großen Theil des Tages beisammen — und in Herrn Trenkmann einen Vater, welcher ihre jetzige kindliche Innigkeit und Hingebung durch die wärmste väterliche Zärtlichkeit belohnt; — was hätte sie also für Ursache, sich unglücklich zu fühlen? — „O, nein, sie fühlt sich gar nicht unglücklich!" ruft Robert oft in seinen bangen Stunden und — wir müssen der Wahrheit die Ehre geben — er fühlt sich durch diesen Gedanken nichts weniger als getröstet.

Während nun Robert in den Augen der Welt für den klügsten und glücklichsten Menschen gilt und von allen Seiten Ehre und Auszeichnung erfährt, in seinem Innern aber eine Hölle, voll düstrer, niederdrückender Gedanken, und bittrer, schmerzlicher Gefühle trägt, wird der arme bescheidene, „allzu anspruchslose“ Herr Beinling von der Welt für einen Thoren ausgeschrien, der sich mit „sehenden Augen“ ins Unglück gestürzt hat, wiewol er in seinem Innern eine unversiegbare Quelle voll Lust und Wonne, voll Glück und Liebe trägt.

Die Welt mag es ihm nicht verzeihn, daß er „als bejahrter Hagestolz ein junges, hübsches und besonders ein armes Mädchen geheirathet hat, und daß er sich als erfahrungsreicher und gesetzter Geschäftsmann“ an thörichten Neuerungen und Charlatanerien betheiligt. Er hätte bei dem zweiten Commis in die Lehre gehen sollen — sagt die Welt!

Herr Beinling aber, welchen früher, vor seiner Verheirathung, ein solches Verdammungsurtheil völlig niedergeschmettert haben würde, kümmert sich jetzt gar nicht darum — so kann sich der Mensch sogar noch mit 40 Jahren verändern! — sondern lebt vielmehr der festen Urberzeugung, daß er durch seine Verheirathung mit dem jungen, hübschen und armen Mädchen wieder völlig jung, vernünftig und unaussprechlich glücklich geworden ist. Die Jugend fühlt er ja in seinem Körper und seinem Gemüth. Die Vernünftigkeit spricht sich darin aus, daß er sich das Schnupfen und andere Hagestolzmanieren abgewöhnt hat. Und die Glückseligkeit — nun, mein Gott, man frage doch nur den Assessor Moll, welcher ihn neulich volle zehn Minuten mit seiner Olga belauscht hat, wie sie gerade miteinander die Blumen begossen und dabei lachten und plauderten und — na, der Assessor hats gesehn, der Bösewicht, und weiß es, wiewol er Herrn Beinling schwören mußte, gegen keinen Sterblichen ein Wort davon zu sagen; denn sonst werde er auch sprechen, er (Herr Beinling)!

Ueberhaupt steckt Moll immerwährend „bei Beinlings" — und Molly steckt auch immer dort; und die vier Menschen sind ein Herz und eine Seele und stecken immerwährend — die Geschäftsstunden der Männer und die Kochstunden der Frauen ausgenommen — beisammen: und Molly macht der Olga förmlich die Cour, so daß Selma, wiewol sie häufig auch an der Gesellschaft theilnimmt, ordentlich schon eifersüchtig ist. — Nächsten Sonntag werden „Molls" mit nach D... fahren, um die Bekanntschaft des Rathes und der Räthin zu machen. — Strolph, der Weiberfeind, schließt sich von diesen Gesellschaften immer aus, wiewol man ihn täglich dazu einladet. Dagegen kommt er bisweilen zu Moll, und dann kommt Beinling auch hin, und dann sprechen sie ernst und von ernsthaften Dingen, von der Wasserheilanstalt, welche immer mehr Ansehn gewinnt, von dem Türkenkriege, über welchen immer mehr Zeitungsenten in die Welt geschickt werden, und von Robert.

„Ich hab es dir prophezeit, wie es mit ihm kommen würde," — sagte Strolph neulich zu Moll — „er ist moralisch vernichtet, er meidet uns, flieht uns und thut auch nicht das geringste, was nur im entferntesten an seine früheren Grundsätze und Gesinnungen erinnern könnte. Er wird neue Schätze zu den errungenen fügen und ein ebenso verknöcherter, gefühlloser und unnützer Mensch werden, wie die Reichen alle sind."

„Grade, daß Robert uns meidet," entgegnete Moll — „läßt mich für ihn hoffen. Es beweist, daß er Scham und Reue fühlt. Grade, daß er nicht gleich blind ins Feuer rennt, daß er nachdenklich, erschüttert, unglücklich scheint, überzeugt mich, daß seine früheren Grundsätze noch wach und lebendig in ihm sind, und läßt mich hoffen, daß sie als Sieger aus seinem jetzigen inneren Kampfe hervorgehen werden".

„Wir werden sehn!“ versetzte Strolph mit bitterem Lächeln.

Helene fährt täglich in einem prachtvollen Wagen mit gräflichem Wappen an dem Trenkmannschen Hause vorüber und schaut mit stolzem, gleichsam herausfordernden Blicke nach dem grünen Saale hinauf. Die beiden Mädchen, welche stets mit ihr fahren, haben diesen Blick bereits erlauscht und blicken jetzt täglich auch nach dem grünen Saale hinauf, wiewol sie nie weiter etwas bemerken, als einen jungen, blassen Mann, welcher am Fenster steht und lebhaft herabgrüßt.

Draußen vor der Stadt schließt sich ihnen in der Regel ein vornehmer Herr zu Pferde an, welchen Helene „Herr Graf“ titulirt, und welcher sie „liebe Helene“ nennt. Zwei oder dreimal haben die beiden Mädchen bemerkt, daß ihnen der junge, blasse Mann, welcher immer am Fenster steht, wenn sie durch die Straße fahren, in einer Droschke gefolgt ist. Helene hat davon wahrscheinlich keine Ahnung, weil sie unterwegs immer ein lebhaftes Gespräch mit dem Grafen unterhält, also keine Zeit zu Beobachtungen findet, und auch weil sie sich doch nicht, gleich den Mädchen, im Wagen umdrehen und rückwärts blicken kann. Ob der Graf den blassen, jungen Mann bemerkt hat, wissen wir nicht, vermuthen es aber. Denn als Helene vorgestern ihre Mutter besuchte, — wie sie das täglich thut — hat ihr die Frau Doctorin ins Ohr geflüstert: „der Graf ist eifersüchtig auf Robert: das kann unter Umständen gar nichts schaden, vielmehr von großem Nutzen sein. Aber seien Sie vorsichtig — sehr vorsichtig!“

Amandus Salzer, dieser deutsche und moderne Falstaff, strebt nach wie vor ins Ungewöhnliche hinaus; er kann nun einmal nicht eines spießbürgerlichen Mittelglückes in Ruhe genießen. Vor kurzem hat er ein neues Kartenspiel erfunden, welches er „Omer-Pascha“ nennt, und mit welchem er bereits viel Ehre erworben und „mehrfache Kassenscheine herausgeschlagen“ hat. Auch beschäftigt er sich seit einiger Zeit sehr stark mit Politik; und da er sich, wie wir wohl wissen, und wie er auch weiß, eines ganz „immensen“ Rednertalentes erfreut, da er, was „Combination und Intuition“ betrifft, seinesgleichen sucht, so findet er in allen Bierkellern aufmerksame Zuhörer, generöse Bewunderer und nicht selten freie Zeche.

„Krieg fürchtet ihr?“ — so ruft er den Leuten zu, wenn sie die Zeitungen hastig und ängstlich durchflogen haben und die Köpfe hängen lassen und vom Fallen der Course und vom Steigen der Fleischpreise sprechen. — „O, ihr Kleinmüthigen! — Betrachtet diese Hand," hier legt er seine Hand auf das Billard oder auf einen Tisch — „sie ist die Hand eines Biedermannes, beim Wischnu! — sie ist voll und fleischig. Aber ich will mir sie abhacken lassen, beim Brahma! ich will sie, in Cotelетts verwandelt, selbsteigen verspeisen, wofern es bei uns zum ernstlichen Kriege kommt!" — Hier schaut er mit einem Blicke der Inspiration rings umher, und alles starrt ihn wißbegierig und bewundernd an.

„Die Zeiten der großen Kriege und Eroberungen sind bei den Völkern der Civilisation vorüber, sunt tempora praeterita" — fährt er nach einer Pause mit der Miene eines Sehers fort — „das Zeitalter der Humanität und des Friedens hat begonnen, und die Herrscher dürften wissen, vermuthen und ahnen, daß sie, den Krieg beginnend, die Büchse Pandorens öffnen! — Glaubt ihr, daß ich, das träge Einerlei der Tage sanft hinnehmend, hier unter euch stehen würde, wenn Krieg, Ehre, Ruhm, Unsterblichkeit bevorstände? — Glaubt es einer, der spreche; denn ich habe ihn beleidigt! — Ihr schweigt? — desto besser, dann steht ihr auf dem Standpunkte unsrer Zeit und wißt, daß kein Herrscher mehr sagen kann: „Iterum censeo, Carthaginem esse delendam!“

Nein, unsre Fluren werden nicht mehr von dem Gestampf des Krieges zertreten werden, beim Universum! Lasset das Schlachtgewühl an den Grenzen der Tartaren wüthen; wir, die wir am Herde der Cultur und Civilisation geborgen sind, haben den Fluch des Krieges nimmermehr zu fürchten!“

Das Dunkle, Unbestimmte überzeugt die meisten Menschen weit eher und besser, als das Klare, Bestimmte. Daher geschieht es, daß stets einige von den Zuhörern durch Salzers Beredtsamkeit überzeugt, andre wenigstens getröstet werden. Und da getröstete Menschen zur Freude und Generosität incliniren, so folgt auf Salzers geistvollen Vortrag in der Regel ein kleines, harmloses Trinkgelage, bei welchem er, den Kostenpunkt abgerechnet, mit welchem er als Ehrenmitglied nichts zu thun hat, stets seinen Mann stellt.

Hin und wieder stattet Amandus der sanften, keuschen Doctorin noch einen Besuch ab. Sie nimmt ihn stets liebreich auf und tröstet ihn zuweilen, wenn er recht melancholisch ist, durch Ueberreichung eines kleinen, unscheinbaren Paquetchens aus der bekannten Schublade des bekannten Schranks. Dabei pflegt sie ihn auf die Strenge und den Ernst der Zeit aufmerksam zu

machen und ihm Mäßigkeit und Sparsamkeit anzu-
empfehlen.

„O, ich werde mein Kind, mein einziges, nicht unnöthig incommodiren, wiewol es grade keine Noth leiden mag;“ erwidert alsdann Amandus Salzer — „ich werde darben und dulden, verlassen Sie sich drauf!“

Und so geschieht es.

Ende.